KATARZYNA ZYSKOWSKA-IGNACIAK

Ty jesteś moje imię

Wydanie I, Poznań 2014

Projekt okładki: Olga Reszelska
Zdjęcie na okładce: © Lesley Aggar / Trevillion Images

Redakcja: Justyna Bidas, Editio
Korekta: Anna Karasek-Gruszecka, Editio
Skład i łamanie: Jacek Bociąg, Editio
Druk i oprawa: Abedik SA

ISBN: 978-83-7988-133-8

Wydawnictwo Filia
grupa Termedia sp. z o.o.
ul. Kleeberga 8
61-615 Poznań
www.wydawnictwofilia.pl

Wszelkie pytania prosimy kierować na adres: czytelnicy@wydawnictwofilia.pl

Dołącz do nas na Facebooku!

Dla Bartka

Półmrok i strach.

Otacza mnie półmrok rozświetlony jedynie wątłym płomieniem lampki. W nozdrza wdziera się woń strachu, spoconych ciał i ta charakterystyczna: acetylenu z karbidówki. Ludzkie głosy mieszają się z cichym popiskiwaniem niepożądanych współlokatorów piwnicy, szczurów, które płochliwie przemykają pod ścianami. Lecz to przecież my jesteśmy intruzami w ich królestwie. Nasze miejsce nie jest tutaj, w ukryciu, na dole, pod powierzchnią rozgrywających się dramatów. My, tchórze, powinniśmy być teraz na ulicy, razem z tymi, których członki wypalają resztki sierpniowego słońca, których twarze pokrywa kurz i popiół. A jednak chowamy się i udajemy, że odgłosy walki wciąż są odległe, że jeszcze nas nie dotyczą, nie obchodzą, nie zagrażają nam.

My, tu na dole, tocząc życie równoległe, odgrywając sceny normalności, zdajemy się być bezpieczni. Do czasu. Do chwili aż jakaś bomba uderzy w dom, grzebiąc nas w jego gruzach, zamykając w śmiertelnym potrzasku ruin. Dlatego ciała moich towarzyszy kulą się do społu z ciałkami gryzoni za każdym razem, kiedy kamienicą poruszy kolejne trzęsienie ziemi, kolejny zbyt bliski wybuch zmuszający nas do schowania głowy w ramionach, do zasłonięcia jej przed sypiącym się ze stropów pyłem...

Wczoraj, kiedy dźwięki ulicznej bitwy wraz z kwaśnym zapachem spalenizny dotarły aż tutaj – do naszej przymusowej kryjówki, oazy bez wody – ostatecznie puściły mi nerwy. Rodzice mocno trzymali mnie za ręce, szepcząc, żebym się uspokoiła, że to mi szkodzi, a przecież nie mogę się teraz denerwować. Ja tymczasem nie potrafiłam powstrzymać gniewu. Krzyczałam do naszego sąsiada: „Co z pana za mężczyzna, trzeba biec na górę, trzeba gasić pożary, wznosić barykady, łapać za broń...!". Darłam się jak opętana, a on, skulony w kącie, tuląc w ramionach żonę, w rozpaczy wygrażał powstańcom i Bogu. Udawał, że mnie nie słyszy – może naprawdę nie słyszał? – a ja płakałam. Łzy bezsilności kreśliły na mojej brudnej twarzy jasne pręgi wstydu. Płakałam, bo nie zdobyłam się na odwagę, by pomóc walczącym, ponieważ przerażenie wygrało z honorem, bo czułam do siebie pogardę.

Wiem, że powinnam opuścić to przeklęte miejsce, stanąć ramię przy ramieniu w zwartym szeregu z tymi, którzy zostali na ulicach – z armią szlachetnych straceńców, z mężem. Wiem. I każda część mojego cia-

ła wyrywa się do nich, każda myśl wędruje ku górze, poprzez spływające krwią trotuary, poprzez zgliszcza; ku płonącej Warszawie; ku człowiekowi, którego kocham. Każda… Prócz tej jednej, pęczniejącej w moim brzuchu, pod moim sercem. Ona stanowi ostatni bastion rozsądku, ostatni strzęp instynktu samozachowawczego. Ta cząstka jest nim – Krzysztofem. Dlatego muszę tu trwać, muszę czekać. Bez względu na wszystko powinnam pozostać w piwnicy, by przetrwać, przeżyć. Bowiem teraz nie istnieję już wyłącznie dla siebie. Jestem nadzieją. Jestem tym wszystkim, o czym rozmawiałam z Krzysiem na Hołówki w czarne noce okupacji i w te nierealne, spływające zielenią lasów, ostatnie lipcowe dni w Wieliszewie. Dlatego pozwalam matce mnie poić i karmić, dlatego, wsłuchując się w łagodny tembr głosu ojca, staram się nie zwariować. Chwytam się myśli, że jakoś to będzie – będzie? – choć już rozumiem, czuję, że teraz nic nie może być takie, jak dawniej. Nasz świat dobiega końca.

W połowie sierpnia udało mi się zamieścić w powstańczym biuletynie krótki anons: „Barbara Baczyńska poszukuje męża, podchorążego Krzysztofa, Pańska 5". Do dzisiaj moje wołanie pozostało bez odzewu, toteż odchodzę od zmysłów. Szaleję z niepokoju. Mama cierpliwie zapewnia, że on na pewno się odnajdzie, że walczy w innej dzielnicy, że dołączy do nas, gdy czas się dopełni. Już nie mówi: „Kiedy wygramy i przegonimy szkopów ze stolicy", a właśnie: „Gdy czas się dopełni…". Dawna mrzonka o szybkim zmiażdżeniu okupanta powoli zamienia się w okrutne przekonanie, że wszystko poszło na marne.

Zresztą mama w swoim fatalizmie nie jest odosobniona. Nastroje w piwnicy wśród naszych sąsiadów też uległy zmianie. W pierwszych dniach panowała ogromna ekscytacja. Dzielni chłopcy na barykadach! Dają łupnia pomiotom Hitlera! Nasi bohaterowie! Dzięki nim powietrze pachnie wyzwoleniem! Dzięki nim tu i ówdzie na budynkach – na których dotąd królowały czarne ramiona swastyk – powiewają polskie flagi! Ten widok napełniał ludność Warszawy entuzjazmem, wzbudzał nadzieję, że wkrótce nadejdzie wolność. Wolność warta jest kilku ofiar.

Tymczasem z kilku ofiar zrobiły się dziesiątki, setki i tysiące, a letnie niebo coraz szczelniej przesłania tuman ze zgliszczy. Dni mijają, sierpień powoli chyli się ku końcowi, a my wciąż trwamy w zawieszeniu. Tydzień po tygodniu wiara słabnie i w głosach cywilów nie pobrzmiewa już duma, a jedynie zarzut wobec obdartej młodej armii, ubogiej w broń, chociaż wciąż zasobnej w samobójczy hart ducha. To przez nią ta rzeź na Ochocie, to oni winni męczeńskiej śmierci warszawiaków na Woli! Całe zło przez fanaberię bandy naiwnych dzieciaków, które zamiast karabinów dzierżą w dłoniach butelki z benzyną; przez *błędnych rycerzy rzucających się rejtanowskim gestem pod czołgi!*

Staram się nie słuchać ludzkich złorzeczeń. Nie wchodzić w pełne rozżalenia polemiki konformistów toczące się pod ziemią. Gdybym tylko mogła, uciekłabym stąd natychmiast i wypełniła swój obowiązek, gdyż mimo wszystko ufam, że walka ma sens.

Gdy nad naszymi głowami wciąż ryczą wojenne werble, rozbrzmiewają odgłosy tyraliery, dudnią gąsienice i huczą bomby, my staramy się sprawić, by czas spędzony w piwnicy stał się znośniejszym. Zatem przynieśliśmy z góry najpotrzebniejsze rzeczy, materace, pościel, nawet książki i ze skrawków dawnego życia zbudowaliśmy alternatywę codzienności, w której mrokach – nie odróżniając dnia od nocy – staramy się żyć w miarę normalnie. Normalnie?! Od kilku dni nawet gotujemy tutaj, bo wychodzenie do mieszkań powyżej jest zbyt niebezpieczne. Wpatrujemy się w znikające zapasy jedzenia i przeliczamy, na jak długo wystarczą. Racje z każdym dniem stają się coraz uboższe, jednak rodzice przez wzgląd na mój stan odejmują sobie od ust. Żeby mi niczego nie zabrakło, żebym się tylko nie pochorowała.

Jak mogłabym jeść do syta, wiedząc, że Krzysztof jest głodny? Czy powstańcy mają coś ciepłego na obiad, czy w ogóle dostają obiad? Czy Krzyś się odpowiednio odżywia? Kto się nim opiekuje, kiedy mnie przy nim nie ma? On, zawsze z głową w chmurach, tak oderwany od prozy życia…

Zmagam się ze sobą za każdym razem, wkładając łyżkę cienkiej zupy do ust. Wszak chłopcy kryjący się w bramach przed niecichnącym staccatem z karabinów nie mają nawet tego. Dlatego nie rozmyślam, co się z nami stanie, gdy liche zapasy wreszcie się wyczerpią, wierzę, że wkrótce to piekło się skończy. Musi się skończyć! A wówczas opuścimy nasze więzienie.

Tylko czy świat, który zastaniemy na górze, nie okaże się straszniejszy niż tutejsze ciemności?

Pierwszego sierpnia odprowadziłam Krzysia na miejsce zbiórki przy Focha. Mieliśmy się znowu zobaczyć za godzinę, dwie. Nie spodziewaliśmy się, że godzina „W" nastąpi tak szybko. Nikt nas nie zawiadomił, nikt nie ostrzegł, właściwy meldunek nie dotarł na czas… A jednak niedługo po naszym rozstaniu, tuż po godzinie siedemnastej, gdy padały pierwsze strzały, zrozumiałam, że to już. Już! Walka na ulicy wybuchła tak niespodziewanie, że wraz z kilkoma przypadkowymi osobami zmuszona byłam schować się w piwnicy jakiegoś domu w okolicach placu Piłsudskiego. Dopiero następnego dnia przedostałam się do rodziców na Pańską – pokonanie zaledwie kilku śródmiejskich ulic trwało całe wieki. Właśnie wtedy zobaczyłam wszystko to, czego żaden człowiek nie powinien nigdy oglądać. Upiorny obraz pustych oczodołów spa-

lonych domów pozostanie we mnie na zawsze. Nigdy nie zapomnę twarzy przechodniów, którzy jak kukiełki po odcięciu sznurków bezwładnie upadali obok mnie na chodniku, ginąc pod ogniem niemieckich snajperów. Za każdym razem, gdy zamykam oczy, widzę zmasakrowane ciała tych ludzi, czuję na sobie zapach spalenizny i krwi...

Dlatego wiem, co zastaniemy na górze, gdy wreszcie stąd wyjdziemy. Wiem, chociaż nikomu z tych refleksji się nie zwierzam. W ogóle rzadko tu ze sobą rozmawiamy i tylko od czasu do czasu ciszę zakłóca czyjś lament, krzyk lub czyjaś modlitwa.

To bezustanne, pełne napięcia milczenie ogromnie mnie drażni. Sprawia, że piwnica zdaje się ciaśniejsza i bardziej klaustrofobiczna, niż jest w istocie. Brakuje mi przestrzeni i tlenu, a przez to wciąż mam mdłości. Podobno to normalny objaw ciąży, acz ja uważam, że właśnie przez ciągłe zamknięcie czuję się tak chora. I dlatego, mimo zagrożenia i wbrew prośbom rodziców, staram się stąd wychodzić przy każdej nadarzającej się okazji.

Dziś rano, gdy na Pańskiej panował względny spokój i tylko gdzieś od strony Starego Miasta docierały do nas przytłumione dźwięki strzelaniny, wyszłam na zewnątrz po wodę. Niemal na samym początku sierpnia, gdy padła elektrownia na Powiślu, odcięto nam prąd, jednak teraz nie działają także wodociągi. Można żyć

bez światła, nie da się bez wody. Dlatego ktoś musi cho-
dzić do studni.

   Na dworze było gorąco, jak w piekle. Przez wszech-
obecne pożary niemal wszystko spowijał dym. Chociaż
dzień zdawał się słoneczny, zza szarej zasłony nie byłam
w stanie dojrzeć nieba – gęsta chmura niczym mroczne
fatum zawisła nad dachami miasta. Ludzie o szarych
twarzach i zgarbionych plecach przemykali strwożeni
pod rdzawymi murami kamienic odartych z tynków.
Nikt się na nikogo nie oglądał, nikt z nikim nie rozma-
wiał. Tylko ja, w drodze powrotnej z punktu czerpania
wody, postanowiłam zaczepić kilku przechodniów. Py-
tałam, czy nie widzieli mężczyzny o twarzy chłopca,
o włosach jasnych i falujących, o zamyślonym spojrzeniu.
Czy ktoś nie słyszał o moim Krzysiu, czy nie wie, gdzie
teraz walczy jego oddział. Lecz wszyscy mijali mnie obo-
jętnie lub niesieni trwogą przyspieszali kroku.

   Jakaś dziewczyna – może siedemnastoletnia –
z biało-czerwoną opaską na rękawie, w spódnicy
uwalanej zastygłą krwią, biegła w kierunku szpitala
na Mariańskiej. Niemal środkiem ulicy, jakby już się
nie obawiała zagrożenia, jakby ostatnie dni wypłu-
kały z jej młodego ciała resztki pokory przed śmier-
cią. Nie schylała pokrytej ceglanym kurzem głowy,
nie kuliła ramion. Dziewczyna z Szarych Szeregów,
łączniczka, może sanitariuszka – w ostatniej chwili
złapałam ją za ramię:

– Bardzo przepraszam – zagadnęłam. – Ale czy nie natknęłaś się gdzieś na podchorążego Krzysia? On walczy w…

Spojrzała na mnie przelotnie z nieobecnym wyrazem przekrwionych oczu.

– Czy pani nie widzi, co tu się dzieje? – rzuciła opryskliwie. – Jaki Krzyś? Proszę mnie puścić. Ja się spieszę! – Wyrwała rękę z mojego uchwytu.

– Chodzi o mojego męża – naciskałam. – Należy do batalionu „Parasol". Od pierwszego dnia powstania nie mam o nim żadnych wiadomości. Masz opaskę, więc myślałam… Może będziesz coś wiedziała.

Twarz dziewczyny złagodniała.

– Ja jestem z „Zośki". Nie znam chłopaków z „Parasola". Myśmy już kilka dni temu przenieśli się na Stare Miasto, a tam panuje kompletny chaos. Proszę popytać przy wyjściach z kanałów, ja nie umiem pomóc.

– Czy to znaczy, że batalion mojego męża też mógł się ewakuować ze Śródmieścia?

– Naprawdę nie wiem.

– Proszę, błagam, powiedz mi, co się tam teraz u was dzieje?!

Popatrzyła na mnie smutno.

– Wszędzie dzieje się to samo. Okropne rzeczy…

Odruchowo jej wzrok powędrował w kierunku ściany domu, pod którym się zatrzymałyśmy. Dopiero teraz

zauważyłam, że stoję zaledwie kilka metrów od pro-
wizorycznych mogił usypanych z cegieł. W niewielkie
kopczyki ktoś powbijał niedbale zbite krzyże.

– Nie wiem, ilu już chłopakom zamknęłam oczy
w ostatnich dniach – kontynuowała. – Ilu opatrzyłam.
Nie znam ich imion, a czasami są tak ciężko ranni, że
nie można nawet rozpoznać twarzy.

Od strony Marszałkowskiej doszedł nas ryk „krowy",
a później powietrze wypełnił huk walących się gdzieś
niedaleko murów. Po ziemi przepełzły charakterystycz-
ne wibracje uderzenia. W jednej chwili nieliczni piesi
rozpierzchli się po bramach. Zostałyśmy zupełnie same.
Instynktownie zasłoniłam twarz ramieniem, wylewa-
jąc przy tym połowę zawartości wiadra. Woda chlu-
snęła nam pod nogi, szybko wsiąkając w miałki gruz,
którym uściełana była ulica. Dziewczyna, stojąca tuż
przy mnie, nawet nie drgnęła.

– Proszę mi wybaczyć, naprawdę muszę iść – powiedziała, gdy głuchy dźwięk osuwającego się rumowi-
ska wreszcie ucichł. – Niosę meldunek.

Pokiwałam ze zrozumieniem. Łączniczka zrobiła kilka kroków, po czym odwróciła się jeszcze raz w moją stronę.

– Proszę mi przypomnieć, jak nazywa się pani mąż?
Popytam, czy ktoś go nie widział.

– Krzyś Zieliński – wyrzuciłam z siebie i zamilkłam.

W konspiracji nie zdradza się nazwisk. Nawet
jeśli to tylko pseudonimy. W konspiracji należy mówić

jak najmniej. Chociaż jakie to miało dzisiaj znacze-
nie? Wszak nikt się już nie ukrywa. Wraz z wybuchem
powstania okupacja w Warszawie się skończyła. Nasz
świat ulegał destrukcji, toteż i dawne principia musiały
się zmienić.

– Tak naprawdę mój mąż nazywa się Krzysztof
Kamil Baczyński – dodałam, nie kryjąc dumy.

Przez usta dziewczyny przemknęło coś na kształt
krzepiącego uśmiechu. Chyba nie wiedziała, kim jest
Krzyś; że oto stoi przed nią żona najwybitniejszego
poety młodego pokolenia. Zamiast tego wyrozumiale
udała, że nie dosłyszała mojej niedyskrecji. A może ona
również uważała, że dawne prawa nas nie obowiązują?

– Proszę być dobrej myśli. On się na pewno znajdzie –
rzuciła na pożegnanie.

Zaraz potem zniknęła w wyłomie muru wybi-
tym kilka metrów dalej, a ja zostałam sama, dzierżąc
w dłoni wiadro zaledwie do połowy wypełnione wodą.

On się na pewno znajdzie – powtarzałam jak man-
trę, wchodząc na podwórko. Na pewno się znajdzie!
Muszę w to wierzyć, bo inaczej nic nie miałoby sensu.
Krzysztof musi wrócić, ponieważ tacy jak on nie mają
prawa ginąć na wojnie – nie wolno do wroga strzelać
z brylantów[1]. A on tak wiele jeszcze ma do zrobienia,

---

[1] Parafraza słów wypowiedzianych przez Stanisława Pigonia na
wieść o wstąpieniu K.K. Baczyńskiego do konspiracji.

tak wiele do napisania. Wkrótce na pewno osiągnie wszystko, czego pragnął. Już niedługo, gdy tylko znowu staniemy się wolni.

Tymczasem cały jego dorobek trzymam przy sobie. Pilnie strzegę skarbu ukrytego pod moim siennikiem w piwnicy. Mam tu każdy wiersz i rysunek Krzysztofa; opuszczając mieszkanie na Hołówki, przezornie zabrałam stare zapiski, notesy, luźne kartki i wydane w czasie okupacji tomiki. To z nich czerpię teraz otuchę. Uciekam od rzeczywistości, zapadając się w słowa skreślone równym, drobnym pismem Krzysia. Uciekam od grozy dzisiejszego dnia i wracam wspomnieniami do chwili, gdy wbrew światu ogarniętemu szaleństwem odnalazłam swoje przeznaczenie. Do dnia, kiedy moje niewiele znaczące „ja" raz na zawsze miało zamienić się w niezwykłe „my". Zamiast brunatnego pyłu z rozbitych domów na nasze głowy łagodną bielą sypał wówczas śnieg.

I

Stojąc przed lustrem ciszy
Barbara z rękami u włosów
nalewa w szklane ciało
srebrne kropelki głosu.

I wtedy jak dzban – światłem
zapełnia się i szkląca
przejmuje w siebie gwiazdy
i biały pył miesiąca (…).

K.K. Baczyński, *Biała magia*,
4 stycznia 1942

Zima czterdziestego pierwszego roku nadeszła szybciej, niż się spodziewano. Już w drugiej połowie listopada w Warszawie ścisnął rekordowy, jak na tę porę, mróz. Na sunących leniwie wodach Wisły rozkwitły lodowe wianki śryżu, a puszysta biel pokryła grubą warstwą brudne trotuary i sterczące gdzieniegdzie kikuty zniszczonych kamienic. Lodowaty północny wiatr wbijał ostre igły szronu we wszystko, co napotkał na swojej drodze. Oblepił nawet nazistowskie flagi, które – teraz sztywne i nieruchome –

zwisały smętnie z budynków, tracąc nieco na swej posępnej, czerwono-czarnej intensywności.

Dzięki temu świat nagle zdawał się czystszy. Pozornie spokojniejszy. Lepszy – jakby Matka Natura postanowiła na chwilę uśpić wojenne demony...

Pomimo przenikliwego chłodu i śnieżnej kurzawy w Śródmieściu panował typowy dla poniedziałku ruch. Przechodnie przemykali ulicą, spiesząc do swych codziennych zajęć. O trwającej okupacji przypominał jedynie stojący na chodniku granatowy policjant. Lustrował otoczenie zmęczonym spojrzeniem, przestępując z nogi na nogę.

Na przystanku przy ulicy Marszałkowskiej, podzwaniając metalicznie, zatrzymał się tramwaj. Oprócz osób tłoczących się w środku, na zewnątrz wagonu jechali uczepieni dodatkowi, na wskroś przemarznięci pasażerowie. Nim stalowe koła na dobre wyhamowały, część przymusowych amatorów arktycznej przejażdżki zeskoczyła na ulicę, ustępując miejsca kolejnym, równie niewybrednym podróżnym. Tymczasem z przedniej, świecącej pustkami platformy *Nur für Deutsche* wytoczył się umundurowany grubas w brunatnym płaszczu i podał dłoń towarzyszce otulonej w srebrne lisy. Kobieta, przyjmując ramię oficera, spojrzała nań zalotnie, a jej usta – uderzająco ordynarne na tle szaroburego otoczenia – rozciągnęły się w karminowym uśmiechu.

Sylwetki obojga żywo kontrastowały z tłumem wysypującym się z tyłu składu. Tam prawie nikt nie dysponował okryciem, dającym właściwą ochronę przed zdradzieckimi powiewami. Wytworne futra oraz ciepłe wełny, tak chętnie noszone przed wojną przez stołecznych elegantów, dawno spieniężono, by zaspokoić inne, bardziej palące potrzeby. Spotkanie Polaka w porządnym zimowym ubraniu było rzadkością. Na ulicach zaczęły królować liche nicowane palta, połatane kurtki, bądź szyte chałupniczo poncza z derek; często przewiązane paskiem czy po prostu sznurkiem.

Pośród ludzkiej ciżby ku wyjściu z tramwaju przeciskała się drobna dziewczyna w granatowym płaszczyku, pamiętającym zapewne czasy gimnazjum, bo na rękawie i kołnierzu nadal jaśniały ślady po wyprutych szkolnych emblematach – obecnie surowo zabronionych przez okupanta. Zeskoczywszy ze schodków, dokładniej okryła się szalikiem, po czym bez zwłoki przebiegła w poprzek jezdni.

Nie była specjalnie ładna. Mimo że kilka tygodni wcześniej skończyła dziewiętnaście lat, wciąż wyglądała niedojrzale; rysy twarzy pozostały dziecięce, a zbyt szczupłej figurze brakowało typowych dla kobiety krągłości. Bladość policzków, które często pod wpływem wzburzenia lub zakłopotania pokrywały się rumieńcem, podkreślały ciemnoorzechowe włosy. I tylko oczy – jasne, o bystrym i wnikliwym spojrzeniu – przydawały właścicielce niewątpliwego uroku.

Dziewczyna poprawiła niesforne kosmyki, które wysunęły się spod niezbyt twarzowego toczka, przycisnęła mocniej do piersi wysłużoną teczkę i szybkim krokiem podążyła w stronę Kredytowej. Unikając wzroku pozostałych pieszych, uporczywie wpatrywała się w śnieg, który skrzypiał pod nogami. Nieopatrzny gest lub dziwne zachowanie mogłyby wzbudzić czyjeś zainteresowanie, zaś cel zimowej przechadzki należało utrzymać w tajemnicy. Nikt nie powinien zwrócić uwagi na przykuloną dziewczęcą postać. Żaden ze zmarzniętych warszawiaków o apatycznych twarzach – nigdy nie wiadomo, kto jest szpiclem, szukającym łatwego zysku, a kto mściwym volksdeutschem – ani tym bardziej żandarm, na którego dziewczyna natknęła się po wejściu w boczną ulicę.

Tymczasem, kiedy od kamienicy pod numerem szesnastym, dokąd zmierzała, dzielił ją jeszcze spory kawałek, usłyszała za plecami czyjeś wołanie:

– Halo, proszę pani, proszę poczekać…

Głowę dziewczyny wypełniła nerwowa gonitwa myśli – czy w teczce nie ma niczego, co mogłoby ją zdradzić, czy w razie aresztowania tylko ona poniesie konsekwencje…? Ostatnie lata wyrobiły w niej szczególną przezorność i nauczyły czujności.

Każdy wzmożony ruch na ulicy, każdy podniesiony głos, mógł zwiastować kolejną łapankę lub przypadkową egzekucję. A wtedy, ignorując zamieszanie, należało natychmiast schronić się w pobliskiej bramie lub czym prędzej oddalić z zagrożonego miejsca. Intuicyjnie wybrała drugą opcję. Rozejrzawszy się dyskretnie na boki, bez zwłoki ruszyła przed siebie.

Echo wołania wybrzmiało, zduszone innymi dźwiękami miasta, jednak dziewczynę nadal przepełniał niepokój. Po jej plecach spłynęła zimna strużka potu, a serce łomotało nierówno. Przyspieszyła jeszcze bardziej, a marsz bezwiednie zaczął przechodzić w bieg – byle czym prędzej znaleźć się na miejscu, byle ukryć się w bezpiecznym salonie państwa Hiżów...

– Proszę zaczekać! Panno Basiu!

Słowa wraz z płatkami śniegu znowu zawirowały w powietrzu, docierając do uszu uciekinierki. Przystanęła. Z wyraźną ulgą wypuściła wstrzymywany dotąd oddech; żandarm nie znałby jej imienia i przecież nie krzyczałby po polsku. Jak mogła nie poznać tego głosu? Spojrzała za siebie. Spoza białej zasłony zadymki wyłoniła się znajoma postać.

– Dzień dobry, panno Basiu – przywitał ją lekko zdyszany młody człowiek.

– Ależ mnie pan wystraszył, panie Tadeuszu. Już myślałam, że to jakiś Niemiec. – Podała mu dłoń na powitanie, próbując zapanować nad jej drżeniem.

– Naprawdę? W takim razie najmocniej przepraszam. Niemal od przystanku gonię za panią, ale przez ten śnieg nie byłem pewien, czy z kimś pani nie pomyliłem. Zawołałem i… – Z jego ust popłynął potok usprawiedliwień: – Dobrze, że jest pani ostrożna. Teraz nigdzie nie można czuć się bezpiecznie. Chociaż przy tej okropnej pogodzie szwabom chyba nie będzie się chciało wychylać nosa na dwór. – Naciągnął kapelusz na nieco odstające uszy. – Tak czy inaczej, jeszcze raz przepraszam…

Basia ze zrozumieniem pokiwała głową. Strach powoli opuszczał jej ciało. Żeby uprzedzić dalsze przeprosiny, zmieniła temat:

– Pan też się wybiera na… komplet z logiki? – ostatnie słowa wyrzuciła szeptem.

– Owszem – przytaknął tamten energicznie. – Chętnie pani potowarzyszę, jeśli pani pozwoli.

Ruszyli razem w głąb ulicy.

– Wybrała już pani kierunek, który chciałaby studiować? – zapytał, przerywając niezręczne milczenie.

Dziewczyna się ożywiła, ukazując w uśmiechu rząd białych zębów. Studia to temat, który od wiosny i uzyskania matury nieustannie zaprzątał jej myśli.

– Jest tak wiele rzeczy, które mnie interesują, którymi chciałabym się zająć. Historia, filozofia, lecz przede wszystkim literatura... Wciąż się zastanawiam, jaki kierunek będzie dla mnie najwłaściwszy, chociaż powoli skłaniam się ku polonistyce.

– Intrygujący pomysł. Jednym słowem, myśli pani o karierze belfra – stwierdził wesoło jej towarzysz.

Ona także się uśmiechnęła.

– Nie, nie mam ambicji, by pracować z młodzieżą. Chociaż... – Spoważniała. – W dzisiejszych czasach byłby to zapewne wybór bardzo szlachetny. Trzeba w najmłodszych budować poczucie tożsamości, krzewić właściwe postawy. Nie sądzi pan?

– Tak, to prawda.

– Lecz ja zupełnie nie czuję w sobie powołania pedagogicznego. Decydując się na polonistykę, myślałam raczej... – Zawiesiła głos, delikatnie się rumieniąc. – ...O krytyce literackiej.

Tadeusz zerknął na koleżankę zaintrygowany. W jej dziecinnej twarzy marzycielsko błyszczały oczy.

– O krytyce literackiej? Taka młoda osoba jak pani pragnie spędzić życie, ślęcząc w czterech ścianach dusznego gabinetu nad niezbyt ekscytującą interpretacją tekstów? Zawsze mi się wydawało, że to domena nudnych starców z monoklem w oku albo zgorzkniałych literatów leczących w ten sposób osobiste niepowodzenia.

Basia spojrzała z dołu na swojego rozmówcę – sięgała mu zaledwie do brody. Łagodny wyraz spojrzenia ustąpił osobliwemu zacięciu.

– Być może większość krytyków to mężczyźni, acz nie sądzę, by kwestia płci miała tu jakiekolwiek znaczenie. Wątpię, by krytyką zajmowały się wyłącznie osoby rozczarowane brakiem własnych pisarskich sukcesów. Krytykami są zazwyczaj ludzie kochający literaturę. Ponieważ ja także ją kocham, dlatego w przyszłości chciałabym się nią zająć zawodowo.

– Zatem może powinna pani po prostu zostać pisarką? Albo poetką?

Zaśmiała się krótko.

– Do tego trzeba talentu, a ja go nie posiadam. Wolę się skupić na cudzych tekstach niż na własnych marnych wypocinach. Poza tym, wbrew temu, co pan mówi, analiza tekstu wcale nie jest nudna. Jest porywająca! Nieważne, czy mówimy o prozie, dramacie czy poezji. Słowo pisane posiada w sobie pewną magię. Ukryte i wielorakie znaczenia poszczególnych wyrazów, ich zestawienie, koloryt metafor, różnorodność form… To wszystko jest niezmiernie ciekawe – dodała zapalczywie.

Tadeusz słuchał dziewczyny z rosnącym zdumieniem. Nie sądził, że jej pragnienia są tak jasno sprecyzowane, a poglądy dojrzałe. Zresztą w ogóle niewiele o niej wiedział. Rozmawiali zaledwie kilka razy. Znał Basię Drapczyńską ze spotkań tajnego uniwersytetu, a wówczas zawsze trzymała się z boku. Była cicha i małomówna. Ot, szara myszka o urodzie podlotka, która podczas kompletu zajmuje miejsce w najciemniejszym, najodleglejszym kącie pokoju. Rzadko się udziela, nie wchodzi w polemiki, a zamiast tego z nosem w zeszycie skrzętnie notuje każde słowo wykładowcy... Zdawała się tak wyobcowana, że niemal niewidoczna, przezroczysta. Przez tę swoistą odrębność większość kolegów, w tym Tadeusz, uważało, że po prostu niewiele ma do powiedzenia.

Tymczasem panna Barbara nie tylko miała swoje zdanie, lecz jak widać, kiedy trzeba, potrafiła go bronić – kąciki ust mężczyzny lekko się uniosły.

– Ależ, ja nie krytykuję pani wyboru – rzekł pojednawczo. – Uważam tylko, że to trochę niezwykłe marzenia, jak na osobę w pani... w naszym wieku – dodał szybko. – No i zajęcia, na które razem uczęszczamy... Po co humanistce logika matematyczna?

– A czy pan również nie jest humanistą? – zapytała z przekorą.

– Jestem. Chociaż w moim przypadku sprawa jest nieco skomplikowana. Szczerze powiedziawszy, na zajęcia przyciągnęła mnie sława prowadzącego i zwykła ciekawość. W końcu Hiż to asystent samego profesora Kotarbińskiego. Jest niewiele starszy od nas, a skuteczność jego metod już teraz jest szeroko omawiana. Przyznam, że osobiście wątpiłem w te opowieści. Dopiero na miejscu zrozumiałem, że do mnie – osoby niepoukładanej, o rozwichrzonej, typowo humanistycznej głowie – precyzyjny wykład Hiża jednak trafia. Nawet ja jestem w stanie przyswoić niezbędne minimum zasad analitycznego myślenia.

– Zatem ma pan odpowiedź, dlaczego ja także do niego trafiłam jako wolny słuchacz. Uważam zresztą, że logika nie gryzie się z humanizmem, tym bardziej z literaturą. Śmiem nawet sądzić, że jest odwrotnie: te dwie dziedziny świetnie się uzupełniają... – Rozejrzała się wokół, urywając w pół zdania. – Jesteśmy na miejscu.

Starając się zasłonić przed wciąż sypiącym śniegiem, przystanęli tuż przy murze secesyjnej kamienicy, pod bogato zdobionym balkonem. Tadeusz podciągnął mankiet wytartej jesionki w jodełkę i zerknął na zegarek.

– Za dwadzieścia pierwsza. Mamy jeszcze trochę czasu, ale powinna pani wejść i poczekać w środku. Nie ma sensu dalej marznąć.

– A pan?

– Ja jeszcze chwilę poczekam. Kupię sobie gadzinówkę[2] i zajrzę, co za idiotyzmy dzisiaj wypisują. A później do pani dołączę, pewnie już na górze. Lepiej, żebyśmy nie wchodzili razem. Wreszcie ktoś niepożądany zwróci uwagę na ciągnące do kamienicy pielgrzymki i „spalimy" lokal.

– To może ja poczekam? Jest tak zimno.

Mówiąc to, Basia spojrzała z troską na zaczerwienione od mrozu dłonie kolegi. Brak rękawiczek nie był wyrazem dziwnie pojmowanej młodzieńczej dezynwoltury. Dziewczyna podejrzewała, że Tadeusz po prostu ich nie posiadał. Zauważył jej spojrzenie i szybko wsunął dłonie głębiej w rękawy płaszcza; widocznie uważał, że chowanie ich do kieszeni w obecności kobiety będzie niestosowne. Okupacyjne niedostatki nie zwalniały z dobrego wychowania.

– Nawet nie ma o czym mówić – rzucił z nadmierną wesołością, starając się pokryć zakłopotanie. – Zresztą mam tu jeszcze na kogoś zaczekać.

Basia pytająco uniosła brew.

– Mój znajomy będzie na zajęciach po raz pierwszy i mam go wprowadzić – wyjaśnił Tadeusz. – A swoją drogą, pani go zna.

– Naprawdę?

---

[2] „Nowy Kurier Warszawski" – niemiecki dziennik polskojęzyczny, stanowiący propagandowe ramię władz okupacyjnych.

– Pamięta pani odpis wierszy, które jej dałem do przeczytania jakiś czas temu? W takim zniszczonym zeszycie? Mówiła pani, że była nimi zachwycona.

Dziewczyna przytaknęła, a na jej policzki wystąpił przedziwny rumieniec. Speszona, szybko ukryła twarz za postawionym na sztorc kołnierzem płaszcza.

Jak mogłaby nie pamiętać tamtych wierszy? Wierszy nieopatrzonych podpisem autora. Jak mogłaby zapomnieć? Wszak w jej głowie wciąż tkwiły misternie utkane strofy. Co rusz powracały potoki słów, by ponownie urzec swoją melodią, by na powrót zalać ciepłem wrażliwą dziewczęcą duszę. Często zamykając oczy, widziała drobne odręczne pismo anonimowego twórcy, a wtedy ogarniała ją trudna do wytłumaczenia tkliwość... Szczególnie jeden tekst głęboko wyrył się w jej pamięci: niezwykły poemat *Serce jak obłok*. Czy to możliwe, że nierealna, nienamacalna postać, utkana dotąd z romantycznych wyobrażeń, zaraz zmaterializuje się za mętną zasłoną śniegu? Basia sądziła dotąd, że poeta, który pisze tak dojrzale, musi być dużo od niej straszy. Ile zatem miał lat, jeśli postanowił dołączyć do grupy studentów?

– Otóż, proszę sobie wyobrazić – Tadeusz zdawał się nie dostrzegać poruszenia dziewczyny – że

Krzyś to mój stary znajomy z czasów, kiedy jeszcze obaj należeliśmy do „Spartakusa"[3].

– Krzyś?

– Tak. Krzyś Baczyński. Za czasów liceum łączyły nas wspólne lewicowe idee. Jednakże później nasze drogi zaczęły się rozchodzić i na pewien czas straciliśmy kontakt. Mnie nadal zajmowały lewicowe zagadnienia, on się od nich zdystansował. A po wybuchu wojny to już wiadomo, każdy był zajęty swoimi sprawami, każdy skupiony, żeby gdzieś dorobić, żeby się jakoś utrzymać... I dopiero pół roku temu znowu na siebie wpadliśmy. I to, wyobrazi sobie pani, w szpitalu PCK przy Smolnej.

– W szpitalu? Czy on..., to znaczy, czy pan był chory?

– Ależ skąd, to nic poważnego. Krzyś, owszem, jest wątłego zdrowia i ma jakieś problemy z astmą, niemniej podobnie jak ja, chciał po prostu przeczekać w szpitalu pewien gorący okres. W grę wchodziły kwestie bezpieczeństwa. Czasami trzeba na chwilę zniknąć z rodzinnego domu. Rozumie pani? – Spojrzał na Basię wymownie. – Tak więc, siedzieliśmy w jednej sali, a on ciągle z notatnikiem na kolanach, coś tam sobie skrobał. Zapytałem, co robi,

---

[3] Związek Niezależnej Młodzieży Socjalistycznej „Spartakus", założony w 1935 roku. Zrzeszał młodzież licealną o lewicowych poglądach.

i właśnie wtedy opowiedział mi o tych wierszach. Niby zawsze pisał, ale wie pani, mnie się wcześniej wydawało, że to taka dziecinada. W końcu przed wojną, zaraz po maturze stwierdził, że chce studiować sztukę. Typowy artysta. Zawsze z głową w chmurach, uduchowiony, oderwany od rzeczywistości... Interesował się grafiką, malarstwem, dużo rysował, a tymczasem postanowił się poświęcić poezji. Niedawno znowu się spotkaliśmy. Opowiedziałem mu, że zacząłem uczęszczać na tajne komplety. Krzyś ogromnie się zapalił do tego konceptu i postanowił dołączyć do naszego grona.

Basia słuchała w napięciu, próbując nie dać po sobie poznać, jak bardzo temat tajemniczego poety ją zainteresował. Chętnie dowiedziałaby się czegoś więcej, lecz Tadeusz niespodziewanie urwał w pół zdania. Odsunął się na bok, ustępując miejsca mijającej ich właśnie znajomej. Dziewczyna zgodnie z zasadami konspiracji udała, że nie poznaje rozmawiających. Bez słowa rzuciła tylko obojgu porozumiewawcze spojrzenie, a potem szybko weszła do bramy parę metrów dalej.

– Wszyscy się schodzą – rozczarowanym tonem zauważyła Basia.

– No właśnie – podchwycił. – Zaraz zajęcia, a ja tu panią zagaduję i niepotrzebnie trzymam na mrozie. Proszę zatem już biec na górę, bo wreszcie wszyscy się spóźnimy.

Przytaknęła w milczeniu, po czym ruszyła w kierunku, gdzie przed chwilą zniknęła ich koleżanka.

Była już w przejściu prowadzącym w głąb kamienicy, kiedy jeszcze raz odwróciła się w stronę skulonego Tadeusza.

– Przypomni mi pan, jak nazywa się pański znajomy? – zawołała, choć to imię i nazwisko dawno wyryło się w jej głowie.

– Krzyś. Krzysztof Baczyński – rozbrzmiała odpowiedź.

Echo słów odbiło się rytmicznie od ścian ciasnego korytarza, zawibrowało pod ceglanym sklepieniem i wylądowało miękko na ustach dziewczyny:

– Krzysztof Baczyński… – powtórzyła, wchodząc na podwórze i uśmiechając się do swoich myśli.

★ ★ ★

Drzwi do mieszkania, w którym co poniedziałek odbywały się komplety, otworzyła Basi matka młodego wykładowcy, pani Emilia. Przemiła kobieta dobiegająca pięćdziesiątki o refleksyjnym uśmiechu i manierach damy, mimo wojennych niedoborów zawsze zaskakiwała przybyłych wyjątkową elegancją. Pełen serdeczności sposób bycia gospodyni i trudny do uchwycenia podniosły nastrój wnętrza jej domu sprawiały, że brutalny świat pozostawiony za progiem, zdawał się gościom w pewien sposób nierealny. W mieszkaniu przy Kredytowej, w tej swoistej świątyni wiedzy, nikt nie wspominał o smutnej prozie codzienności. O kartkach na chleb, problemach z zakupem opału, ulicznych egzekucjach, dziurawych butach czy o złowieszczym murze dzielącym rzeczywistość na dwa odrębne światy: aryjski i semicki. Tutaj rozmowy o biedzie i strachu skutecznie wypierały wzniosłe dysputy na temat dzieł filozofów.

Dzisiaj także nikt nie zamierzał wspominać o wojnie, a pani Emilia przywitała wchodzącą dziewczynę tak, jakby jej przybycie miało charakter czysto towarzyski; doskonale znała z widzenia wszystkich studentów swojego syna, dlatego w drzwiach o nic nie pytała. Zresztą nadmierna ciekawość byłaby jej zdaniem nie na miejscu – podziemna edukacja rządziła się swoimi prawami, a im mniej człowiek wiedział, tym lepiej.

Aranżowanie tajnych kompletów było działalnością wysokiego ryzyka. Niemcy nie tylko pozamykali wyższe uczelnie, wydając zakaz ich dalszego funkcjonowania, ale straszyli poważnymi konsekwencjami tych, którzy jednak zechcieliby ów zakaz złamać. Wykładowcom, młodzieży, a nawet właścicielom lokali, gdzie odbywały się sekretne spotkania, za naruszenie rozporządzeń gubernatora Franka groziło aresztowanie i natychmiastowa egzekucja. Ewentualnie, w ramach aktu łaski, wywózka do obozu. Dlatego wszyscy powiązani z uniwersytetem ściśle przestrzegali zasad bezpieczeństwa. Skrupulatnie strzeżono list z nazwiskami studentów. Nie noszono przy sobie książek i notatek, które w razie przypadkowego przeszukania na ulicy zdradziłyby okupantowi ich naukowe przeznaczenie. Do minimum ograniczono życie pozauczelniane, a na umówione miejsca słuchacze przychodzili pojedynczo lub w niewielkich grupkach. Oczywiście mieszkańcy kamienic, gdzie zbierała się brać studencka, zazwyczaj szybko odkrywali ów proceder. Niemniej, jeśli nie znalazł się wśród nich żaden Niemiec lub kolaborant, można było liczyć na dobrosąsiedzką dyskrecję.

Pani Emilia, jako matka wykładowcy, była osobą zaufaną, lecz nawet ona nie znała imion ludzi odwiedzających jej dom. Dlatego wpuściwszy Basię do środka, zwracała się do niej w formie bezosobowej. Omijając dyskretnie cel wizyty dziewczyny, wymieniła z nią jedynie kilka kurtuazyjnych uwag o pogodzie – przy okazji z zakłopotaniem przepraszając za chłód panujący w pomieszczeniach. Następnie wskazała jej, gdzie można powiesić płaszcz i zaprowadziła do saloniku. Sama zniknęła w głębi mieszkania.

Mimo że do zajęć pozostało jeszcze parę minut, w pokoju już teraz toczyła się ożywiona rozmowa.

Kilka osób w towarzystwie Henryka Hiża snuło z przejęciem intelektualne rozważania na temat sofistów, prawdy absolutnej i relatywizmu, czyli zagadnień poruszonych na poprzednim komplecie. Basię omawiane tematy żywo interesowały, lecz nie dołączyła do grupy. Zamiast tego pospiesznie przywitała się z wykładowcą oraz kolegami i bezszelestnie przemknęła na swoje zaciszne miejsce w rogu pokoju, między doniczką z mizerną paprotką a pianinem.

Miała rozległą wiedzę i mogłaby swobodnie zająć stanowisko w rozmowie, a jednak wolała przyglądać się wszystkiemu z boku. Każde wystąpienie publiczne, nawet przed tak nielicznym gremium, przypłacała rumieńcem, przyspieszonym biciem serca i drżeniem rąk. Kompletny brak przebojowości stanowił pokłosie lat spędzonych przez Basię w elitarnym żeńskim gimnazjum pań Popielewskiej i Roszkowskiej. Właśnie tam, wraz z innymi panienkami, pochodzącymi z najlepszych warszawskich domów, dziewczyna poznała smak surowej dyscypliny. Uczennice prywatnej pensji – tylko z założenia postępowej i demokratycznej – trzymane były twardą ręką; „dzieci i ryby głosu nie mają". Rygorystyczne zasady panujące w murach budynku przy placu Unii Lubelskiej oraz ścisłe regulacje dotyczące życia pozalekcyjnego utrudniały budowanie relacji z rówieśnikami. Opuszczając szkołę, Basia płynnie znała francuski i łacinę, z pamięci cytowała klasyków i o trzeciej w nocy umiałaby rozwiązać trudne matematyczne zadanie, lecz wciąż nie miała odrobionej lekcji ze stosunków międzyludzkich. Z trudem zawierała znajomości i nie inaczej było w przypadku nowych znajomych z logiki.

Jednak to nie brak pewności siebie powstrzymywał dzisiaj Basię przed włączeniem się do rozmowy. Coś innego wybijało ją z rytmu. Coś lub ktoś zaprzątał jej głowę tak skutecznie, że zdawała się nieobecna. Daleka od swojego zacisznego kąta, od salonu wypełnionego ludźmi, od filozofów i absolutnych prawd. Niewidzącym spojrzeniem błądziła po ścianach ukwieconych tapetami i po ostrokrzewach rozkwitających mrozem na szybach.

Kim jest autor *Serca jak obłok*? – rozmyślała. Kim jest Krzysztof Baczyński – Krzyś? – który poetyką romantycznych wizji mógł konkurować nawet ze Słowackim? I jak to się stało, że tak czule i z taką wprawą pociągał za sznurki jej nastroju? Czy dojrzałym poetą, z takim kunsztem odmalowującym słowne obrazy, może być człowiek w jej wieku…?

Studenci powoli kończyli rozmowy i zajmowali swoje miejsca. Każdy odgłos dochodzący z przedpokoju sprawiał, że dziewczynę zalewała kolejna fala gorąca. Lecz kiedy stary zegar wybił godzinę trzynastą, dwa krzesła nadal pozostały puste. Basia z ukłuciem zawodu uznała, że Tadeusz pewnie zmienił zdanie i dlatego się nie zjawił. A może na dole wydarzyło się coś nieoczekiwanego i dlatego nie przyszedł? Nie przyszli...

Wówczas do jej uszu znowu dobiegł dźwięk czyichś kroków i szmer rozmowy w holu. Wysoki głos pani Emilii zmieszał się z dwoma dużo niższymi, a wreszcie drzwi do salonu otworzyły się na oścież.

Tadeusz wszedł pewnym krokiem, z twarzą nadal ogorzałą od wiatru, z typową dla siebie beztroską, rysującą się w wesołym spojrzeniu. A w ślad za nim z mroku korytarza wyłonił się ktoś jeszcze. Basia wstrzymała oddech – oto jest! Jest ten, na którego czekała, którego tak bardzo chciała zobaczyć.

Młody człowiek o niezaprzeczalnej urodzie wydał się odrobinę spięty, niepewny, może zbyt poważny. Miał ciemnoblond włosy, połyskujące gdzieniegdzie miedzią i złotem, które łagodnie falowały nad czołem, i delikatne, regularne rysy twarzy. Oczy przejrzyste, niebieskie – a może szare lub zielone? – podkreślała ciemna oprawa brwi i rzęs. A chociaż chmurnemu spojrzeniu towarzyszyło wrażenie zadumy i smutku, to po ładnie wykrojonych wargach błąkał się enigmatyczny uśmiech. Uśmiech poety... To właśnie niejednoznaczny wyraz ust – ni to rozbawienia, ni rozmarzenia – w jednej chwili zniewolił Basię i sprawił, że nie mogła od niego oderwać spojrzenia.

W drugim końcu pokoju Tadeusz półgłosem przedstawiał swojego kolegę Hiżowi. Wykładowca przez chwilę uważnie słuchał, kiwał ze zrozumieniem głową, a wreszcie z aprobatą podał dłoń nowemu studentowi.

– Proszę państwa. – Odwrócił się do zebranych, uciszając ich ruchem dłoni. – Proszę państwa. Mam przyjemność przedstawić nowego słuchacza naszego kompletu, Krzysztofa Baczyńskiego.

Przez audytorium przeszedł cichy szmer. Po plecach Basi – dreszcz. Baczyński schylił głowę na powitanie, a gdy ją podnosił, wzrok na ułamek sekundy zatrzymał się na twarzy dziewczyny z końca pokoju. Właśnie na niej! Basia ze wstydem, jakby została przyłapana na gorącym uczynku, uciekła spojrzeniem, wbijając je w spoczywające na kolanach dłonie.

– Pan Krzysztof, podobnie jak kilkoro z tu obecnych, jest absolwentem Liceum Batorego, więc być może część z państwa już go zna – kontynuował Hiż. – Bardzo proszę, żeby ktoś udostępnił mu po zajęciach notatki z poprzednich wykładów – rzekł, położywszy przyjacielsko dłoń na ramieniu Baczyńskiego. – A teraz proszę już panów o zajęcie miejsc i przechodzimy do zajęć…

Basia przez resztę godziny z całych sił starała się skupić na nauce. I z pozoru sztuka ta całkiem nieźle jej wychodziła. Niby skrzętnie notowała i słuchała słów unoszących się w pokoju. Jednak litery stawiała dzisiaj koślawe, co i rusz rosząc kartki notatnika deszczem atramentowych kleksów, a sens zdań docierał do niej, jakby tłumiła je bariera grubego muru. Jej ukradkowy wzrok bezwiednie wędrował poprzez morze postaci rozsianych wkoło, zatrzymując się, co chwilę, na plecach tej jednej, która tak ją intrygowała. Tymczasem Baczyński trwał nieruchomo na swoim krześle i przez cały ów czas, wpatrzony w Hiża, nie drgnął nawet o milimetr.

Dopiero gdy wykład dobiegł końca, a Basia spostrzegła, że wszyscy podnoszą się z miejsc, oprzytomniała. Szybko zebrała swoje rzeczy do teczki z myślą, by czym prędzej opuścić mieszkanie przy Kredytowej i na zaśnieżonej ulicy ostudzić rozpalone emocje. Pragnienie, aby korzystając z uprzejmości Tadeusza, poznać poetę, wraz z końcem kompletu pękło w niej jak mydlana bańka. Nie miała odwagi stanąć twarzą w twarz z Baczyńskim, spojrzeć mu w oczy. Z jakiegoś niezrozumiałego powodu obawiała się tej konfrontacji. Jakby czuła, że on od razu rozszyfruje jej myśli, dostrzeże coś, czego Basia sama przed sobą nie chciała jeszcze przyznać. To spadło na nią tak nagle, tak niespodziewanie. Było zupełnie niezrozumiałe, zaskakujące... A wszak znała to uczucie, to drżenie, bo kiedyś już go doświadczyła.

Jakiś czas temu zdarzyło się jej zasmakować charakterystycznego skurczu serca. Niemniej wówczas proces popadania w zauroczenie nie postępował z intensywnością wiosennej burzy, nie odbierał zmysłów i rozumu, nie wprawiał w zakłopotanie. Uczucia do Józka poznanego na początku okupacji na spotkaniach „Zadrugi"[4] wywołane były młodzieńczą, niezbyt mądrą fascynacją, potrzebą przynależenia do grupy rówieśników i marzeniem o dorosłości. W końcu każda dziewczyna w jej wieku pragnie akceptacji, wolności, uniesień. Chce kochać i być kochaną. Każda, a szczególnie taka, jak ona; spętana dotąd konwenansami, zamknięta w klatce należytych form, obracająca się na wąskiej orbicie wyuczonych zachowań. Basia zapragnęła wreszcie poznać prawdziwe życie, skosztować zakazanego owocu. Chęć odkrycia tabu często kończy się rozczarowaniem i tak też było w jej przypadku. Wyimaginowany afekt umarł w jednej chwili i bez poczucia straty, gdy tylko ukochany zbyt śmiało zażądał dowodów miłości. Ona niczego udowadniać nie zamierzała. Uczucie okazało się mrzonką.

---

[4] „Zadruga" – organizacja neopogańska o antyklerykalnym i narodowościowym charakterze działająca w Polsce od 1935 roku.

Niemniej teraz było inaczej. Inne impulsy zagrały w dziewczęcej duszy. Specyficzne napięcie obudziła nie tyle sama osoba, co napisane przez nią słowa wierszy. Oczywiście powierzchowność Baczyńskiego okazała się równie pociągająca i mocno pobudzała wyobraźnię Basi, lecz najciekawsze było w poecie to, co zaszyfrowane zostało między słowami. To, co skrywało się za jego smutnym uśmiechem.

Powinna była do niego podejść, powiedzieć, jak urzekły ją jego wiersze. Powinna... Lecz strach przed konfrontacją wygrał z tym pragnieniem i wraz z zakończeniem wykładu Basia, jako jedna z pierwszych osób, opuściła pokój. Skupiona na tym, żeby nikt nie dostrzegł jej poruszenia, bez dalszej zwłoki przemknęła do holu.

Gdyby choć na chwilę odwróciła się za siebie, wiedziałaby, że odprowadziło ją jedno niezwykle uważne spojrzenie.

★ ★ ★

Myśląc o tym grudniowym dniu pół roku później, Barbara dochodziła do wniosku, że widocznie nie można uciec przed przeznaczeniem. Zdarzenia, które nastąpiły od wyjścia z kompletu, splotły się niczym elementy idealnie dopasowanej układanki, doprowadzając do z góry ustalonego epilogu. W zmowie opatrzności wzięła udział śnieżna zadymka, sprawiająca, że świat nieoczekiwanie zwolnił, oraz spóźniający się z tego powodu tramwaj. A także wieczne pióro, które niepostrzeżenie wysunęło się z teczki Basi w przedpokoju państwa Hiżów, kiedy zakładała płaszcz, a które podniesione zostało kilka minut później przez jedną z dziewcząt ze słowami: „To chyba Basi Drapczyńskiej" i przekazane w ręce Tadeusza, obiecującego oddać zgubę właścicielce.

W tym samym czasie „właścicielka" stała zmarznięta na przystanku przy Marszałkowskiej, zerkając co chwilę w stronę Ogrodu Saskiego, skąd powinien nadjechać spóźniony tramwaj. Śnieg chwilowo przestał sypać i tylko ostre podmuchy smagały jej twarz, przywracając jasność umysłu. Czekając tak od przeszło kwadransa, wyrzucała sobie onieśmielenie i niedorzeczny wstyd, przez który nie podeszła po zajęciach do Tadeusza i jego znajomego.

„Czemu jestem taka dzika?" – karciła się, rozcierając zmarznięte dłonie. A wtedy za plecami usłyszała znajome wołanie. Tym razem bez strachu odwróciła się za głosem. W kierunku przystanku zmierzało dwóch młodych ludzi. Kolana lekko się pod nią ugięły.

– Panno Basiu. – Tadeusz już przeciskał się przez zbitą grupkę oczekujących na chodniku pasażerów, torując drogę podążającemu za nim Baczyńskiemu. – Panno Basiu, już myślałem, że pani tu nie zastaniemy, a to chyba należy do pani. – Wyciągnął dłoń, w której trzymał pióro.

– Ojej, bardzo dziękuję. Musiało mi wypaść, kiedy się ubierałam – bąknęła zmieszana, odbierając zgubę. Starała się przy tym nie zerkać na drugiego mężczyznę, który właśnie stanął tuż obok.

– Tak szybko pani uciekła – perorował dalej Tadeusz – że nie zdążyłem przedstawić pani mojego znajomego. Panno Basiu, to jest właśnie Krzysztof Baczyński, o którym pani opowiadałem. Krzysiu, przedstawiam ci pannę Barbarę Drapczyńską.

Młody człowiek jednym ruchem ściągnął rękawiczkę i uchwycił podaną mu przez dziewczynę dłoń; jego skóra była chłodna, delikatna, a mimo to uścisk wyjątkowo stanowczy, co stało w dziwnej sprzeczności z niepozorną postacią właściciela.

Ich spojrzenia się spotkały.

Na urywek sekundy, na tę chwilę bezczasu, która zamarła w zawieszeniu, odgłosy ulicy i szum wiatru przycichły, a smutny szary świat wokół stracił ostrość. „To takie dziwne" – myślała gorączkowo Basia, czując, że oto między nią a nowo poznanym dzieje się coś niezwykłego, nienamacalnego. A Baczyński patrzył w jej oczy z całą intensywnością błękitnego spojrzenia, jakby próbował przeniknąć myśli. Jakby i on dostrzegł w Basi coś wyjątkowego, co zwiastować może tylko jedno, choć jednym słowem wyrazić tego nie sposób. A właściwie chyba można, chociaż nie wypada przy pierwszym spotkaniu…

Czy to możliwe, aby pokrewieństwo dusz połączyło obcych sobie ludzi w chwili, gdy podali sobie ręce? Czy taka metafizyczna bliskość może się zrodzić w świecie ogarniętym szaleństwem? W mieście, w którym każdy lej po bombie i każdy spalony dom krzyczą, że życie nie ma wartości?

A może tak naprawdę nie działo się nic szczególnego i tylko zbyt wybujała wyobraźnia Basi, długo trzymana w sztywnym postronku kindersztuby, płatała jej teraz figla? „On zapewne z wrodzonej uprzejmości, z czystej ciekawości patrzy na mnie tak wnikliwie, z taką ciekawością" – myślała. Na pewno… Ktoś taki, jak Baczyński, nie mógł przecież zwrócić uwagi na dziewczynę równie niepozorną i mało interesującą, co ona.

Nerwowo, może nawet zbyt gwałtownie, wysunęła dłoń z męskiego uścisku.

– Bardzo mi miło – rzekła niewyraźnie.

On tylko się uśmiechnął. Znowu podobnie jak u Hiżów – na poły melancholijnie, na poły z rozbawieniem. Lecz intymna atmosfera rozsypała się w jednej chwili, kiedy zapomniany dotąd Tadeusz postanowił wrócić do dalszej części prezentacji:

– Wyobraź sobie, Krzysiu, że właśnie masz okazję poznać wielką admiratorkę swojego talentu.

Dziewczyna poczuła jak na tę niedyskrecję zalewa ją rumieniec.

– Jakiś czas temu dałem pannie Basi jeden z twoich zeszytów – ciągnął tamten.

– Naprawdę? – Baczyński uniósł brew.

– I wiersze pannie Basi bardzo się podobały. – Tadeusz uprzedził odpowiedź dziewczyny i dopiero po tym dał jej dojść do słowa.

– Owszem – rzuciła cicho, wywołana spojrzeniami obu mężczyzn do odpowiedzi. – Bardzo mi się podobały i... – Odchrząknęła, czując, że głos nagle jej grzęźnie w gardle.

W tym momencie, szczęśliwie dla dziewczyny, na przystanku wzmógł się ruch, przerywając jej dalszą wypowiedź. Zniecierpliwieni pasażerowie, poszturchując się nawzajem, zaczęli przeciskać się do przodu, w stronę nadjeżdżającego tramwaju. Niestety z przeciwnego kierunku niż Basia oczekiwała.

– Jest mój numer. – Ucieszył się Tadeusz. – Ty, Krzysiu, pewnie wracasz na Czerniaków, ale może pani wybiera się w stronę Żoliborza? – zwrócił się do Basi. Nie znał jej adresu.

– Nie, ja także jadę na południe – odparła szybko, dziękując w duchu, że uwolni się od towarzystwa zbyt rozgadanego kolegi.

– W takim razie wybaczcie, ale was opuszczę. No i do zobaczenia w następny poniedziałek. – Pożegnał się pospiesznie z obojgiem. Puszczając żartobliwie oko do Baczyńskiego, dodał na odchodnym: – Mam nadzieję, że dotrzymasz, Krzysiu, pannie Barbarze towarzystwa?

Ostatnie słowa zagłuszył głośny pisk kół, a chwilę później postać Tadeusza zniknęła w tłumie sunącym do wagonu. Zostali sami, odprowadzając spojrzeniem znikający tramwaj.

Gęsta cisza wypełniła przestrzeń. Wiatr ucichł, a z nieba znowu zaczęły sypać ciężkie płatki śniegu. Biała zasłona odgrodziła parę stojącą na przystanku od szarego, przygnębiającego otoczenia. Dziewczyna odruchowo przygryzła wargę; czuła się teraz jeszcze bardziej skrępowana, niż kiedy był tu z nimi Tadeusz.

Działo się z nią coś, nad czym nie umiała zapanować. Jej ciałem niespodziewanie szarpało zniecierpliwienie. W środku pulsował niepokój. Czy to możliwe, że ona się…? Ostatnie wyrazy nawet zaklęte na dnie niedoświadczonego serca, zastygłe na zaciśniętych ustach, z trudem przenikały do świadomości Basi. Bo czy można się zauroczyć kimś, z kim wymieniło się zaledwie jedno spojrzenie i uścisk dłoni? Czy można się zadurzyć jedynie w czyichś wierszach…?

Wstydliwe myśli wypełniały jej głowę. Musiała je natychmiast zdusić. Musiała je zagłuszyć.

– Chce się pan dostać na Czerniaków? – rzuciła pospiesznie, odwracając się do Krzysztofa.

– Tak – przytaknął.

– Czekam na ten sam tramwaj, ale od kilkunastu minut nic nie przyjechało. Może była jakaś awaria?

Spojrzał na nią bystro. Usta rozciągnęły się w uśmiechu – tym razem bez cienia melancholii.

– W takim razie, jeśli zmierzamy w tym samym kierunku… A gdzie dokładnie pani mieszka?

– Na Śniegockiej.

– Mogę panią odprowadzić. Chyba nie warto dłużej tu czekać i marznąć.

Popatrzyła na niego oszołomiona.

– Odprowadzić…?

– Oczywiście, jeśli zgodzi się pani, żebym dotrzymał jej towarzystwa. Ja mieszkam na Hołówki, więc to po drodze.

– To bardzo daleko.

Wzruszył ramionami.

– Tak czy inaczej, chyba nie mamy wyjścia. Niedługo zacznie się ściemniać i pewnie temperatura spadnie, a pani już teraz na pewno jest przemarznięta.

Gdy mówił, kąciki jego ust lekko zadrżały, na co Basia natychmiast pomyślała, że z ogorzałymi od chłodu policzkami i czerwonym nosem na pewno nie prezentuje się zbyt elegancko. Perspektywa dalszego tkwienia na przystanku w okowach trzaskającego mrozu wydała jej się gorsza od godzinnego spaceru w towarzystwie tego człowieka; nawet jeśli jego obecność wywoływała u niej tak niespodziewane reakcje.

– Cóż… W takim razie, chodźmy – rzekła bez przekonania.

★ ★ ★

Chociaż nie było jeszcze trzeciej, już teraz ulicę oblepiała mętniejąca zimowa szarówka. Z niektórych witryn sklepowych wylewało się przyćmione światło zapalonych wewnątrz lamp, malując na zaśnieżonym chodniku złote smugi.

Basia i Krzysztof wtopili się w masę przechodniów ciągnących Marszałkowską w stronę Alej Jerozolimskich. Tłum nie sprzyjał rozmowie. Poza tym co chwilę nagabywani byli przez ulicznych sprzedawców. Przemarznięci handlarze, czujnie rozglądając się na boki, czy w pobliżu nie czai się jakiś żandarm, teatralnym szeptem zachęcali pieszych do zakupu przeróżnych towarów. A to do świeżutkiej kiełbasy lub słoniny – przeszmuglowanej dziś rano z jednej z podwarszawskich wiosek i oferowanej teraz wprost spod poły płaszcza – a to do wiadra węgla lub zdatnych do wykorzystania szmat.

Dopiero kiedy młodzi ludzie skręcili w mniej uczęszczaną ulicę Zgody, zostawiając za plecami śródmiejski rejwach, Basia zebrała się na odwagę, żeby się odezwać.

– A więc, jest pan poetą… – zagaiła.

Krzysztof, który dotąd wyglądał, jakby myślami był nieobecny – a może podobnie jak jego towarzyszka, on również czuł się zakłopotany wspólną przechadzką – teraz się uśmiechnął.

– To chyba za duże słowo. Raczej, staram się być poetą. Na co dzień jestem szklarzem i maluję szyldy – dodał gorzko.

Spojrzała na niego z zaciekawieniem.

– Dzisiaj ludzie bardziej potrzebują pełnych okien niż poezji – wyjaśnił.

– Ależ to nieprawda – zaprzeczyła energicznie. – Właśnie dzisiaj, bardziej niźli kiedykolwiek, sztuka jest nam potrzebna. Żeby zapomnieć, żeby oderwać się od tego, co nas otacza. – Wskazała głową zniszczone przez wiatr i wilgoć obwieszczenie, przyklejone do muru kamienicy, którą właśnie mijali. Na dole naddartego arkusza widniał złowieszczy podpis Hansa Franka. – Właśnie teraz poezja jest potrzebna, aby zapomnieć o tym, co wyprawiają Niemcy, zapomnieć o wszechobecnej przemocy, o śmierci…

Baczyński opuścił głowę.

– To bardzo piękne, co pani mówi – odparł, wpatrując się w biel pod nogami. – I proszę mi wierzyć, ja także chciałbym uważać, że to, co robię, ma sens. Ale…

– Oczywiście, że ma! – rzuciła z przekonaniem.

– Jednak dzisiaj z pisania, nawet jeśli jest się uznanym twórcą, a mnie jeszcze do takiego daleko, nie da się wyżyć. Bo jak publikować, u kogo wydawać…? U Niemca, w gadzinowej gazetce? Proszę spojrzeć, co się dzieje z całą warszawską inteligencją. Każdy łapie się jakiejkolwiek pracy, żeby tylko nie przymierać głodem. Jedni szklą okna albo murują domy, inni jeżdżą rikszą, kelnerują po kawiarniach. Lub po prostu handlują, wyprzedając zgromadzone przed okupacją dobra. Albo taka Nałkowska. Czy pani wie, że ona tu niedaleko otworzyła trafikę?

– Tak, słyszałam. To bardzo przygnębiające.

– Cóż, wszyscy niesiemy ten sam krzyż. Może tylko dla nas, młodych, ta degradacja jest trudniejsza do przełknięcia, wszak nie znaliśmy wojny. Karmiono nas hasłami patriotyzmu, wpajano poczucie wolności, uczono życia bez lęku… Jesteśmy jak te ptaszki w klatce, które urodziły się poza nią, a teraz zostały zamknięte za jej kratami. Myślę, że stąd w naszym pokoleniu jest tak silne poczucie straty i zniewolenia. – Zamyślił się na chwilę, po czym dodał spokojniej: – Ja dwa i pół roku temu straciłem ojca. Wybuchła wojna. Zostałem sam z matką.

Wszystkie plany, marzenia o studiach, o nauce, ze-
szły na dalszy plan. Ambicje trzeba było schować do
kieszeni... Zatem teraz jestem szklarzem.

Przez chwilę szli w milczeniu, oboje zatopieni w niewesołych rozważaniach. Właśnie dotarli
do zbiegu ulic Szpitalnej i Zgody, gdzie po prawej
stronie wyrastała modernistyczna fasada Domu To-
warowego Braci Jabłkowskich; nienaruszona, wciąż
taka sama, jak przed okupacją.

Elegancki budynek zawsze przywoływał u Basi
miłe skojarzenia. Tak wiele dobrych wspomnień
się z nim wiązało. To tutaj bywała z rodzicami na
zakupach i tu w sierpniu trzydziestego dziewiątego
kupowała wyprawkę na kolejny rok nauki. Tamtego dnia wiele godzin spędziła z matką, kompletując
garderobę. A na koniec parnego popołudnia, w usy-
tuowanym na dachu ogrodzie, przy kawiarnianym
stoliku piła pyszną, zimną lemoniadę. W dole toczyło się wesołe, miejskie życie, a powietrze pachniało
zbliżającą się jesienią. Basia z głową pełną projektów
oczekiwała nowego roku szkolnego, w którym miała
zdawać maturę. Matura... Zdała ją prawie dwa lata
później, na tajnych kompletach, w maleńkim saloniku państwa Rapcewiczów, po przyspieszonym
kursie z dorastania. Tym samym, który przecho-
dziło całe pokolenie jej rówieśników; wychowane
w odrodzonej Polsce, nieznające jarzma zaborów,

mające zbudować kraj silny i dostatni, a które obecnie chwytało za młotki, kielnie lub kierownice riksz. Albo po prostu za broń.

A przecież zapach prochu mieli znać tylko z opowieści starszych. Z patriotycznych pieśni, które w odrodzonej ojczyźnie rodzice zwykli śpiewać dzieciom do snu. Basia pamiętała, jak kiedy była małą dziewczynką, ojciec sadzał ją sobie na kolanach i nucił hymn. Za każdym razem, gdy dochodził do słów: „Mówił ojciec do swej Basi cały zapłakany, popatrz jeno pono nasi biją w tarabany", łamał mu się głos i miał oczy pełne łez. Powód tamtych wzruszeń córka rozumiała dopiero teraz...

– Stracił pan ojca...? – odezwała się ponownie, kiedy minęli budynek Jabłkowskich. – W kampanii wrześniowej?

Krzysztof wpatrywał się w zaśnieżony trotuar.

– Nie. Ojciec nie doczekał września. Długo niedomagał i odszedł pod koniec lipca. Chociaż gdyby nie to, gdyby nie choroba, na pewno dołączyłby do walczących. Był pisarzem i krytykiem literackim, ale przede wszystkim oficerem rezerwy.

Basia pokiwała głową ze zrozumieniem.

– To stąd wziął się pana... talent – stwierdziła półgłosem. – Odziedziczył go pan po ojcu.

Zerknął na nią.

– Talent?

53

– Wszak pan Tadeusz już mnie zdekonspirował. Czytałam pana wiersze.

– I bardzo się pani podobały – zażartował, naśladując ton głosu kolegi.

– Ogromnie.

– A który najbardziej? Wiem, że krąży kilka zeszytów z odpisami moich tekstów.

Zamyśliła się.

– To nawet nie tyle wiersz, co raczej poemat. Myślę o *Sercu jak obłok*. Chyba właśnie on najbardziej do mnie przemówił.

Baczyński przystanął. Odwrócił się do Basi i spojrzał na nią badawczo. Spoważniał.

– Właśnie ten? – zapytał powoli.

– Niezwykle piękny tekst – wyjaśniła, uciekając przed jego świdrującym spojrzeniem. Ruszyła z miejsca. On uczynił to samo. – Tytan z wiersza to pan, prawda?

Nie odpowiedział.

– Tytan o sercu jak obłok, które należy wypełnić treścią. Należy wypełnić miłością. Istota, która wciąż szuka swojej Światłołuny. Jedynej, która go nie odrzuci, nie wyśmieje. Jedynej, która go zrozumie.

– Tak – odparł szeptem. – To bardzo osobisty wiersz. Myślałem, że osoba tak młoda, jak pani, nie dostrzeże... – urwał.

– Nie zrozumie głębi tego wiersza, ukrytych znaczeń?

– Tak – przyznał zawstydzony, po czym szybko dodał: – Przepraszam panią. Ja po prostu często myślę, że piszę zbyt zawile, zbyt chaotycznie, że to jest nazbyt afektowane. Przez to moja poezja może być trudna do interpretacji, szczególnie dla moich rówieśników. Oni nie przepadają za podobną metafizyką, za dwuznacznością. Świat stał się czarno-biały. Tego samego oczekuje się od literatury.

– A ja uważam, że w tej, jak pan to ujął, „zawiłości", tkwi cały urok pana twórczości. I wcale nie wiek odbiorców, a raczej ich wrażliwość implikuje właściwe zrozumienie takiej poezji.

Rozpogodził się.

– Cóż, nie doceniłem pani przenikliwości.

– Widocznie każde z nas się pomyliło w swoich ocenach. – Odwzajemniła jego uśmiech. – Pan uważał, że osoba w moim wieku będzie miała problem z rozszyfrowaniem sensu jego wiersza, ja natomiast sądziłam, że musiał on wyjść spod pióra kogoś dużo starszego.

Krzysztof uważnie popatrzył na Basię. Z roziskrzonym, bystrym spojrzeniem, z zaróżowionymi policzkami i płatkami śniegu zaplątanymi w ciemne włosy wyglądała bardzo pociągająco. A przy tym zaskakiwała go swoją powagą i dojrzałością, tak niewspółgrającą z niemal dziecięcą twarzą. Zdawała się naprawdę go rozumieć. Jego. Na co dzień tak wyobcowanego, małomównego, nieco neurotycznego, który ostrożnie nawiązywał nowe znajomości. Tymczasem w tej młodziutkiej dziewczynie było coś, co pozwalało mu się otworzyć – chciał się otworzyć. Pragnął z nią rozmawiać. Pragnął, żeby ich wspólny spacer nie miał końca…

Coraz gęstsze ciemności spowijały miasto, a na tle pociemniałego nieba prószący śnieg zdawał się jeszcze jaśniejszy i czystszy. Młodzi ludzie, zatopieni w coraz gorętszej dyskusji, nie dostrzegli, kiedy minęli plac Trzech Krzyży, a jedna ulica płynnie przeszła w drugą. Nie widzieli przygnębionych przechodniów ani posępnych niemieckich patroli. Smutna sceneria zniewolonego miasta opadła i na scenie pozostali tylko oni; dwójka aktorów, która niepostrzeżenie rozpoczęła nowy akt niezwykłego przedstawienia. Akt wzajemnej fascynacji, która zrodziła się niespodziewanie, a którą wywołała wymiana wspólnych tematów i poglądów.

Baczyński, jakby przełamawszy jakąś wewnętrzną barierę, bez skrępowania zaczął opowiadać Basi o swoim życiu. O twórczych rozterkach, o niezwykłych znajomościach, które zawarł w ostatnim roku z innymi literatami. Wśród nich byli Iwaszkiewicz, Andrzejewski, Zagórski czy Miłosz – literaci, których nazwiska wywołały u Basi szczere poruszenie. Mówił o wizytach w mitycznym Stawisku[5] i tamtejszych niezwykłych spotkaniach w artystycznym gronie. W ich trakcie tworzono, a później odczytywano na głos swoje teksty, kłócono się i dyskutowano „co dalej z Polską". Mówił o ulubionych książkach i wierszach, o grafikach, które wykonywał w bezsenne noce...

Wbrew skromnym zapewnieniom, że jego codzienność toczy się pod dyktando spraw przyziemnych, prozaicznych; spraw, które dotykają wszystkich mieszkańców okupowanej stolicy, życie Krzysztofa – to życie wewnętrzne, tajemne, którego Basia była tak ciekawa – wypełniała treść barwna i interesująca. Owszem, poeta chwytał się różnych prac fizycznych, aby podreperować domowy budżet – jak inni zmagał się z biedą i nieustannym lękiem przed wywózką lub aresztowaniem – lecz kwintesencją jego istnienia było pisanie. I jak się okazało, nieco mijał się z prawdą na początku ich rozmowy, twierdząc skromnie, że daleko mu do uznanych twórców. Wszak o jego talencie już teraz rozprawiano w Warszawie, a w dowód uznania starsi koledzy przyznali mu nawet niewielkie, acz stałe stypendium literackie.

---

[5] Majątek Anny i Jarosława Iwaszkiewiczów w Podkowie Leśnej.

Barbara słuchała tych opowieści z rosnącym zachwytem, tym bardziej, że Krzysztof mówił bez zadęcia i daleki był od samouwielbienia. Mimo że znał wartość swoich wierszy, to równocześnie wciąż towarzyszyło mu – podobnie jak wielu artystom – swoiste poczucie niepewności i niedosytu. To również było w nim urzekające.

Wyjątkowo dobrze się czuła w jego towarzystwie. Wcześniejsze skrępowanie dawno minęło i z każdym przebytym kilometrem dochodziła do wniosku, iż Baczyński jest jej naprawdę bliski. Coraz mocniej ją intrygował, a równocześnie – co wprawiało Basię w kompletne oszołomienie – uczucie to zdawało się być obopólne. A przecież nie była nikim szczególnym. Jedynie niepozorną dziewczyną, której, tak jak jemu, przyszło dorosnąć zbyt wcześnie. Niemniej Krzysztof z wyraźnym zainteresowaniem przysłuchiwał się, gdy mówiła o swoich literackich gustach, o poglądach na świat, życiowych planach i marzeniach, o smutkach i radościach. Słuchał uważnie, jakby była jednak kimś ważnym, kimś wyjątkowym i ogromnie jej to schlebiało.

Oboje tak pochłonięci byli rozmową, wzajemnym odkrywaniem siebie, że nawet nie zauważyli, kiedy dotarli na ulicę Śniegockiej. Wąska uliczka po obu stronach zamknięta eleganckimi elewacjami kamienic o tej porze była zupełnie wyludniona.

Dziewczyna wskazała jedną z bram, do której powoli się zbliżali.

– Tam właśnie mieszkam – rzekła bez cienia radości.

Wizja ciepła panującego w mieszkaniu na górze i przygotowanego przez matkę obiadu parującego na stole, stanowiłaby pewnie pokusę, gdyby nie fakt, iż nadeszła chwila rozstania. Myśl, że Krzysztof zaraz ją opuści, niespodziewanie napełniała Basię smutkiem. Wraz z jego odejściem czar pryśnie i być może już nigdy nie nadarzy się okazja, żeby znowu porozmawiać sam na sam. Oczekiwanie przez tydzień na kolejne zajęcia u Hiża, na ujrzenie Krzysztofa wydało się nagle trudne do zniesienia.

Baczyńskiego najwyraźniej również to trapiło, bo kiedy wreszcie się zatrzymali, nie zwlekając, zapytał:

– Czy miałaby pani coś przeciwko, gdybym ją poprosił o pewną małą przysługę?

Basia zadrżała i bezwiednie wstrzymała powietrze. W tej chwili Krzysztof mógłby ją poprosić o wszystko. Byleby mogła jeszcze przez chwilę cieszyć się jego widokiem i obecnością.

– Jeżeli tylko będę umiała panu pomóc.

– To nic takiego. – Kiedy to mówił, kąciki jego ust lekko zadrżały. – Wtedy przy Marszałkowskiej, na przystanku, zupełnie zapomniałem zapytać Tadeusza, czy nie użyczyłby mi notatek z zajęć i…

– Ależ oczywiście – nie pozwoliła mu dokończyć.
– Mogę je panu pożyczyć. Choćby zaraz. Proszę
wejść ze mną na górę – dodała podekscytowana.

– Nie chciałbym robić pani kłopotu. Zresztą jest
już późno. Moja matka na pewno się niepokoi, że
jeszcze nie wróciłem. Ale może moglibyśmy się zobaczyć jutro?

– Jutro?

Basia spąsowiała. „Jedyny pożytek z obecności
nazistów w Warszawie, to że oszczędzają na elek-
tryczności i uliczne lampy ledwie świecą" – pomyślała z ulgą.

– Do godzin popołudniowych jestem zajęty –
kontynuował równocześnie Krzysztof. – Mógłbym
być u pani około szesnastej.

– O szesnastej? – Posmutniała. – Niestety jestem
już umówiona ze znajomą.

Baczyński nerwowo przygryzł wargę.

– No cóż, w takim razie…

– Ale może… – przerwała mu nieśmiało. – Może
mógłby pan się ze mną spotkać u niej? To bardzo bliska koleżanka. Chyba nie miała okazji czytać pańskich
wierszy, ale na pewno chętnie by pana poznała. Wprawdzie mieszka po drugiej stronie Wisły, na Francuskiej,
ale to przecież niedaleko. Gdyby pan zechciał… Moglibyśmy później razem wrócić do Śródmieścia. Oczywiście zabrałabym notatki – dorzuciła prędko.

Krzysztof się rozpogodził.

– Nie chciałbym paniom przeszkadzać.

– Ależ skąd – zaprzeczyła energicznie. Obawiając się, że Baczyński cofnie propozycję, szybko wyjęła z teczki pióro i notes. – Zaraz zapiszę panu adres.

Przez moment notowała, po czym podając mężczyźnie świstek, promiennie się uśmiechnęła. Teraz, kiedy wiedziała, że znowu go zobaczy, świadomość rozstania przestała ją przygnębiać.

– W takim razie, do zobaczenia – szepnęła.

– Do jutra.

Żegnając się, Baczyński z namaszczeniem złożył karteczkę na pół i schowawszy ją do kieszeni na piersi, ostatni raz podniósł oczy na dziewczynę. Basia przepadła w ich błękicie bezpowrotnie.

★ ★ ★

Jakby wyrosły jej skrzydła, lekko wbiegła po schodach na drugie piętro i zatrzymała się pod drzwiami, na których widniała mosiężna tabliczka z wykaligrafowanym zamaszyście napisem: *Feliksa i Ryszard Drapczyńscy*. Kilka razy głęboko nabrała powietrza, żeby uspokoić oddech, a następnie energicznie wcisnęła dzwonek. Z wnętrza mieszkania doszedł ją odgłos szybkich kroków i szelest odsłanianego judasza. Zasuwka zachrzęściła metalicznie i drzwi otworzyły się na oścież.

– No nareszcie, Basiu, co tak długo? – Stojąca na progu matka odsunęła się, aby wpuścić dziewczynę do środka.

Pani Drapczyńska była kobietą o mocnej sylwetce i nieco pospolitych rysach twarzy, na której jednak gościł wyraz dobroduszności. Jako wzorowa żona i matka twardą ręką prowadziła dom – co ostatnimi czasy nie należało do zadań prostych – oraz troskliwie zajmowała się swoją trzódką. Od chwili przyjścia na świat pierwszego dziecka szczęście rodzinne i dobro najbliższych stały się nadrzędnym celem jej istnienia, a zaciszne wnętrze mieszkania – centralnym punktem nieskomplikowanego mikrokosmosu. Od chwili gdy wyszła za mąż, przestała sobie rościć pretensje do bycia kimś więcej niż panią domu i bez żalu wspominała krótki epizod, kiedy jako panna pracowała w prowincjonalnej szkółce.

Inaczej sprawy miały się z jej mężem. Pan Ryszard, także były nauczyciel, wysoko cenił sobie naukę, a jego ambicje wybiegały daleko poza sprawy domowe. Jednak kilka lat wcześniej, z powodu problemów zdrowotnych, zmuszony był opuścić szkołę w Wieczfni, którą dotąd z powodzeniem prowadził. Przejście na wcześniejszą emeryturę, a co za tym idzie – pogorszenie sytuacji finansowej, zmusiły go do przeniesienia się z rodziną do stolicy. Tutaj wraz z braćmi zajął się materią zgoła mu obcą, a mianowicie: prowadzeniem dobrze prosperującej drukarni. Zapewne dla człowieka o wysokich potrzebach intelektualnych był to krok wstecz, niemniej szybko przystosował się do nowej sytuacji. Tym bardziej, że dochody z interesu okazały się na tyle satysfakcjonujące, iż stanąwszy na nogi, Drapczyńscy mogli zająć duże i wygodne mieszkanie przy ulicy Śniegockiej, usytuowane w kamienicy zamieszkiwanej przez inteligencję i rodziny oficerów.

Tymczasem zepchniętą na boczny tor potrzebę rozwoju duchowego i kulturalnego pan Ryszard z powodzeniem przelał na dzieci. Zarówno Basia, jak i jej kilka lat młodszy brat Zbyszek, uczęszczali przed wojną do dobrych, prywatnych szkół. Wpojony przez ojca głód wiedzy zaowocował u obojga – a szczególnie u rezolutnej i zdolnej dziewczynki – głęboką miłością do książek. Kiedy nastała okupacja, wydawało się niepodobnym, żeby Basia przestała się uczyć, aby nie zdobyła matury, a w rezultacie nie podjęła studiów.

Ojciec, mimo ryzyka, jakie wiązało się z uczestnictwem w tajnych kompletach, ogromnie rad był planom córki i z dumą patrzył na jej edukacyjne osiągnięcia. I tylko pani Feliksa podchodziła do sprawy bardziej pragmatycznie, jak każda matka, traktując bezpieczeństwo dzieci jako wartość nadrzędną. Na pewno byłaby spokojniejsza, gdyby Basia na jakiś czas zawiesiła udział w zajęciach i przestała się narażać, biegając po mieście, w którym roi się od Niemców. Córka była jednak nieprzejednana, a pan Ryszard uważał, że edukacja jest swoistą formą ruchu oporu. „Po wyzwoleniu Polska będzie potrzebowała wykształconych obywateli" – zwykł mawiać, a żona nie umiała z tym polemizować.

Obowiązki wobec Ojczyzny to jedno, a matczyne nerwy to drugie. Dlatego też wszystkie wyjścia dziewczyny z domu pani Feliksa przypłacała bólem głowy, a każda minuta spóźnienia powodowała u niej zrozumiałe obawy.

Basia wiedziała, jakie katusze przeżywa matka i starała się nie nadużywać jej zaufania. Zazwyczaj zjawiała się o czasie. Ale dziś... Dzisiejszy dzień był wyjątkowy i nawet potencjalna bura nie mogłaby jej skłonić do szybszego powrotu.

– Mamo, przepraszam, zupełnie straciłam poczucie czasu. – Spojrzała w matczyne oczy z przepraszającym uśmiechem.

– Naprawdę mnie wystraszyłaś. Jest już zupełnie ciemno...

– A która godzina?

Nie czekając na odpowiedź, Basia zaczęła rozpinać jesionkę i strząsać z niej płatki śniegu. Białe okruchy zalśniły ostatnim blaskiem, rozpływając się w ciemnościach korytarza.

– Ale ty jesteś dzisiaj roztrzepana – skarciła ją pani Feliksa. – Nie wzięłaś zegarka?

– Oj mamuś…

– Już po czwartej. Miałaś być ponad godzinę temu. Odchodziłam od zmysłów. A obiad jest już kompletnie zimny.

Dopiero teraz matka zapaliła lampkę stojąca na komódce i w jej wątłym świetle uważniej przyjrzała się Basi. Po drobnych ustach córki błąkał się nieobecny uśmiech, oczy płonęły ekscytacją, a na policzkach rozkwitał rumieniec. Czy tylko od mrozu?

– Musiałam przyjść na piechotę. Tramwaj nie jeździł – wytłumaczyła dziewczyna.

– I jeszcze tego brakowało. Taki kawał drogi na piechotę? Rozchorujesz się, biegając po dworze w taką pogodę. Buty masz zupełnie przemoczone.

Mimo kolejnej wymówki, głos pani Feliksy wyraźnie złagodniał. Należała do osób, które nie potrafią zbyt długo się gniewać. Spóźnienie spóźnieniem, ale najważniejsze, że Basi nic złego się nie przytrafiło. Wyglądała na całą i zdrową. A nawet więcej – na wyjątkowo rozpromienioną.

– Aby na pewno tylko brak tramwaju tak długo zatrzymał cię na mieście?

Czy matczyne oko było aż tak spostrzegawcze?

Winowajczyni odwiesiła wreszcie ubranie i oparłszy się ciężko o ścianę, westchnęła rozmarzonym tonem:

– Mamo, dzisiaj spotkałam mężczyznę mojego życia.

★ ★ ★

– Mamo, dzisiaj spotkałem dziewczynę mojego życia – rzucił od progu Krzysztof. Następnie pospiesznie ucałował matkę w przywiędły policzek i z zupełnie niepodobną sobie energią zabrał się za zdejmowanie mokrych ubrań.

Pani Stefania przyglądała się synowi z zaciekawieniem. Na jego twarzy, zazwyczaj bladej i spokojnej, intensywnie błyszczały oczy, a od anemicznej sylwetki biło dziwne szczęście – uczucie dosyć rzadkie i niespotykane w tym miejscu. Ściany cichego mieszkania przy ulicy Hołówki rzadko bywały bowiem świadkiem podobnych uniesień. Świadkiem śmiechu i radości. Zazwyczaj panowała tu nieco przygnębiająca i pełna skrępowania atmosfera. Klimat wnętrza spowodowany był specyficzną sytuacją. Mieszkanie oprócz matki z synem zajmowali inni, a do tego obcy lokatorzy. Do stumetrowego mieszkania, które przed wojną w całości należało do Baczyńskich, na początku wojny Niemcy dokwaterowali czteroosobową rodzinę Wysockich. Krzyś z matką zmuszeni byli zająć jeden wspólny pokoik, dzieląc z nowymi mieszkańcami kuchnię i łazienkę. Pani Stefa z trudem akceptowała obniżenie stopy życiowej i kompletny brak intymności. Zawsze miała problemy w nawiązywaniu relacji z ludźmi, dlatego teraz, przebywając w otoczeniu niechcianych współlokatorów, zdawała się bezustannie poirytowana.

Zasuszona i smutna, o nieładnych rysach twarzy i zgorzknieniu rysującym się na wąskich wargach, pani Stefania Baczyńska wyglądała na dużo starszą, niż była w rzeczywistości. Rozsiewała wokół siebie aurę istoty kruchej i zobojętniałej na świat, która nie ma już żadnych złudzeń i niczego dobrego od życia nie oczekuje. Ubierała się na czarno, mimo że od śmierci męża minęło już półtora roku. Zresztą ów ascetyczny rys wcale nie ukształtował się w wyniku niedawnej straty. Stefania, żona niekochana, kobieta zdradzona i niespełniona, już wcześniej przejawiała skłonność do popadania w melancholię i z uporem umartwiała swoje ciało. Od lat metodycznie wymierzała sobie karę za grzech sprzed lat, którego mimo upływu czasu nie umiała, a może nie chciała z siebie zetrzeć.

O przyczynach nadmiernej religijności pani Baczyńskiej, o co piątkowym poście – i to poście ścisłym! – o tajemnicy jej nieszczęśliwego małżeństwa wiedziało jednak niewielu. Dla otoczenia była po prostu dziwaczką. Chłodną i zdystansowaną kobietą, która wszelkie ciepłe uczucia i miłość, tyleż głęboką, co zaborczą, przelewała na jedynaka.

Ignorując niecodzienne zachowanie syna oraz jego pełne ekspresji wyznanie uczynione w drzwiach, Stefania wyczekała aż Krzysztof się rozbierze i wreszcie pociągnęła go do pustej teraz kuchni. Nie chciała rozmawiać w korytarzu, uważając, że zza zamkniętych drzwi do pokojów Wysoccy śledzą każdy jej ruch i podsłuchują rozmowy z synem.

– Synku, wszystko po kolei. Najpierw musisz coś zjeść, odpocząć, a później o wszystkim mi opowiesz.

Krzysztof posłusznie ruszył za matką i zajął swoje stałe miejsce przy niedużym, kuchennym stole. Stefa przez chwilę krzątała się po pomieszczeniu, którego ciszę zakłócało jedynie cykanie zegara, a wreszcie nalała zupy do talerza i postawiła go przed synem. Sama usiadła naprzeciwko.

– Długo nie wracałeś. Zmarzłeś na pewno – powiedziała bez cienia wymówki.

– Tramwaje nie jeździły. Musiałem przyjść na piechotę – rzucił znad obiadu.

– A nie mówiłam, że to zły pomysł ruszać się z domu w taką pogodę?

– Sama mnie mama namawiała na zajęcia u Hiża.

– Naturalnie. Musisz się przecież czasami wyrwać z domu. Powinieneś dalej się uczyć. Ale nic by się nie stało, gdybyś tam dzisiaj nie poszedł, synku. Co się odwlecze… A teraz na pewno znowu się pochorujesz. Wiesz, że musisz o siebie dbać.

Krzyś spojrzał na nią wesoło.

– Nic mi nie będzie. A zresztą, gdybym nie poszedł, nie poznałbym…

Zmarszczki na czole pani Stefanii ułożyły się w znak zapytania.

– Kogóż takiego?

– Ona jest niezwykła, bardzo inteligentna. Zachwycająca! I świetnie się zna na literaturze. Wspaniale nam się rozmawiało. Tobie na pewno także przypadłaby do gustu.

Nietknięta zupa stygła w talerzu, zaś Krzysztof przez kilka kolejnych minut z zaangażowaniem relacjonował matce przebieg spotkania z Basią. Pani Stefa, słuchając jego wynurzeń, próbowała się uśmiechać, mimo że w głębi duszy żarliwość syna, z jaką opisywał nieznajomą dziewczynę, nieco ją drażniła.

Była już świadkiem kilku podobnych porywów. Najpierw myślami Krzysia zawładnęła jakaś Zosia, później Anna, a wreszcie Zuzanna. Miłosne zauroczenia budowane na turkusowo-dalmackiej lub skalisto-tatrzańskiej ulotności wakacyjnych chwil. Ot, zwykłe fascynacje dojrzewającego chłopca, tyleż romantyczne, co niewiele znaczące. Ludzie tacy jak Krzysztof: wrażliwi, o delikatnej, podatnej na wszelkie bodźce konstrukcji, często ulegają nagłym uczuciowym impulsom, toteż i to nowe olśnienie na pewno okaże się wkrótce jedynie nieważnym wspomnieniem. Zresztą w opinii pani Stefanii, prócz niej samej – matki oddanej, ofiarnej i do szaleństwa zakochanej w cudownym chłopcu – nikt inny nie miał prawa do jego serca. Żadna kobieta, nawet najwspanialsza, najmądrzejsza – a niechby i najpiękniejsza! – nie mogła mu dać niczego, ponad chwilowy szał uniesień. Bo prawdziwe uczucie, tę miłość bezwarunkową, absolutną i najważniejszą, może ofiarować mężczyźnie wyłącznie kobieta, z którą łączyła go nić pępowiny. Tylko krwawa pieczęć poczęcia gwarantuje między ludźmi stałość i niezmienność. Mokre od potu ciała, splecione w skurczu zwierzęcego pożądania, nie są gwarantem niczego. Niczego!

Cóż więc jakaś panna Basia? Były inne przed nią i po niej też na pewno będą kolejne. Tylko ona, Stefania, zostanie przy synu na zawsze. Może więc sobie Krzyś pofantazjować z wypiekami na twarzy nad szczawiową zupą o nowym zauroczeniu, lecz matka nie zamierzała zawracać sobie tym głowy.

Kiedy syn wreszcie skończył mówić, Stefa bez zająknięcia przeszła płynnie do ciekawszego jej zdaniem tematu:

– A zajęcia ci się podobały?

– Mamo, właśnie ci opowiedziałem o najwspanialszej dziewczynie, jaką spotkałem w życiu, a ty mnie pytasz o zajęcia?

Na przywiędłe usta wypłynął wyrozumiały uśmiech, a wraz z nim na policzkach pojawiła się siateczka zmarszczek.

– Synku, tych najważniejszych dziewcząt było już w twoim życiu niemało, a na zajęciach z logiki matematycznej byłeś pierwszy raz.

Krzysztof zanurzył łyżkę w chłodnej już zupie.

– Zajęcia były interesujące – odparł lakonicznie, rozczarowany zachowaniem rodzicielki.

– I to wszystko?

– A po cóż mam mówić więcej, kiedy widzę, że mama nie jest zainteresowana tym, co mnie zajmuje najbardziej?

– Syneczku – rzekła czule. – Spróbuj mnie zrozumieć. Zapalasz się do kolejnej znajomości, chociaż w tej chwili sam nie wiesz, co się z tego urodzi. Poza tym, jak mogę podzielać twoje zachwyty, jeśli nie widziałam tej panny na oczy?

– Możesz mi po prostu zaufać. Nie wiem dlaczego, ale mam niezachwianą pewność, że to spotkanie przyniesie coś nadzwyczajnego.

– Krzysiu, toteż ja nie neguję, że ta dziewczyna jest wyjątkowa, tylko chcę, abyś nieco ochłonął. Po cóż się tak od razu zapalać? – dodała wyrozumiale. – Co to jest jedno spotkanie? Za tydzień na komplecie ponownie zobaczysz tę... jak jej tam?

– Barbarę.

– Zobaczysz tę pannę Barbarę i na chłodno stwierdzisz, czy się aby nie pospieszyłeś z jej oceną. Często przy drugim wejrzeniu czar pryska.

Krzysztof uniósł oczy na matkę. Na jego ładnej twarzy rozkwitł nieco przekorny uśmiech.

– No cóż, w takim razie, mamo, tej oceny będę mógł dokonać znacznie wcześniej.

– To znaczy…?

– Zapytałem pannę Basię, czy zechce się ze mną zobaczyć już jutro. A ona się zgodziła.

★ ★ ★

Świat niespodziewanie przyspieszył, a zima w sercu panny Drapczyńskiej nagle zamieniła się w wiosnę. „To takie dziwne wiedzieć od razu, że nie uda się uciec przed nieuchronnością zdarzeń, przed konsekwencjami jednego spotkania” – myślała.

Resztę dnia przeżyła jakby w półśnie, z trudem odróżniając, co jest prawdą, a co jedynie wytworem wyobraźni. Miłość od pierwszego wejrzenia, od pierwszego wiersza, od dotyku czyjejś dłoni… Miłość uskrzydlająca, a zarazem zapierająca dech w piersi, odbierająca rozum i nadająca wszystkiemu sens… To nie mogło się dziać naprawdę. Tu i teraz. W świecie zrujnowanym, w czasach bez przyszłości. Podobne historie zdarzały się tylko na kartach książek, w słodkich od banału romansach, ale przecież nie w prawdziwym życiu!

A tymczasem jej się to przydarzyło…

Basia prawie nie spała tej nocy. Leniwie płynący czas mierzyła, odliczając każdą minutę do następnego spotkania z Krzysztofem, wspominając i analizując wspólny powrót przez miasto. „Przyjdzie, nie przyjdzie" – wyliczała następnego dnia w rytm wahadła zegara…

Przyszedł.

Tak jak obiecał, zjawił się na Francuskiej, gdzie mieszkała Jadzia Klarnerówna. Basia, zanim jeszcze poeta się pojawił, zdążyła ze szczegółami opowiedzieć przyjaciółce o swojej nagłej fascynacji i o obezwładniającym uczuciu, które uderzyło w nią w chwili poznania. Dlatego kiedy Baczyński wreszcie zawitał w drzwiach, gospodyni z nieukrywaną ciekawością przywitała obiekt westchnień przyjaciółki. Była zaintrygowana zachowaniem Basi, zazwyczaj tak spokojnej i opanowanej. Jak wygląda i kim jest mężczyzna, który w jednej chwili zawładnął jej sercem? I czy odwzajemnia się Basi, czy nagłe zauroczenie aby na pewno jest obopólne?

Jadzia szybko otrzymała odpowiedź na dręczące ją pytania, bo Baczyński zdawał się być zapatrzony w dziewczynę w równym stopniu, co ona w niego.

– Krzysztof Baczyński, poeta – z nieukrywaną dumą dokonała prezentacji przed Jadzią Barbara. A on, zdjąwszy płaszcz, jeszcze w przedpokoju, powiedział:

– Przyniosłem dla pani wiersz.

Później czytał go dziewczętom przy skwierczącej oliwnej lampce, bowiem tego popołudnia Niemcy znowu wyłączyli prąd. I było coś wyjątkowego w jego poezji, coś delikatnego i chwytającego za serce zarazem. Mglisty półmrok pokoju wypełniła melodia słów, które wzruszyły Jadzię równie mocno, co ich właściwą adresatkę. Nie trzeba było niczego więcej, aby zrozumieć, że oto rodzi się związek wyjątkowy, związek dusz tak silny, że rozkwitnie nawet na wyjałowionym gruncie rozjechanym przez gąsienice niemieckich czołgów.

Dla Jadzi to odkrycie było czymś kompletnie nowym i niezrozumiałym. Basia podświadomie wyczuwała to już podczas wczorajszego spaceru. Teraz dodatkowo, na potwierdzenie, Krzysztof podarował jej wiersz. Wiersz napisany specjalnie dla niej! Wzruszający, piękny, opatrzony wyjątkową dedykacją: „Dziwnej Barbarze, dziwny wiersz, Dziwny Krzysztof"[6]. Czy poeta może wyrazić uczucia w piękniejszy sposób?

---

[6] Chodzi o wiersz *Z szopką*, który powstał 2 XII 1942 roku.

Chociaż poemat wcale nie traktował o miłości, a o nadchodzących świętach, to pod zawoalowanymi zdaniami krył się sens właściwy, jednoznaczny, który uświadamiał dziewczynie, że od tego, co się dzieje między nią a Baczyńskim, nie ma już odwrotu. Jest stracona. Są straceni. Pragnęła spijać każde słowo z jego ust, chciała trwać przy nim i patrzeć w nieskończoność w jasne, zamyślone oczy. Te oczy, które odbijały każde z jej uczuć, które zdawały się odpowiadać na jej wołanie...

Wracając od Jadzi z Saskiej Kępy, długo milczeli. Krzysztof nawet nie napomknął o pierwotnym celu ich spotkania. Notatki z logiki matematycznej tkwiły nietknięte w zniszczonej skórzanej teczce, przewieszonej przez ramię dziewczyny. Może o nich zapomniał, a może uznał, że nie warto przyziemnymi sprawami zakłócać niezwykłego nastroju?

Kiedy wkroczyli na most Poniatowskiego, nad ich głowami zamknęło się czarne sklepienie nieba, na którym rozsypane okruchy gwiazd migotały chłodnym blaskiem. Gdzieś w dole, pod nogami, na połyskującej rtęcią tafli Wisły, niczym lilie wodne wirowały leniwie kręgi śryżu, a ośnieżone miasto na drugim brzegu wyglądało zupełnie, jakby zapadło w spokojny, bezpieczny sen. Sen bez wojennych koszmarów, sen o zbliżającym się Bożym Narodzeniu. O nadejściu czegoś nowego i niezwykłego.

W połowie drogi minął ich niemiecki żandarm. Przemarznięty i zły obrzucił oboje nieprzyjemnym, świdrującym spojrzeniem. Basia odruchowo wsunęła dłoń pod ramię Krzysztofa. Przycisnął ją pewnie do swego boku i już nie wypuścił.

– Pojutrze są moje imieniny – powiedziała cicho, czując ciepło bijące od jego ciała. – Czy zechce mnie pan wtedy odwiedzić?

– Pojutrze, za tydzień. Codziennie.

★ ★ ★

– Wojna, nie wojna, trzeba żyć normalnie – zwykła mawiać pani Feliksa przy okazji różnych uroczystości, których zorganizowanie było tak trudne w obecnej sytuacji.

Imieniny, urodziny i wszelkie święta rodzinne, państwowe czy religijne w domu państwa Drapczyńskich, jak i w domach wielu innych warszawiaków, obchodzono teraz z równą celebrą, co przed wojną. Na przekór okupantowi. Oczywiście stół wyglądał dosyć biednie, a i tematy przy nim poruszane często dotyczyły kwestii zgoła niewesołych, lecz pozory normalności stworzone w tym swoistym oku cyklonu, dawały pani Feli poczucie dobrze spełnionego obowiązku. Terror, ubóstwo i śmierć nie miały wstępu do jej spokojnej przestrzeni, z takim trudem budowanej w schludnym mieszkaniu przy Śniegockiej. Dlatego racjonowana żywność na kartki ani niedobory opału nie mogły i tym razem stanąć na przeszkodzie zaradnej gospodyni, która postanowiła wyprawić córce imieniny.

Ponieważ w ciągu dnia Niemcy wyłączali gaz, pani Drapczyńska przygotowała wszystkie potrawy – acz nie było ich znowu tak wiele – w noc poprzedzającą przyjęcie. Specjalnie na przybycie gości, by porządnie ogrzać choć jeden z pokoi, uzupełniła zapasy drewna. Węgiel lepiej by się do tego celu nadał, jednak z powodu niebotycznych cen czarne złoto musiało pozostać w sferze marzeń pani Feliksy. Na koniec dokupiła świec i nafty, utyskując przy tym pod nosem, że „nigdy nie wiadomo, kiedy i w której dzielnicy te niemieckie diabły postanowią wyłączyć elektryczność". Wszystko było gotowe na przyjście gości.

Prócz rodziny i kilku najbliższych koleżanek córki, czyli stałych uczestników jej imienin, tego wieczoru miał się pojawić ktoś nowy – o czym Basia poinformowała matkę, nie kryjąc podniecenia. W ostatnich dniach rodzicielka z rosnącym osłupieniem przyglądała się dziewczynie, która przecież nigdy wcześniej nie zachowywała się tak spontanicznie, tak dziwnie. Powód rozkojarzenia, a zarazem fajerwerków dziewczęcego entuzjazmu, nosił imię Krzysztof. „Pan Krzysztof to, pan Krzysztof tamto…". Szczebiot córki nie pozostawiał wątpliwości co do charakteru nowej znajomości, to-też zachwyty latorośli Feliksa Drapczyńska kwito-wała wyrozumiałym uśmiechem. Młodość musi się wyszumieć, a krew nie woda i z dwojga złego, lepiej żeby Basia roiła sobie o miłości, niżby miała się za-dręczać wojennymi dramatami.

Wraz z wybiciem dziewiętnastej dom wypełnił gwar. Basia, w sukience przerobionej ze starego let-niego kostiumu matki, witając w przedpokoju kolej-ne osoby, prezentowała się nad wyraz kwitnąco, a jej twarz promieniała radością. Ale to nie widok kole-żanek, ciotek i wujków wprawiał ją w tak podniosły nastrój, a gość, który przyszedł jako ostatni.

Nieco skrępowany przywitał się z solenizantką, wręczając jej pięknie wykaligrafowany wiersz, napi-sany specjalnie na tę okazję, a następnie przedsta-wiony został rodzicom panny i reszcie gości.

Elegancki salonik Drapczyńskich wypełnił się wesołymi rozmowami, życzeniami i toasta-mi, wznoszonymi cierpkim owocowym winem własnej roboty – zdobytym przez stryja Basi od pewnego klienta drukarni i przyniesionym dzi-siaj w prezencie. Nikomu z obecnych nie prze-szkadzała skromna zawartość talerzy ani brak światła, które zgodnie z przewidywaniami gospo-dyni w którymś momencie zapulsowało eksploz-jami wolframu na drucikach żarówek, by wreszcie zgasnąć na dobre. Blask elektrycznej lampy zastąpiła ciepła poświata świec, a półmrok – odwieczny sprzymierzeniec zakochanych – pozwolił, by w rozgardiaszu rozbrzmiewających wkoło dysput spojrzenia Basi i Krzysztofa częściej i na dłużej krzyżowały się ponad stołem.

Niewiele mieli okazji, by ze sobą porozmawiać. Zawstydzeni obecnością innych, wymieniali tylko jakieś ulotne uśmiechy, jakieś zdania krótkie, urywane. A przez większość wieczoru nowego „kolegę" Basi zagadywali pan domu wraz z bratem, Marianem. Ciekawi życia elit twórczych Warszawy, z zainteresowaniem wypytywali młodego poetę o kondycję dzisiejszej kultury i potajemne spotkania literatów. Wyważony styl dyskusji, poglądy i specyficzna refleksyjność Baczyńskiego wyjątkowo ujęły ojca Basi. Sam Krzysztof także zdawał się być wraz z upływającymi minutami coraz swobodniejszy, a rozmowa przybierała mniej oficjalny charakter. Pochłonęła ona panów tak bardzo, że nie zauważyli, kiedy część gości zaczęła zerkać w stronę zegara z kukułką, stojącego w ciemnym kącie salonu. Nie było jeszcze dziewiątej, kiedy koleżanki Basi zaczęły się zbierać do wyjścia, a wkrótce po nich – widząc, jak nad stołem dyskretnie ziewa najmłodszy uczestnik wieczoru, Zbyszek – hasło do odwrotu rzuciła stryjenka Sabina.

Gdy gospodarze wraz z solenizantką żegnali gości, Krzysztof w ogólnym zamieszaniu także uniósł się z krzesła. Dziewczyna, widząc ten ruch, powstrzymała go spojrzeniem. Dla nich wieczór jeszcze się nie skończył. Odprowadzając stryjostwo do drzwi, szepnęła w przelocie:

– Proszę jeszcze chwilę zostać. Proszę nie uciekać. Nie ma dziewiątej, do godziny policyjnej jeszcze dwie godziny.

Salon opustoszał. Chwilę jeszcze rozmawiano, a w końcu pani Feliksa wyszła odnieść brudne talerze do kuchni. Ojciec, spostrzegłszy ukradkowe spojrzenia młodych, także postanowił opuścić salon. Wymyślając naprędce jakąś pilną sprawę do omówienia z żoną, szybko wstał od stołu, a wychodząc, upomniał syna, by ten szedł już do łóżka. Zbyszek, trąc oczy, pożegnał Krzysztofa, siostrę i także zniknął w głębi mieszkania.

Płomienie świec zatańczyły poruszone oddechami dwójki młodych ludzi, kreśląc na ścianach cienie ich sylwetek. Krzysztof wyciągnął ponad stołem dłoń ku Basi. Podała mu swoją bez wahania. Chwilę milczał, wpatrując się w oczy dziewczyny.

– To był niezwykle miły wieczór – zaczął cicho.

– Zdaje się, że tata i stryj zamęczyli pana rozmową.

– Ależ to była dla mnie prawdziwa radość, móc porozmawiać z kimś, dla kogo sprawy kultury zdają się równie istotne, co dla mnie... Dziękuję, że mnie pani zaprosiła.

– A ja dziękuję, że pan przyszedł. I za wiersz. I... że pan jest – dodała zawstydzona.

Nie wypuszczając jej dłoni, podniósł się i obszedł brzeg stołu. Przykucnął przy jej kolanach i opuścił głowę. Jego czoło przecięła pionowa zmarszczka. Basia niemal czuła narastające między nimi napięcie. Wiedziała, że Krzysztof bije się z myślami, że rozważa jakieś ważkie słowa, które ona bardzo chciałaby teraz usłyszeć. Chciała, a zarazem obawiała się ich mocy. Ich jednoznaczności.

– Pani się domyśla, że od dnia, kiedy ją ujrzałem, wszystko się zmieniło, prawda? – stwierdził, nie odrywając oczu od ich splecionych dłoni. – Pani także to wie, pani to rozumie...

Basia przygryzła wargę.

– Nie wierzyłem, że takie rzeczy się zdarzają, że można tak nagle, tak od pierwszego słowa, od pierwszego wejrzenia... że można aż tak stracić głowę.

– Dla mnie?

– Dla pani... – Uśmiechnął się, słysząc nutę zdziwienia w jej głosie. – Z panią, o pani, przez panią... Wszystko przez panią. Nie mogę racjonalnie myśleć, nie mogę spać, jeść. Nie mogę oddychać, kiedy pani nie widzę. Czuję niedosyt w każdej minucie, kiedy tracę panią sprzed oczu. – Podniósł głowę. – Pani to czuje. Pani to musi czuć!

Przytaknęła, przełykając ślinę. Potrzebowała tych wyznań, potwierdzenia, chociaż czuła się nimi zakłopotana. Ich szczerością, bezpośredniością. Tym, że nastąpiły po tak krótkim czasie znajomości. Czy to możliwe, żeby on ją także…?

– Więc może uzna mnie pani za wariata, może stwierdzi, że jestem niespełna rozumu… To spadło na mnie tak niespodziewanie, z taką siłą. Ale wiem, że nie będę w stanie dalej żyć bez pani, bez naszych rozmów, bez pani obecności, bliskości. Nic nie ma już sensu bez pani… Moje pisanie, moje istnienie. Ja wiem, że to brzmi banalnie, zbyt górnolotnie, a przez to nieprawdziwie, ale nie umiem w pani obecności użyć lepszych słów. Ja, osoba parająca się słowem, tracę przy pani jasność umysłu.

– Ale ja już także nie potrafię… Nie wyobrażam sobie… – Jej głos się rwał.

– Znam panią od czterech dni, a jakbym znał od zawsze. Nie można się wyrzec takiego uczucia, nie można go zdusić, wymazać. Teraz, kiedy wokół tyle zła, trzeba mieć po co żyć. Pani jest właśnie tą osobą, dla której ja chciałbym żyć. Chciałbym zasypiać i budzić się przy pani. Móc patrzeć na panią… I jest tylko jedno wyjście, by to pragnienie mogło się ziścić. Myślałem o tym od chwili, kiedy panią zobaczyłem u Hiża. – Nabrał powietrza. Jego jasne oczy pociemniały. Dłoń lekko zacisnęła się na jej dłoni. – Pani musi za mnie wyjść.

Echo nieoczekiwanych słów zawirowało w powietrzu. Płomienie świec zadrżały. Basia drżała także.

– Ja nie mogę nic pani ofiarować – ciągnął, nie zważając na wrażenie, jakie jego deklaracje wywarły na dziewczynie. – Nie mogę pani dać nic, prócz siebie. Nie zapewnię żadnych ziemskich dóbr, życia dostatniego, stabilnego czy bezpiecznego. Tak niewiele od nas samych dzisiaj zależy. Wiem, że to nie jest wymarzony moment na miłość. Jestem tylko biednym poetą. Nic nie posiadam, prócz pragnienia, by się panią zaopiekować, prócz tych wszystkich uczuć, które żywię do pani… To jedyne, co mam.

Basia poczuła, że jej oczy wilgotnieją. Emocje mimowolnie zaczęły spływać mokrymi stróżkami po twarzy. Kręciło jej się w głowie. Ze szczęścia? Z niedowierzania? Dłonie trzymane przez Krzysztofa drżały bezwiednie. Barbara nie mogła wydusić z siebie słowa.

– Pani płacze? Dlaczego, Basiu…? – zapytał zmartwiony.

Drgnęła. Krzysztof po raz pierwszy zwrócił się do niej tak bezpośrednio, bez niepotrzebnych form, po imieniu.

– To ze wzruszenia – odparła wreszcie łamiącym się głosem.

Mocniej przywarł do jej kolan – czuła przy sobie jego pierś, która opadała i wznosiła się w rytm przyspieszonego oddechu. A później jeszcze bardziej przybliżył się do jej twarzy. Jego oddech i usta spoczęły na mokrym policzku. Powoli scałowywał jej łzy. Najpierw delikatnie, łagodnie, ale z każdą minutą obsypywał ją pocałunkami coraz zachłanniej, namiętniej. Oddała się tej pieszczocie bez reszty, a wtedy ujął jej twarz w obie dłonie, a na wargach poczuła jego miękkie ciepło. Całował ją zapamiętale, niemal boleśnie, jakby zaraz świat miał się skończyć, jakby za moment wszystko miało zamienić się w proch. Nieznane dotąd zniecierpliwienie wypełniło jej drobne ciało.

– Proszę, niech pani mi nie odmawia… – szeptał, odrywając się od niej na chwilę. – Nie odmawiaj mi, Basiu.

– Nie mogłabym panu…

– Panu? – Uśmiechnął się zdumiony. W geście bruderszaftu pocałował najpierw jedną, a później drugą dłoń.

– Nie mogłabym, nie potrafię ci odmówić – rzekła, patrząc na jego pochyloną głowę. – Ale to przecież czyste szaleństwo. My... nie możemy. Teraz...?

Krzysztof, jakby zawładnęła nim siła, której nie chciał – a może nie potrafił – powstrzymać, znowu zaczął błądzić ustami po jej twarzy, po szyi, karku.

– Nie mamy prawa... – Resztki jej oporu gasły. Basia czuła, jak topnieje, jak rozpływa się pod jego dotykiem, jak zalewa ją niezwykłe gorąco.

– Dlaczego? – Krzyś odsunął się od niej i spojrzał w szkliste oczy.

– Jest wojna. A my tacy młodzi. Nie zna mnie pan. – Urwała. – Nie znasz mnie. Cóż ja przy tobie znaczę? Kim jestem, by mieć do ciebie prawo? Wszak to jest decyzja na całe życie. A co, jeżeli cię rozczaruję? Jeśli nie sprostam twoim oczekiwaniom?

– Nie czujesz tego, co ja?

– Ależ czuję. Tak mocno, że aż się tego boję. Tak bardzo chcę należeć do... ciebie.

– Zatem żadna wojna nie stanie nam na drodze. Po co czekać? Na co? Że to się skończy? Że Niemcy nagle stąd odejdą? A jeżeli tak się nie stanie...? Nie sądziłem, że można mieć w życiu taką pewność. Że to właśnie tak wygląda. Oszalałem przez ciebie. I nie chcę czekać. Chcę móc być z tobą. Tu i teraz. Bez względu na wszystko. Musimy żyć szybko. Nie wiemy, ile mamy czasu.

Wsunęła dłoń w jego włosy. W świetle lampy połyskiwały w nich ciepłe refleksy. Jasne oczy, zazwyczaj trochę nieobecne, zamyślone, teraz patrzyły na nią w skupieniu, w oczekiwaniu. Mogłaby w nie patrzeć do końca świata. Chciała w nie patrzeć…

★ ★ ★

– To kompletnie niedorzeczne. Ja się nie zgodzę! Rozumiesz?! To jakiś obłęd!

Pani Stefa poczuła, że brakuje jej tchu, a nad głową zawisa ciężka gradowa chmura, która swoim ciężarem zdaje się przygniatać ją do ziemi. Wpatrywała się w syna z niedowierzaniem. Co to za kolejna bzdura? Małżeństwo?! I to z dziewczyną, o której istnieniu jeszcze tydzień temu Krzysztof nie miał pojęcia! Matka, znając jego specyficzny temperament i skłonność do popadania w afektację, z wyrozumiałością podchodziła do wcześniejszych zauroczeń. Ale żeby coś takiego?! To jej się nie mieściło w głowie.

– Mamo, ja już postanowiłem. Poprosiłem ją o rękę, a ona mnie przyjęła.

– Chcesz powiedzieć, że w tydzień zdążyłeś się zakochać?! Takie rzeczy się nie zdarzają. Życie to nie książka czy tania komedia. Miłość od pierwszego wejrzenia nie istnieje. Może mylisz pożądanie z prawdziwym uczuciem?

– Mamo, uspokój się, bardzo cię proszę. Zresztą, tu w grę nie wchodzi pożądanie, a miłość! – rzucił poirytowany, instynktownie podnosząc głos.

Matka spojrzała na niego zdumiona. Syn, zazwyczaj stoik, nigdy nie rozmawiał z nią takim tonem.

– Podoba ci się ta dziewczyna, rozumiem, ale po co od razu ślub?! To nie są rzeczy, w sprawie których można żartować. To są decyzje na całe życie. Co cię opętało?

Jej ukochany syn. Jej jedynak… Dlaczego chciał jej to zrobić? Czy naprawdę dała mu za mało ciepła i miłości? Musiał ich szukać poza domem? Czy źle im tu było we dwójkę? Nie, ona do tego ślubu nie dopuści! Nie zamierza się dzielić Krzysiem. Nie z jakąś obcą dziewczyną, która zjawiła się nie wiadomo skąd i postanowiła odebrać jej syna! Małżeństwo?! Teraz?! I to z jakąś drukarzówną! Z niedojrzałą panną, która zaledwie maturę zrobiła. Co ona umie, co potrafi? Co dziewiętnastolatka może wiedzieć o życiu? Domu nie dopilnuje, nie ugotuje Krzysiowi, nie zajmie się nim odpowiednio. A on taki delikatny, wychuchany, wymuskany, wymagający. Zdrowie ma wątłe i musi się oszczędzać. Najlepiej, żeby nigdy się nie ożenił, matka już by o niego odpowiednio zadbała, jak całe życie dbała… A jeśli już musiał się żenić, to niechby chociaż wziął za żonę jakąś silną, zażywną dziewczynę – jak chociażby tę Halę Perzyńską, ich sąsiadkę – która by i uprać potrafiła, i węgla, gdy potrzeba, przyniosła. A z tego, co mówił Krzysztof, to ta cała Basia, to chuchro niedorosłe, całe dotychczasowe życie spędziło z nosem w książkach.

Zresztą, co to za rodzina, ci Drapczyńscy? Skąd pochodzą, co sobą reprezentują? Drukarze – też coś! Co innego ona, Stefa, wywodząca się z inteligenckiego środowiska, albo jej nieżyjący mąż, Stanisław. Jaki był w prywatnym życiu, taki był – trudny człowiek – ale miał szlacheckie pochodzenie, a i życiorys godny pozazdroszczenia. Pisarz, historyk literatury, autor tekstów krytycznych, a przede wszystkim uczestnik wojny polsko-bolszewickiej i były legionista, który osobiście znał Piłsudskiego. Stanisław Baczyński to była persona! Jego syn powinien wejść w koligacje z kimś na poziomie!

Nie, taki ślub to byłby dla Krzysia – a może przede wszystkim dla Stefy – mezalians. M e z a - l i a n s! W żadnym wypadku nie można do niego dopuścić.

– A co ty w ogóle wiesz o tej swojej narzeczonej? – zapytała już nieco powściągliwiej. Strategia krzyku nie przynosiła efektu. – Co jest w tej dziewczynie tak wyjątkowego, że postanowiłeś z nią spędzić resztę życia?

– Mamo. – On także nieco się uspokoił. – To są kwestie zupełnie niemierzalne. Po prostu wiem, że to ta właściwa, i kropka. Nigdy w żadnej sprawie nie miałem większej pewności.

– Ale jak w takim razie zamierzacie się utrzymać, gdzie będziecie mieszkać? Może tu planujesz ją sprowadzić? Pomieścili się Wysoccy, to kolejna osoba nie zawadzi… Czy w ogóle, synku, zadałeś sobie trud, żeby się zastanowić nad tak prozaicznymi sprawami? – Z worka z argumentami dobyła te najbardziej pragmatyczne.

– Wszystko jakoś się ułoży. Będę pisał. Poszukam kogoś, kto zechce wydać moje wiersze w podziemnym obiegu. Mam stypendium…

– To nie wystarczy, dobrze wiesz. To są grosze.

– Ale tylu ludzi jest w równie ciężkiej sytuacji i jakoś sobie radzą. Nam też się musi udać.

– Jakoś? Czy ty nie widzisz, co się dzieje wokoło? Kto wie, ile jeszcze potrwa okupacja i jakie Niemcy mają plany wobec Polski. A może wyzwolenie nigdy nie nadejdzie? Chcesz zakładać rodzinę w tak niepewnych czasach? – Pani Stefania czuła, że zbiera jej się na płacz. Przełknęła łzy i spojrzała czule na syna. – Chcesz, żeby twoje dzieci przyszły na świat w takich warunkach?

– Mamo, ja nie myślę na razie o dzieciach. – Uśmiechnął się nieco skrępowany. – Dopiero co postanowiliśmy się pobrać. Do posiadania dzieci jeszcze daleka droga.

– Jesteś dorosły i dobrze wiesz, że akurat do tego droga jest wyjątkowo krótka. Chyba że zamierzacie żyć w czystości – rzuciła impulsywnie i szybko ugryzła się w język.

Owszem, miała postępowe poglądy. Dość wcześnie uświadomiła syna, a rozmowy na temat cielesności nigdy jej nie gorszyły. Uważała je wręcz za swoją rodzicielską powinność. Za powinność pedagoga, którym przecież była z zawodu. Lecz owa lekkość w poruszaniu zagadnień fizycznej miłości opierała się w przypadku Stefy na naiwnym przekonaniu, że Krzyś jeszcze długo poprzestanie na platonicznych uczuciach. Tymczasem on niepostrzeżenie dorósł. Z uroczego chłopca stał się mężczyzną, a jego pragnienia na pewno od dawna nie kończyły się na czułych muśnięciach dłoni czy delikatnych pocałunkach w oparach onieśmielenia.

Matka wzdrygnęła się na myśl, jaki rodzaj bliskości łączy jej syna z „tą" Drapczyńską. Na pewno omotała go swoim młodym ciałem, tego Stefa była pewna. Bo cóż innego mogła mu zaoferować, co innego sprawiłoby, że Krzyś tak bez mrugnięcia okiem postanowił porzucić matkę.

Już tylko jeden argument i jedno oręże pozostało Stefanii. Sytuacja wymagała, by wreszcie go użyć.

– Krzysiu, rozumiem, że twoja decyzja jest nieodwołalna, ale czy ty jej powiedziałeś...? – Wymownie zawiesiła głos.

– O czym?

– Dobrze wiesz, co mam na myśli.

Krzysztof wbił pytające spojrzenie w matkę, a resztki uśmiechu znikły z jego ust.

– Zastanów się – kontynuowała. – Jeśli naprawdę kochasz tę dziewczynę, czy masz prawo tak bardzo ją narażać. Małżeństwo z tobą może oznaczać dla niej wyrok śmierci. Czy twoja narzeczona o tym wie? Przyznałeś się przed nią? Wyznałeś wszystko?

Syn zacisnął usta, uciekł wzrokiem.

„A więc jej nie powiedział" – Pani Stefania poczuła, że szala zwycięstwa przechyla się na jej stronę. Uderzenie było celne.

– Nie uważasz, że ona ma prawo znać prawdę? – Kuła żelazo póki gorące.

– Powiem jej – rzekł głucho, spuszczając głowę. – Oczywiście, że jej powiem.

Kobieta pokiwała głową z satysfakcją. Teraz już mogła spać spokojnie. Żarliwe uczucie do przystojnego, błękitnookiego poety na pewno szybko się wykrwawi, kiedy panna Drapczyńska dowie się o nim wszystkiego. Pani Stefania odetchnęła z ulgą.

★ ★ ★

Ciemną sypialnię państwa Drapczyńskich wypełniało tykanie zegara. Było już po północy i od dawna należało spać. Jednak małżonkowie, przewracając się w pościeli z boku na bok, wciąż nie mogli zmrużyć oka. Byli głęboko poruszeni tym, co po wyjściu ostatniego gościa zakomunikowała im córka.

– I co ty, Rysiu, o tym myślisz?

Mężczyzna tylko ciężko westchnął.

– To jest niedorzeczne. Basia ma dopiero dziewiętnaście lat! – ciągnęła teatralnym szeptem żona. – I ten chłopak, toż to jeszcze dzieciak. Dwójka dzieciaków! A my go zupełnie nie znamy. Baśka go nie zna! Wkoło tyle okropności, ludzie na ulicach giną, a ci o amorach rozprawiają. Co też Basia w nim widzi…? Może on i ładny, ale przy tym zbyt delikatny i chorobliwie blady. A poza tym dziwny jakiś. Kto to widział, żeby dwudziestolatek był równie cichy, poważny, zamyślony. A może to dlatego, że on literat, poeta? A wiesz, co ja myślę o poetach, Rysiu? To są zazwyczaj jacyś odszczepieńcy, utracjusze, awanturnicy. Bumelanci i nic dobrego. Artyści!

– Ależ Felu, chłopak wydawał się bardzo miły. No i raczej łagodnego usposobienia, a nie żaden awanturnik – wtrącił nieśmiało pan Ryszard. – A do tego bardzo rozsądny, inteligentny. Poeta…

– Poeta!? Romantyczna dusza – weszła mu w słowo żona. – Fiu-bździu w głowie. Toż to pisanie, to nie jest zawód, to jakaś dziecinada. Jak on niby chce rodzinę zakładać? Jak ją utrzyma? Sztuką będą się żywić?

– Felu, nie unoś się tak – sennie odparł pan Ryszard. Najchętniej poczekałby z tą rozmową do rana, ale znając żonę, wiedział, że mu nie odpuści. – Dziewczęta w wieku naszej Basi często tracą głowę. Dziś się zakochają, jutro odkochają. No a literat, sama rozumiesz, to ktoś wyjątkowo pociągający dla dziewczyny pokroju naszej córki. Wiesz, jak czuła jest na poezję, na słowo pisane. Po prostu ma z tym chłopakiem o czym porozmawiać. Cóż w tym złego? Nie powinnaś tak dramatyzować.

– Co też ty, mój drogi, opowiadasz? Jak ja mam niby nie dramatyzować, kiedy nasza córka przyjęła jego zaręczyny?!

– A tam, od razu zaręczyny. Zwykłe wyznanie zakochanych. Może zbyt emocjonalna deklaracja uczuć.

– Właśnie że nie żadna deklaracja – upierała się pani Feliksa. – Baśka wyraźnie powiedziała, że poprosił ją o rękę. A to już nie są przelewki, to jest sprawa danego słowa, sprawa honoru. Znasz Basię, ona nie jest jakąś trzpiotką. Była śmiertelnie poważna, kiedy nam mówiła o propozycji Baczyńskiego.

– W takim razie, jeżeli sama uważasz, że to poważna sprawa, należy zaprosić chłopaka do nas z matką. Może wspólnie uda nam się wyperswadować młodym tę fanaberię z głowy.

– Tak sądzisz?

– Porozmawiamy spokojnie przy jakimś obiedzie i będzie po sprawie. Za trzy tygodnie będą święta, to może wtedy…? Idealna pora. Zresztą do tego czasu młodzi mogą sami okrzepnąć i zmienić zdanie. Jeśli Amor tak nagle dosięgnął ich strzałą, to pewnie równie nagle się z tego wyleczą. Na razie jeszcze nic się nie stało.

Pani Feliksa przez chwilę nad czymś rozmyślała, po czym rzekła znacznie ciszej:

– Słuchaj, Rysiu, a może oni…

– Co: „oni"?

– No wiesz… Może Basia poznała go wcześniej, niż nam powiedziała. I może ona… No, rozumiesz co mam na myśli? Bo niby po co ten pośpiech?

Pan Ryszard energicznie obrócił się do żony. Mahoniowe łoże stęknęło ciężko.

– Szczerze mówiąc, to właściwie nie rozumiem. Chcesz powiedzieć, że Basia może być w ciąży? Felu, naprawdę nie znasz swojej córki? Poza tym, jeżeli powiedziała, że pierwszy raz spotkali się cztery dni temu, to pewnie tak właśnie jest, a w takim układzie ciąża jest raczej wykluczona, nie sądzisz?

– Nie wiem, co sądzić, bo mam mętlik w głowie.

– No właśnie. Dzisiaj już nic mądrego nie uradzimy. Czas iść spać, moja droga, bo rano nie wstaniemy. – Ziewnął, po czym obrócił się na drugi bok.

Pani Feliksa pokręciła głową.

– Mężczyźni... Dla was wszystko jest takie nieskomplikowane. – Westchnęła wymownie i, idąc w ślady męża, także się odwróciła. – Ale co racja, to racja. Trzeba jego matkę zaprosić. W końcu jej zapewne także nie zachwyci pomysł ślubu. Mój Boże... Mamy wojnę. Jaki ślub? Gdzie i za co? Człowiek nie wie, czy przeżyje do następnego dnia, a tu takie głupoty młodym w głowie...

Naciągnęła wyżej kołdrę i wyszeptała w poduszkę:

– Poeta... Też coś...

★ ★ ★

W kolejny poniedziałek, po zajęciach u Hiża Krzysztof podszedł do Basi i zaproponował, że odprowadzi ją do domu. Jego demonstracyjne okazywanie zainteresowania panną Drapczyńską nie uszło uwadze zgromadzonych i wywołało w salonie falę kpiących uśmieszków oraz jednoznacznych szeptów. Jednak Baczyński nie zwracał uwagi na zamieszanie wokół swojej osoby. Wszak nikt z obecnych nie wiedział, jak ważkie deklaracje zdążyły już paść między nim a Basią.

Tymczasem ona bez zwłoki zaczęła pakować torbę – zresztą od razu liczyła na wspólny powrót. Chwilę później we dwójkę szybko opuścili mieszkanie przy Kredytowej. Tym razem nawet nie pomyśleli o skorzystaniu z tramwaju i od razu ruszyli Mazowiecką w stronę placu Napoleona.

Dzień był wyjątkowo pogodny. Zmrożony śnieg, połyskując w promieniach słońca, wesoło skrzypiał pod butami. A ludzie – może dlatego, że najbliższego krajobrazu nie zakłócał widok znienawidzonych brunatnych mundurów – spieszyli do swoich spraw mniej chmurni niż zazwyczaj. I tylko towarzysz Basi wydawał się bardziej skupiony i milczący niż dotychczas. Przez dłuższy czas szli w ciszy, a ją zaczęły dręczyć obawy. Może Krzyś zmienił zdanie co do swojej propozycji i właśnie dlatego poprosił ją o tę dzisiejszą przechadzkę? Może się rozmyślił, a przelotne zauroczenie błędnie wziął za uczucie głębsze i poważniejsze.

– Czy coś się stało? – zapytała niepewnie.

Krzysztof przeniósł na dziewczynę nieobecny wzrok i zaprzeczył ruchem głowy.

– A jednak wyglądasz, jakby coś cię trapiło. Masz wątpliwości, czy tak? Uznałeś, że zbyt pochopnie poprosiłeś mnie o… – urwała. – Wszak my tak mało się znamy. To dlatego, prawda?

On jeszcze mocniej zacisnął usta.

Basia wsłuchała się w uderzenia własnego serca. Wybijało nierówny, zbyt szybki rytm.

– Ależ skąd, to nie to – rzekł po długim namyśle.

Zerknęła na niego badawczo.

– Mimo wszystko jesteś dzisiaj jakiś inny. Wtedy, na moich imieninach… Czuję, że coś się zmieniło od tamtego wieczoru. Coś cię gnębi. Proszę, nie trzymaj mnie w niepewności. Nie zniosę tego. Jeżeli naprawdę mamy ze sobą być, to nie możesz mieć przede mną tajemnic.

– Tak… – odrzekł powoli. – Masz całkowitą rację. Nie mogę mieć tajemnic.

Weszli na plac Napoleona, nad którym posępnie górował zniszczony przez artyleryjski ogień budynek Prudentialu. Osmolona artdecowska fasada wieżowca odcinała się smutno od łagodnego błękitu nieba. To miejsce, brutalnie naznaczone wojennymi stygmatami, stanowiło idealną scenerię do wyznania, które Krzysztof pragnął uczynić. Przystanął pod jednym z rachitycznych drzewek porastających skwer i złapał Basię za rękę.

– Nie powiedziałem ci o sobie wszystkiego. A teraz… – Wymownie przesunął wzrokiem po otaczających ich budynkach. – W obliczu tego, co dzieje się wokół nas, musisz wiedzieć o mnie wszystko. Wszystko! Chociaż to może tak wiele między nami zmienić. Zrozumiem, jeśli po tym, co ci powiem, zerwiesz zaręczyny. Nie mam prawa cię narażać...

Basia zmarszczyła brwi. Nic nie rozumiała z jego słów. Wszak nie było takiej siły, która mogłaby odmienić jej uczucia.

– Krzysiu, o czym ty mówisz? – Poczuła, że jego ręka lekko się zaciska na jej dłoni.

– Ja... – Rozejrzał się na boki, czy nikogo nie ma w pobliżu. – Ja w połowie jestem Żydem. Od strony matki – dokończył niemal niedosłyszalnie.

– Myślałam, że jesteś katolikiem – rzekła zdziwiona.

– Bo jestem. Zostałem ochrzczony. Mój ojciec był tego wyznania. Ale matka... jest apostatką. Chociaż teraz jej katolicyzm niemal graniczy z dewocją, to pochodzi z rodziny Zieleńczyków, a oni zasymilowali się z Polakami całkiem niedawno. Gdybyś poznała na przykład mego wuja Adama, nie miałabyś żadnych wątpliwości co do jego rodowodu.

Basia milczała.

– Kiedy jesienią ubiegłego roku powstawało getto, matka podjęła decyzję, że zostajemy po aryjskiej stronie. Podobno za murami jest wielu katolików, mają nawet własną parafię. Lecz ja nigdy nie czułem się Żydem, od urodzenia jestem Polakiem. A mama już dawno odeszła od wiary przodków. W przeciwieństwie do Niemców uważamy, że krew nie jest jedynym wyznacznikiem tożsamości. Tyle że ani poczucie polskości, ani nawet wyznawana religia nie chronią nas dzisiaj przed represjami. Rozumiesz? Od roku żyjemy w bezustannym strachu, że ktoś się domyśli, ktoś nas zadenuncjuje. A sama wiesz, co w podobnym wypadku nas czeka. Jest tylko jedna kara za ukrywanie żydowskiego pochodzenia.

– Natychmiastowy wyrok śmierci...

– Tak, Basiu. – Nabrał powietrza. – I jeśli się ze mną zwiążesz, ty także będziesz podlegała temu prawu.

Szafirowe oczy Krzysztofa pod wpływem emocji przybrały stalowy kolor. Dziewczyna wpatrywała się w nie z taką mocą, jakby chciała odnaleźć choć cień potwierdzenia dla słów, które przed chwilą padły. Jednak Krzyś nie odziedziczył żadnej fizycznej cechy po swoich enatach, wciąż był tym samym, blond-włosym chłopcem, dla którego straciła głowę. Nic jej nie obchodziło, jaka krew płynie w jego żyłach. Kilka jej najbliższych koleżanek było Żydówkami: i Fela Sarnówna, i Marysia Koral, lecz Basia nie po-strzegała ich przez pryzmat proweniencji. Nigdy nie miała wobec nich żadnych uprzedzeń, nie była an-tysemitką. Dlaczego teraz miałoby się to zmienić?

– To nieważne – rzekła zdecydowanie, ściskając jego dłoń. – To nic nie zmienia.

– Nie zmienia? – powtórzył jak echo z wyraźnym niedowierzaniem.

– Oczywiście, że nie.

– Ale wiążąc się ze mną, skazujesz się na życie w ciągłym lęku.

– Teraz wszyscy żyjemy w lęku. Bez względu na to, kim byli nasi dziadkowie. Proszę cię tylko o jedno. Na razie nie mówmy o tym rodzicom. Oni podzielają moje poglądy, ale po co ich dodatkowo martwić. Już sam pomysł ślubu wystarczająco nimi wstrząsnął.

– Zatem nie zmienisz zdania?

– Jak mogłabym to uczynić? Przecież ja cię...

Basia poczuła, że świat zaczyna wirować jej przed oczami, a grunt usuwa jej się spod nóg, coś miękkiego, ciepłego oblepia jej serce. Ale to był właśnie ten moment, ta jedyna w swoim rodzaju chwila, kiedy mogły paść deklaracje ostateczne, najważniejsze. Krzysztof wyznał jej swoją najgłębiej skrywaną tajemnicę, więc i ona mogła mu zdradzić swoją.

– Ja cię, Krzysiu, kocham – powiedziała stanowczo. – Kocham! Chociaż spadło to na mnie jak grom z jasnego nieba. Niemniej nic ani nikt tego nie zmieni. Rozumiesz?

Krzysztof przyciągnął Basię do siebie i zanim się spostrzegła, objął szybko ramieniem.

– Ja też ciebie kocham – wyszeptał wprost do jej ucha. – Ja ciebie też...

Trwali w uścisku zaledwie chwilę, wkrótce bowiem poczuli, że są obserwowani. Przyglądała im się jakaś starsza pani nadchodząca chodnikiem. Spłoszeni odsunęli się szybko od siebie, posyłając w stronę kobiety zawstydzone uśmiechy. W oczach staruszki nie dostrzegli nawet cienia zgorszenia ich jawną czułością, a tylko ciepły błysk ni to rozbawienia, ni nostalgii za własną, dawno utraconą młodością. Kiedy ich mijała, usłyszeli, jak mamrocze pod nosem: „Wojna, nie wojna, młodzi zawsze jednacy...".

★ ★ ★

Datę przyjęcia zaręczynowego ustalono na drugi dzień świąt i pani Drapczyńska dołożyła wszelkich starań, by odpowiednio przygotować dom na wizytę niezwykłych gości. W rogu pokoju, mieniąc się ręcznie robionymi ozdobami, stanęła choinka, a na stół nakryty białym obrusem wjechał dorodny, chociaż nieco żylasty indyk – jakimś cudem zdobyty zawczasu przez gospodynię – oraz zawekowane latem gruszki w occie i konfitury z borówek. Menu musiało się wydać gościom niezwykle wystawne, jak na te trudne czasy.

Pani Feliksa czuła się w obowiązku, by z klasą i w sposób godny podjąć matkę narzeczonego Basi. Córka już co nieco zdążyła jej opowiedzieć o koligacjach Baczyńskich, toteż gospodyni uznała, że i własną rodzinę powinna ukazać w jak najlepszym świetle. Wszak w jej przekonaniu Drapczyńscy w niczym nie ustępowali Baczyńskim.

Sam cel wizyty był jej jednak zgoła nie na rękę. Rozmowa z kompletnie obcą osobą o niedorzecznym pomyśle ślubu ich dzieci jawiła się pani Feli jako tortura w czystej formie. Niemniej na to jedno popołudnie postanowiła wyzbyć się wszelkich uprzedzeń i traktować gości więcej niż uprzejmie.

Tymczasem szlachetne założenia i cały entuzjazm szybko ją opuściły, kiedy matka Krzysztofa stanęła w drzwiach mieszkania przy Śniegockiej.

Stefania wyraźnie traktowała gospodarzy z góry i sprawiała wrażenie osoby zgorzkniałej i zdystansowanej. Najwyraźniej w żaden sposób nie zamierzała także pokrywać niezadowolenia z tutejszej obecności zbytnią kurtuazją. Basię, potencjalną synową, którą widziała po raz pierwszy, zupełnie ignorowała. Skupiona wyłącznie na synu, od którego z rzadka odrywała wzrok, zdawała się nieco lekceważyć resztę zebranych. Zresztą Krzyś w towarzystwie matki także wyglądał na bardziej niż zazwyczaj przygaszonego i tylko nieśmiałymi uśmiechami starał się zrównoważyć chłód roztaczany przez rodzicielkę.

Podczas całego obiadu sytuację ratował pan Ryszard. Jako osoba bardziej obyta i wyrobiona towarzysko od żony, próbował skierować rozmowę na właściwe tory i nadawać jej luźny, przyjazny ton. Nadskakiwał matce Krzysztofa i z uwagą słuchał dosyć lakonicznych wypowiedzi, nie ustając w staraniach, by znaleźć choć wątłą nić porozumienia z tą dziwną kobietą. Na wspólny mianownik, łączący go w pewnym stopniu z gościem, ojciec Basi natrafił wówczas, gdy zdradził, że podobnie jak Stefa, on także z zawodu jest nauczycielem. Opowiadając o swych pedagogicznych pasjach i pisanych dla uczniów podręcznikach, Baczyńska w końcu odrobinę się ożywiła.

Młodych i ich sprawy nadal pomijano w rozmowie, toteż oboje milczeli, zerkając jedynie na siebie ponad stołem. Niemniej widmo przejścia do kwestii zasadniczych sprawiało, że z każdą minutą atmosfera w pokoju gęstniała i dopiero kiedy żylasty indyk zniknął z półmiska i pani domu przyniosła do herbaty jakieś niewyszukane ciasto, gospodarz zebrał się na odwagę i powiedział do Stefanii:

– I cóż pani myśli na temat planów naszych dzieci?

Usta kobiety ułożyły się tak, jakby właśnie rozgryzła gorzką pigułkę.

– Mam nadzieję, że nie będą państwo zdziwieni, jeśli powiem, że ja tych planów zupełnie nie akceptuję – powiedziała chłodno. – Więcej, uważam je za wysoce niewłaściwe.

Pan Ryszard pokiwał ze zrozumieniem.

– My jesteśmy podobnego zdania, dlatego…

Chciał dodać coś jeszcze, lecz opanowana dotąd pani Baczyńska nieoczekiwanie weszła mu w słowo:

– To kompletnie niedorzeczne! – wybuchła. – Zarówno państwa córka, jak i Krzyś są według mnie stanowczo za młodzi na podobne historie. A nawet pomijając ich wiek, uważam, że ślub w dzisiejszych warunkach jest kompletnie niemożliwy. Możemy nie dożyć jutra i nie rozumiem, jak można myśleć o podobnych fanaberiach i zabawach w dorosłość.

– Mamo! – milczący dotąd Krzysztof, nagle włączył się do dyskusji. – Przecież już o tym rozmawialiśmy. To nie jest nasza fanaberia. Podchodzimy zupełnie poważnie do ślubu.

– Panie Krzysztofie – rozjemczym tonem wtrącił Drapczyński. – Ale pana mama ma trochę racji. Pan zna moją córkę od trzech tygodni, o rękę poprosił ją pan po zaledwie czterech dniach znajomości. Chyba to tempo nam wszystkim wydaje się nieco zaskakujące, a deklaracje uczuć zbyt przedwczesne. Niestety pośpiech rodzi nasze podejrzenia, że te, jakże wiążące decyzje, zostały podjęte pod wpływem impulsu.

– Tato! – Teraz to Basia postanowiła zabrać głos. – Tłumaczyłam tobie i mamie, że mamy całkowitą świadomość odpowiedzialności za ten krok. Czas nie gra żadnej roli. Zawsze mnie uczyliście, że powinnam się kierować sercem. Zaś obecnie, kiedy po raz pierwszy chcę z tej nauki skorzystać, mówicie, że działamy pochopnie. Obdarzyłam Krzysztofa uczuciem od pierwszej chwili, kiedy go zobaczyłam. I jestem pewna, że nic tego nie zmieni.

Gdyby wzrok mógł zabijać, Basia pod spojrzeniem pani Stefanii właśnie oddałaby ostatnie tchnienie.

– Proszę mi wybaczyć – rzekła sucho do dziewczyny – ale jestem od pani dużo starsza i z doświadczenia wiem, że takie nagłe porywy serca nigdy dobrze się nie kończą. A nawet, gdyby okazało się, że wasze mrzonki przetrwają, to jak, moi drodzy, wyobrażacie sobie wspólne życie? Za co? Gdzie?

– Nasze uczucie to nie mrzonki, mamo. – W sukurs narzeczonej przyszedł Krzysztof. – A jeśli chodzi o kwestie zasadnicze, to przecież jestem dorosły. Na pewno zdołam utrzymać rodzinę. Na początku możemy zamieszkać u nas, na Hołówki, a w przyszłości, kiedy staniemy na nogi, wynajmiemy coś samodzielnie.

Kobieta z dezaprobatą pokręciła głową.

– U nas na Hołówki? W tym jednym pokoiku? Jak ty to sobie wyobrażasz?

– Normalnie, mamo. Ludzie dzisiaj żyją i mieszkają w znacznie gorszych warunkach.

– Otóż to! Żyją w znacznie gorszych warunkach, bo jest okupacja. Nikt nie zna dnia ani godziny, kiedy do drzwi zapuka gestapo. Dzisiaj jesteś, jutro może cię nie być. Naprawdę nie sądzicie, że należy poczekać z tym ślubem? Po co ten pośpiech? – Urwała nagle, po czym dodała już spokojniej: – Chcecie się bawić w narzeczeństwo, wasza wola, ale z ostatecznymi decyzjami poczekajmy, aż skończy się wojna.

Pan Ryszard energicznie jej przytaknął.

– Ma pani całkowitą rację.

– Kiedy skończy się wojna...? – wyszeptała tymczasem Basia.

– Tak byłoby najwłaściwiej – wreszcie do rozmowy dołączyła także pani Feliksa, która dotąd, z zupełnie niepodobnym do niej dystansem, przysłuchiwała się rozmowie z boku.

Nie polubiła matki Krzysztofa – kobieta była wybitnie odpychająca – ale musiała przyznać, że wykazywała się zdrowym rozsądkiem.

W saloniku zapadła cisza. Basia błagalnie spoglądała na narzeczonego. Rodzice zdawali się być nieprzejednani. „Jeśli pozostaną przy swoim stanowisku – analizowała szybko – będziemy zmuszeni zrealizować swoje plany za ich plecami". A przecież nie wyobrażała sobie, że mogłaby zawieść zaufanie ojca i matki. Szczególnie ojca.

Krzysztof widocznie miał podobne przemyślenia, bo w końcu postanowił przerwać pełne napięcia milczenie:

– Jeżeli nie uzyskamy waszego błogosławieństwa, będziemy zmuszeni obyć się bez niego – rzekł hardo.

Wszystkie oczy zwróciły się na niego. Te najbardziej zdziwione, najszerzej otwarte, należały do jego matki:

– Krzysiu! – rzuciła, nie panując nad wzburzeniem. – Chyba nie chcesz powiedzieć, że weźmiecie ślub za naszymi plecami?

– Jeśli zostaniemy do tego zmuszeni.

Pani Stefania zacisnęła wargi tak, że aż zbielały. Po pierwszej fali gniewu teraz wyglądała, jakby była bliska płaczu.

– Synku – rzekła błagalnie. – Zrobisz, co zechcesz, ale tacy jesteście młodzi. Przemyślcie to raz jeszcze. Poczekajcie, aż wojna się skończy…

W odpowiedzi na rozpaczliwy ton jej głosu z przystojnej twarzy Krzysztofa zniknął wyraz zacięcia, ustępując zamyśleniu.

– A kto nam, mamo, zagwarantuje, że my tę wojnę przeżyjemy…?

Staram się jak najwięcej spać – chciałabym przespać ten straszliwy czas i ponownie się obudzić, kiedy świat wreszcie spłonie do szczętu i na nowo niczym Feniks odrodzi się z popiołów. Czysty, lepszy. Normalny.

Niemal co noc śni mi się Krzyś, znowu jesteśmy razem w naszym mieszkaniu na Hołówki. Widzę, jak razem zasiadamy w kuchni do śniadania, a on czyta jakiś nowy wiersz, który jak zwykle pisał do późna w nocy. Nastawiam wodę na herbatę i przygotowuję coś do jedzenia. Później wpatrujemy się w siebie, tonę w jego błękitnym spojrzeniu, w charakterystycznym, nieco zagadkowym uśmiechu. Rozpływam się w cudownej ciszy, której nic nie zakłóca. Milczymy, bo nie trzeba nam słów – spojrzenia wystarczą, spojrzenia wyrażają wszystko, co chcielibyśmy sobie powiedzieć. I nie rozmawiamy o ostatecznych wyborach; o rozdarciu między pragnieniami osobistymi a obowiązkiem wobec Ojczyzny. Nie nasłuchujemy w napięciu, czy na schodach nie zadudni złowróżbny dźwięk gestapowskich oficerek. Czarny rozdział wojny jest już za nami. Nie ma śmierci, cierpienia, nie ma bezimiennych grobów, ulic rdzawo spływających krwią ani płonących domów. Istniejemy tylko my i nasza miłość. Wciąż jesteśmy młodzi – a może dopiero teraz jesteśmy? Za oknem zieleń drzew, wiosna i świergot ptaków. Spokój wypełnia nasze serca, słońce rysuje świetliste plamki na twarzach. Do kuchni wbiega roześmiany jasnowłosy chłopiec i sadowi się na kolanach taty...

Chcę trwać w tej fantazji, chcę śnić sen o szczęściu bez końca. Jednak w ciasnych pomieszczeniach piwnicy najmniejszy szept odbija się głośnym echem od niskich stropów, a każde słowo urasta niemal do krzyku, pęcznieje w mojej głowie i wgryza się w intymność. Dlatego, chociaż wokół wciąż jest ciemno, otwieram oczy – wstaje kolejny, dwudziesty pierwszy poranek powstania.

W kącie dostrzegam rodziców nachylonych nad gazetą. Siedzą w jaśniejszym kręgu rzucanym przez nerwowy błysk karbidu i półgłosem wymieniają jakieś uwagi. W ostatnim czasie jakby się skurczyli i przygarbili. Mają przed sobą jeszcze wiele lat życia, a jednak okupacja wyżłobiła na ich czołach głębokie stygmaty troski. Mimo że są sporo młodsi od matki Krzysztofa, to przez ostatnie lata różnica wieku między nią a nimi zupełnie się zatarła. Tyle że ze zmarszczek moich rodziców można wyczytać – niczym z mapy zniszczonej Warszawy – wyłącznie przeżyte nieszczęścia, gdy tym-

czasem na surowej twarzy Stefanii Baczyńskiej króluje
nawarstwiające się latami zgorzknienie.

Nie wiem, czemu właśnie teraz myślę o mojej teścio-
wej? Może dlatego, że jest mi jej naprawdę żal? Groza
obecnej sytuacji zaciera dawne antagonizmy, sprawia,
że dewaluują się urazy z przeszłości. Podejrzewam,
że Stefa przeżywa prawdziwy koszmar. Nie mając
od nas, od Krzysztofa, żadnych wieści – oddzielona od
syna, jedynego sensu jej samotnego istnienia. W Aninie
jest zapewne bezpieczniej niż tutaj, ale my jesteśmy
wśród bliskich, a ona trwa tam opuszczona, bezradna
i odchodzi od zmysłów z niepewności o los jedynaka...

Rodzice nadal szepczą. Z rozmowy wyłuskuję kilka
pojedynczych słów: Zbyszek, Pruszków, Basia, dziecko.
Oczy mojej matki są mokre, ojciec chwyta ją czule za
rękę.

– O czym rozmawiacie? – Unoszę się na sienniku.

Mama składa gazetę, niepostrzeżenie ociera mokrą
twarz, stara się rozchmurzyć.

– Już nie śpisz? – pyta łagodnie.

– Która godzina?

– Po ósmej.

– Czytacie dzisiejszą prasę?

Matka podrywa się z miejsca i podaje mi powstań-
czy biuletyn z niewyraźną miną. Obecnie to nasze
jedyne źródło informacji o świecie zewnętrznym.
Zdobyty z trudem egzemplarz czyta cała kamienica,

przekazując go sobie z rąk do rąk. Wszystkie dobre wiadomości są na wagę złota, wszystkie złe...

– Piszą coś ciekawego? – pytam, przecierając oczy.

Z upływem kolejnych dni powstania coraz ciaśniej zaplątuję się w lepki kokon strachu, więc wolałabym nie znać nowych doniesień. I tak naprawdę jedyne, co mnie interesuje, od czego rozpoczynam każdy dzień, to lektura rozrastającego się dodatku: „Poszukiwani", a konkretnie zamieszczonych w nim notek o obecnym miejscu pobytu szczęśliwie odnalezionych. Bo wśród anonsów zrozpaczonych rodzin są i te tchnące nadzieją. „Marysia Bartelówna informuje ojca: jestem na Freta 3" albo „Dla poszukujących państwa Leskich z Marszałkowskiej: po pożarze przenieśli się na Koszykową 10. Wszyscy cali". Codziennie, wstrzymując oddech, wiodę palcem po kolejnych linijkach tekstu i szukam ogłoszenia skierowanego do mnie. Wciąż bezskutecznie.

– Krzyś nadal się nie zgłosił. – Mama uprzedza kolejne pytanie.

– Basiu, może brak wiadomości to dobra wiadomość? – dorzuca ojciec.

Przytakuję, choć nie podzielam jego wiary. Rozkładam dość już pomięty papier biuletynu na kolanach i w wątłym świetle lampki staram się rozszyfrować ledwie odbity na papierze mak liter.

Pierwsze nagłówki, epatując wymuszonym optymizmem, podgrzewają atmosferę zapału: „Zwycięstwo w Normandii. Wielkie straty Niemców na froncie wschodnim", „Stare Miasto broni się wspaniale!", „Wybuch powstania w Paryżu"[7].

Lukier entuzjastycznych zdań ma zapewne osłodzić dramat rozgrywający się na ulicach i nakarmić pozornym spokojem tych, których kiszki grają z głodu żałobnego marsza. Zagłębiając się w treść pisanych ku pokrzepieniu serc artykułów, uśmiecham się z lekkim politowaniem – mydlenie oczu.

Znacznie mniejszą czcionką można przeczytać o niedostatecznej ilości jedzenia w miejskich składach, o rosnącej liczbie bezdomnych, których lud Warszawy w akcie miłosierdzia powinien przygarniać pod swój dach, o zagrożeniu epidemią i braku wody zdatnej do picia. Na dole strony zamieszczona jest informacja na temat otwarcia nowych punktów pomocniczych referatu zaginionych, gdzie należy szukać wieści o krewnych. Jednak już o mnogości owych poszukiwanych, o tysiącach pomordowanych, pochowanych na skwerach i w ogródkach nie ma ani słowa.

Dopiero na koniec mój wzrok pada na niepozorną, boczną kolumnę, której rant, źle odbity w drukarni, rozmywa się wraz z końcem arkusza w niebycie. Przez tę niedogodność z trudem odczytuję tekst zatytułowany:

---

[7] Źródło: „Biuletyn Informacyjny" z 22 VIII 1944, nr 59. Publikacja pochodzi ze zbiorów Mazowieckiej Biblioteki Cyfrowej.

„Wicepremier o położeniu Warszawy", niemniej sens zamazanych słów dociera do mnie bez trudu.

– Czytaliście to? – Odrywam się od lektury i patrzę wyczekująco na rodziców.

– O co dokładnie pytasz? – Ojciec udaje, że nie rozumie.

– Tutaj piszą, że Niemcy w Pruszkowie stworzyli obóz koncentracyjny! – bezwiednie podnoszę głos. – Podobno internowano już siedemdziesiąt tysięcy warszawiaków.

Matka przygryza wargi. Ojciec bezradnie rozkłada ręce.

– To było, Basiu, do przewidzenia – mówi spokojnie. – Jeśli powstanie upadnie…

– Nie upadnie!

– Ale jeżeli, to sądzisz, że Niemcy pozwolą nam zostać w mieście? – Wciąż zachowuje zimną krew. Rezygnacja w jego głosie przyprawia mnie o irytację. – Można się było spodziewać, że zechcą nas usunąć.

– Przecież ja nie mogę się stąd nigdzie ruszyć. – Czuję, że łzy bezsilności podchodzą mi pod gardło. – Muszę czekać na Krzysia. Jak on mnie odnajdzie, jeśli zostaniemy wywiezieni? Jak skontaktujemy się ze Zbyszkiem? Nie możemy dopuścić, by nas rozdzielono.

Matka otacza mnie ramieniem.

– Nie martw się na zapas – pociesza. – Jeśli chodzi o twojego brata, to na szczęście jest bezpieczny, a w ra-

zie potrzeby jakoś prześlemy mu wiadomość. A Krzysz-
tof... – Urywa. Wiem, że mama ma złe przeczucia co
do jego losu, chociaż przy mnie nigdy nie wypowie ich
na głos. – Na razie Niemcy nikogo z domu nie wy-
rzucają. Wszak nie wywiozą z Warszawy wszystkich
mieszkańców. Zresztą żeby nas wykurzyć, musieliby
zrównać miasto z ziemią – kończy hardo.

Może ma rację? Nie da się unicestwić miasta.
Owszem, można zniszczyć, zbombardować i podpalić
parę kamienic. Ale nie całą aglomerację o wielowieko-
wej tradycji, liczącą ponad milion mieszkańców. Nie
było w historii świata takiego precedensu. I nie będzie!
Poza tym powstanie wciąż trwa. Straciliśmy kilka
ważnych pozycji, jednak Stare Miasto jeszcze walczy.
W naszych rękach pozostaje duży kwartał Śródmieścia,
a na drugim brzegu już stoją Sowieci. Ocalenie to kwe-
stia godzin, może dni, i dlatego nie opuszczę Warszawy.
Nigdzie nie wyjadę bez Krzysztofa. Trzeba go tylko
odnaleźć. Powinnam wyjść na zewnątrz, rozwiesić ko-
lejne kartki na murach i popytać ludzi. Ktoś na pewno
go widział, ktoś musi wiedzieć, gdzie jest teraz mój
mąż. Nie mogę bezczynnie czekać. Nie czas się mazga-
ić, należy działać!

Odkładam gazetę na bok i z energią zabieram się
za poranną toaletę – całą w jednej szklance wody. Od
momentu, gdy szesnastego wróg zajął Filtry, taka ilość
to prawdziwy luksus i musi mi wystarczyć. Resztką

proszku myję zęby, z trudem rozczesuję brudne włosy. Je także powinnam umyć, chociaż nie mam już w czym. Na szczęście do piwnicy nikt nie przywlókł wszy i plaga, z którą zmaga się już pół miasta, wciąż jest nam obca.

Mama szykuje skromny posiłek. Rano z powodu mdłości zwykle nie mam apetytu i jem wyłącznie ze względu na dziecko. Lecz dziś zamiast zupy „pluj" – głównego składnika tego specjału, czyli jęczmienia z browaru Haberbuscha, nadal nie brakuje – czeka nas prawdziwa uczta. Wczoraj pani Borowiecka, sąsiadka z drugiej klatki, z narażeniem życia wybrała się po warzywa do ogródków działkowych na daleki Mokotów. Wielu ryzykuje tę niebezpieczną wyprawę, mimo że nie wszyscy wracają. Na szczęście po drodze udało jej się uniknąć spotkania z Niemcami. Gdyby ją złapano na szmuglowaniu żywności, w najlepszym razie wszystko by zarekwirowano, w najgorszym – rozstrzelano by ją na miejscu. Tym razem cały zbiór szczęśliwie dotarł na Pańską i mogliśmy odkupić nadwyżkę, dzięki czemu dziś na stole w piwnicy królują warzywa.

Zajadam się ogórkami, delektuję słodyczą pomidorów, chrupię wyrwane prosto z głąba liście kapusty, a całość zagryzam odrobiną czarnego, grudkowatego chleba, w którym więcej jest plew niż mąki. Wszystko smakuje tak wybornie – ciepłem, spokojem, latem – że niemal zapominam o mięsie, którego już od wielu dni brakuje w naszym jadłospisie.

Podobno w nocnych zrzutach czasami zdarzają się konserwy z mielonką, lecz te, których nie zdąży przechwycić okupant, szybko przekazywane są powstańcom. Oni bardziej niż my potrzebują teraz wartościowego pożywienia. Zresztą ludzie jakoś sobie radzą i z tym niedoborem. Chodzą słuchy, że na warszawskich ulicach próżno dziś szukać bezpańskiego kota czy psa, a nawet gołębie coraz częściej padają ofiarami polowań. To oczywiście barbarzyństwo, lecz widocznie pragnienie przeżycia jest w człowieku silniejsze niż miłość do dawnych pupili. Głód zmusza do zachowań haniebnych. Bolesny skurcz pustych jelit zmienia ludzi. W zwierzęta...

Po śniadaniu ojciec odprowadza mnie na podwórko. Ponad ciemną studnią kamienicy widnieje skrawek błękitu. Kilka wątłych promieni słońca wpada do środka i odbija się od przeźroczystych tafli złożonych pod jedną ze ścian przez szklarza, który do niedawna zamieszkiwał suterenę. Uśmiecham się na ich widok. To takie niezwykłe, myślę. Niedaleko stąd całe budynki rozsypały się w proch, gdy tymczasem tutaj delikatna materia szkła nadal tkwi nietknięta na swoim miejscu. Traktuję te szyby jako symbol naszego szczęścia, znak sprzyjającej fortuny.

– Niepotrzebnie się narażasz. – Ojciec wyrywa mnie z zadumy.

– Przecież wiesz, tatku, że na pobliskich ulicach nie ma w tej chwili zagrożenia. Po zachodniej stronie

Marszałkowskiej wszystko zostało opanowane przez naszych, a dalej nie zamierzam się zapuszczać. Dziś taka ładna pogoda i nawet strzałów nigdzie w okolicy nie słychać.

– Zupełnie nie rozumiem, po co szukać guza?

– Nie szukam guza, lecz Krzysztofa, tato. – Widząc jego zatroskaną minę, celowo staram się rozładować atmosferę.

Kąciki ojcowskich ust rzeczywiście nieznacznie się unoszą.

– Nie żartuj sobie, córciu. Wiesz, że nie o to chodzi. Czułbym się spokojniejszy, gdybyś w ogóle nie wychodziła poza dom.

– Przecież wiesz, że muszę, tato. Ponieważ mnie prosiliście, ponieważ przysięgłam to Krzysiowi, zrezygnowałam z udziału w powstaniu. Jednak nie mogę spokojnie czekać, kiedy on… Chyba mnie rozumiesz?

Wzrok ojca instynktownie wędruje na mój brzuch. Tak, doskonale mnie rozumie, a równocześnie wie, iż tym razem nie ulegnę. Biorę go za rękę i pocieszająco ściskam na odchodne.

– Poza tym muszę się trochę przewietrzyć. Tam pod ziemią nie można już wytrzymać. Przez te ciągłe lamenty, narzekania, modły i litanie do Świętego Judy…

– Ludzie się boją.

– To niech się nie chowają jak szczury po piwnicach, tylko ruszą do walki – kwituję z młodzieńczą bezkompromisowością, a ojciec tylko ze smutkiem kiwa głową.

Ostatni raz uśmiecham się do niego i odwracam się w stronę bramy.

– O której wrócisz? – woła za mną.

– Niedługo, tatku, niedługo.

II

(...) Twoje usta u źródeł
to syte, to znów głodne,
i twój śmiech, i płakanie
nie odpłynie, zostanie.
Uniosę je, przeniosę
jak ramionami – głosem,
w czas daleki, wysoko,
w obcowanie obłokom.

K.K. Baczyński, *Miłość*,
8 września 1942

Przez otwarte okno do skąpanego w półmroku panieńskiego pokoiku wpadał zapach murów, rozgrzanych pierwszym czerwcowym upałem, i odurzająca woń kaliny kwitnącej na podwórzu kamienicy. Wokół lampy tańczyła duża włochata ćma. Zza ściany dochodziły odgłosy przedweselnej krzątaniny; to pani Fela z pomocą stryjenki Sabiny przygotowywały w kuchni ostatnie dania na jutrzejszą uroczystość. Basia z Jadzią Klarnerówną leżały razem w łóżku, wpatrując się w jasny kostiumik wiszący na drzwiach szafy. Dziewczęta przez cały dzień asystowały przy przygotowaniach, aż wreszcie pani Drapczyńska odesłała je do sypialni, żeby poszły już spać. Panna młoda nie powinna prezentować się narzeczonemu w dniu ślubu z podkrążonymi oczami.

– I jak się czujesz, wiedząc, że jutro o tej porze będziesz żoną? – spytała Jadzia, bawiąc się rąbkiem nocnej koszuli.

Basia z rozmarzoną miną przeciągnęła się w pościeli. Emocje, które narastały w niej przez ostatnie tygodnie, osiągnęły dzisiaj taki poziom, że nie sposób było zasnąć.

– Mam wrażenie, że to się nie dzieje naprawdę – wyszeptała. – Wiesz, jednak życie czasami pisze scenariusz tak niewiarygodny, że nie stworzyłby go nawet najbłyskotliwszy autor.

– Co masz na myśli?

– Nigdy nie sądziłam, że się zakocham, że zakocham się aż tak! Znasz mnie. Zawsze byłam taka poukładana, rozsądna… Poza tym mamy okupację i tyle strasznych rzeczy dzieje się wszędzie. Tymczasem ja się czuję zupełnie niczym bohaterka ckliwego romansu. To czyste szaleństwo.

Jadzia się uśmiechnęła.

– I ostatnie pół roku nie wyleczyło cię z tego szaleństwa? Nawet odrobinkę?

– To dziwne, prawda? – Westchnęła słodko Basia. – Dotąd uważałam, że miłość ma w sobie coś trywialnego, pospolitego. Jednak przy Krzysiu wszystko wydaje się takie niesamowite, nowe, niezwykłe. On jest niezwykły.

– Oboje jesteście – zawyrokowała stanowczo przyjaciółka. – Nie znam drugiej pary, która by, tak jak wy, świata poza sobą nie widziała. Przecież przez ostatnie pół roku byliście niemal nierozłączni. Czy chociaż raz się pokłóciliście przez ten czas?

– Ależ oczywiście, że tak. Sprzeczamy się bezustannie. O, na przykład ostatnio, spieraliśmy się o teorię złudzeń Bacona[8]. A kiedyś pół wieczoru nie mogliśmy dojść do porozumienia, dyskutując na temat twórczości Witkacego.

Przyjaciółka nie kryła rozbawienia.

– Basiu, ale ja myślałam raczej o takich bardziej przyziemnych, życiowych sprawach. A ty mi mówisz o sztuce, o literaturze. Chyba naprawdę trafił swój na swego, jeżeli właśnie takie problemy stają między wami.

– A niby cóż innego mogłoby nas poróżnić? – Basia zdawała się nie rozumieć zdziwienia przyjaciółki.

– Młodzi ludzie zazwyczaj kłócą się... Sama już nie wiem, o co. Chyba sprzeczają się o jakieś błahostki, urządzają sobie sceny zazdrości.

---

[8] Teoria filozoficzna.

– Przecież ja nie muszę być o niego zazdrosna. Nie mam powodów. Wiem, że Krzysztof mnie kocha jak nikogo innego na świecie.

Kąciki ust Jadzi opadły. Przypomniała sobie pewną rozmowę z Basią sprzed miesiąca. Przyjaciółka żaliła się, że przyszła teściowa wciąż nie chce jej zaakceptować.

– Krzysztof jednak oprócz ciebie kocha kogoś jeszcze – powiedziała w końcu.

Wyraz łagodnego rozmarzenia zniknął z twarzy Basi. W mig uchwyciła aluzję koleżanki.

– Mówisz o jego matce?

– Właśnie. Nie boisz się, że po ślubie wasze stosunki wcale się nie poprawią?

– Boję.

W pokoju zaległa cisza.

– Słuchając twoich opowieści o tej kobiecie, doszłam do wniosku, że jeśli kiedykolwiek coś między wami stanie, to właśnie ona. Takie zaborcze matki potrafią zniszczyć nawet najpiękniejsze związki.

Basia przytaknęła zamyślona.

– Jednak ja cały czas wierzę, że ona mnie zaakceptuje. Nie chcę konkurować o miłość jej syna. On ją kocha. – Zamyśliła się. – Ale kocha również mnie. Nadal ufam, że te uczucia uda mu się pogodzić.

Przyjaciółka nie wyglądała na przekonaną.

– Naprawdę tak uważasz? Z twoich opowieści wywnioskowałam, że pani Baczyńska to bardzo zimna osoba. Nie wiem, czy zaakceptowałaby jakąkolwiek kobietę przy Krzysztofie. A jeśli jej niechęć kiedyś stanie między wami?

– Było już wiele okazji, żeby tak się stało. Pamiętasz, jak wiosną Krzyś źle się czuł. Tak okropnie kasłał. Byłam przerażona. Nie wiedziałam, jak mu pomóc. Miałam nadzieję, że wspólnie z jego matką jakoś temu zaradzimy... Próbowałam z nią o tym porozmawiać. I czego się dowiedziałam? Otóż to podobno ja ponosiłam odpowiedzialność za pogorszenie się jego zdrowia. Twierdziła, że gdyby bez przerwy nie biegał gdzieś po mieście, nie chodził ze mną na spacery i nie przesiadywał na Śniegockiej, na pewno czułby się lepiej.

– Ale problemy Krzysztofa nie mają nic wspólnego z tobą. Jak ona może tak uważać? Jak może ci mówić takie rzeczy? Wszak on już wcześniej był chorowity. Czy nie tak?

Basia wzruszyła bezradnie ramionami.

– Owszem, od dziecka miał problemy z płucami. Zresztą lekarze uważają, że astma Krzysia wywoływana jest nie tyle uwarunkowaniami fizycznymi czy złą pogodą, co przede wszystkim stanem jego nerwów. A on tak bardzo przeżywał w ostatnich miesiącach, że jego matka mnie nie akceptuje, tak się zamartwiał, że ona nie chce dopuścić do naszego ślubu... Naturalnie według pani Baczyńskiej to zupełnie nie miało wpływu. Wyłącznie ja byłam odpowiedzialna za ten stan rzeczy. Żebyś, Jadziu, widziała, jak ona się cieszyła, kiedy Iwaszkiewicz zaproponował Krzysiowi pobyt u siebie w Stawisku. Triumfowała. Była przekonana, że nasze krótkie rozstanie ochłodzi jego uczucia, że pod wpływem atmosfery domu znanego pisarza on uzna nasze małżeństwo za błąd. W końcu w Stawisku sami znani artyści, atmosfera salonu literackiego... To może urzekać. Jak ja mogłabym się z tym równać?

Jadzia słuchała z zainteresowaniem. Przyjaciółka nie opowiadała jej dotąd o szczegółach tamtego wyjazdu.

– Nie wiedziałam, że stosunki Krzysia z Iwaszkiewiczem są aż tak zażyłe – powiedziała, nie kryjąc ciekawości.

Basia się ożywiła. Uwielbiała opowiadać o kontaktach narzeczonego ze światem literackim.

– Kiedy pan Jarosław usłyszał, że Krzyś niedomaga, od razu wyszedł z propozycją pobytu u niego na wsi. Zresztą Krzysztof był w Stawisku przez jakiś czas zeszłej jesieni, jeszcze zanim mnie poznał. Podobno bardzo służy mu tamtejsze powietrze. A pan Jarosław rzeczywiście bardzo go lubi i uważa podobno za najzdolniejszego poetę młodego pokolenia. Stąd to zaproszenie.

– Jak Krzysiowi tam było? Opowiadał ci coś?

– Przez te dwa tygodnie napisał do mnie – zawiesiła głos – a właściwie do nas, niezliczoną ilość listów.

– Do was?

– Do mnie i do swojej matki. Wszystkie wiadomości adresował wspólnie.

– Po co?

– Sądzę, że chciał w ten sposób zbliżyć nas ze sobą. Co się oczywiście nie udało. – Nabrała powietrza. – W każdym razie przez cały czas jego nieobecności niemal codziennie przychodziły listy. Ze szczegółami opisywał dzień po dniu. Dzięki temu czułam, jakbym z nim tam była.

– I jakie jest to mityczne Stawisko?

– Według relacji Krzysia zupełnie niesamowite. Oprócz stałych mieszkańców zawsze przebywają tam jacyś goście, zazwyczaj artyści. Towarzystwo jest doborowe i trudno się nudzić. A sam majątek wydaje się być oderwany od świata zewnętrznego, jakby istniał poza czasem. Jak to mawia Krzyś: jest to taka ostatnia wyspa szczęśliwości w okolicy, ocalała z wojennego sztormu. W mieście wszyscy już zapomnieli, że życie kiedyś tak wyglądało, że powinno tak wyglądać. W Stawisku nikt nie podskakuje na odgłos dzwonka u drzwi, nikt się nerwowo nie rozgląda na boki. Do treściwych posiłków zamiast kawy zbożowej nadal podają tam najprawdziwszą arabicę, a z kranu płynie ciepła woda... Wyobrażasz sobie, ciepła woda? I podobno prawie nigdy nie wspomina się o polityce, natomiast na temat literatury dyskusje trwają całymi godzinami. Wieczorami pan Jarosław grywa na pianinie, by rozweselić towarzystwo, goście czytają to, co napisali w ciągu dnia...

– To zupełnie inny świat – przyznała Jadzia.

– Prawda? Właśnie tak powinna wyglądać normalność. To my, tutaj w Warszawie, zdziczeliśmy. Oni na wsi starają się po prostu żyć jak przed wojną.

– Nie żałujesz, że Krzyś był tam bez ciebie?

– To jego żywioł. Od czasu do czasu potrzebuje poobcować z ludźmi o podobnej wrażliwości, zapomnieć o strachu, o codziennych problemach. Dzięki temu może się skupić wyłącznie na pisaniu. Dla niego, artysty, to niezmiernie ważne. Powinien mieć czas na wyciszenie, na przemyślenia. Taki już los przyszłej żony poety – dodała z wyrozumiałym uśmiechem. – Poza tym zdrowie od razu mu się poprawiło. Już po kilku dniach pisał, że kaszel doskwiera mu jedynie nocą, że oddech ma głębszy, równiejszy. Odpoczął, oczyścił głowę. Dzięki temu stworzył kilka nowych, bardzo pięknych wierszy. Co prawda roztopy wokół Stawiska nie sprzyjały długim spacerom i Krzyś większość czasu przesiedział w bibliotece Iwaszkiewiczów. Niemniej już samo powietrze tamtego domu niezwykle pozytywnie wpłynęło na jego płuca. Od powrotu czuje się zupełnie dobrze. Dla mnie w tej chwili to największe szczęście... Może lekarze mają rację? Kiedy w jego życiu panuje spokój, organizm przestaje się buntować.

– Nie czułaś się przez jego wyjazd zepchnięta na boczny tor?

– Wręcz przeciwnie. Mam wrażenie, że rozstanie wpłynęło budująco na nasz związek. Chociaż pani Stefanii pewnie to nie cieszy – rzuciła z rozbawieniem. Po czym dodała: – W każdym razie, jeśli jeszcze kiedyś pan Iwaszkiewicz ponowi swoje zaproszenie, będę Krzysia namawiała, żeby tam pojechał.

Jadzię najwyraźniej coś frapowało w opowieści Basi, bo zapytała niepewnie:

– Naprawdę tak cię cieszy, że on tam jeździ?

– A niby dlaczego miałoby nie cieszyć?

– Ja rozumiem: świeże powietrze, oderwanie od trosk, dobre warunki do pisania, ale nie martwi cię ta zażyłość Krzysztofa z Iwaszkiewiczem? Właśnie z nim.

– Co masz na myśli?

– Basiu, przecież wiesz, co się mówi o Iwaszkiewiczu?

– Myślisz o… – dziewczyna zawiesiła głos.

Plotki o skłonnościach wielkiego pisarza były Basi dobrze znane. Opieka, jaką Jarosław otaczał młodego poetę, mogła niektórym wydawać się podejrzana, niejednoznaczna. Niemniej Krzyś starał się uspokajać Basię. Jego relacja ze starszym kolegą opierała się wyłącznie na wspólnych zainteresowaniach, chociaż… Niedługo po powrocie ze Stawiska Krzyś, chcąc być szczerym z narzeczoną, opowiedział jej o pewnym z pozoru błahym zdarzeniu. A może ono naprawdę nic nie znaczyło, a poeta źle odebrał zachowanie Jarosława?

Podobno któregoś dnia pobytu, gdy Krzysztof zamyślony stał przy oknie w bibliotece, wpatrując się w podmokłe łąki, ciągnące się aż po linię lasu, przyszedł do niego gospodarz. Niemal dwumetrowy, postawny w dziwny sposób przytłaczał go swoją obecnością. Stanął za jego plecami, blisko, może nawet zbyt blisko, i bez słowa, czułym gestem położył mu dłoń na ramieniu. Krzyś poczuł na plecach ciepło ciała mężczyzny… Wzdrygnął się. Odniósł wrażenie, jakby Jarosław chciał przekroczyć niewyznaczoną, niepisaną granicę. Może odkrywając karty, próbował wystawić go na próbę? W odpowiedzi na ten niezwykły gest Krzyś energicznie odwrócił się od okna, zrzucając z siebie tę ciężką, gorącą dłoń i bez słowa popatrzył w oczy Jarosława. Bez zarzutu, raczej z przykrym oszołomieniem. Pisarz z miejsca zaczął go przepraszać. Cofnął się o krok, a na jego pełnych, niemal kobiecych ustach wykwitł zawstydzony uśmiech...

Według relacji Krzysia ta scena nie miała ciągu dalszego. Przez resztę pobytu w Stawisku gospodarz nie wykonał gestu, który mógłby wprawić gościa w zakłopotanie. Spuszczając zasłonę milczenia na tamtą efemeryczną chwilę, obaj zakopali ją w niepamięci.

Teraz także Basia chciała zapomnieć o tym wyznaniu Krzysztofa. Była pewna jego uczuć i wierzyła w szczerość jego opowieści. Nawet jeśli Iwaszkiewicz próbował czynić umizgi do jej narzeczonego, to chyba nie miała powodów, żeby się tym martwić. Historię zrelacjonowaną przez Krzysia postanowiła zostawić dla siebie i nie wspominać o niej nikomu. Także Jadzi.

Oderwała spojrzenie od kręgu rzucanego przez światło lampy.

– Nawet jeżeli te pogłoski są prawdziwe, to w naszym przypadku nie mają najmniejszego znaczenia – rzekła zupełnie spokojnie. – Krzysztofa z panem Jarosławem łączą jedynie przyjacielskie stosunki i nie widzę powodów, żeby mieli się nie spotykać.

Jadzię najwyraźniej uspokoiły te wyjaśnienia, bo na powrót się rozpogodziła.

– To dobrze. To bardzo dobrze. Bo widzisz Basiu, ja tak bardzo bym chciała, żebyś była szczęśliwa. A życie u boku poety na pewno nie zawsze będzie proste.

– Dzisiaj nic nie jest proste – odparła lekko Basia. – Chociaż ufam, że nam się uda. Nic nie stanie nam na drodze. Ani okupacja, pobyty w Stawisku, ani nawet pani Baczyńska.

– To dziwne, że jej tu dzisiaj nie było – zmieniła nagle temat Jadzia. – Myślałam, że włączy się jakoś w przygotowania do wesela.

– Ona nadal udaje, że ten temat nie istnieje. To moi rodzice załatwili wszystkie formalności ślubne. Oni poprosili księdza Lissowskiego, żeby udzielił nam ślubu. Żeby wyprawić nam w miarę normalne wesele, tata sprzedał ostatnią pamiątkę po moim dziadku, stary złoty zegarek. Wszystkie sprawy związane z przyjęciem wzięła na siebie mama.

– A matka Krzysztofa?

– Udaje, jakby ślub syna nic ją nie obchodził. Moi rodzice przecież też byli sceptyczni wobec naszego pomysłu, a jednak nawet ich ostatnio dopadła przedślubna gorączka. Pogodzili się z myślą, że ich córka dorosła. Chyba nawet trochę się cieszą. Dobrze się dogadują z Krzysztofem. A pani Baczyńska...? Oj, dziwna jest to kobieta. Wcale nie będę zaskoczona, jeśli jutro nie zjawi się w kościele...

Z przedpokoju do uszu dziewcząt dotarł odgłos kroków, a po chwili pokój wypełniło ciche pukanie. Drzwi się uchyliły i w wejściu ukazała się głowa pani Feliksy.

– Mój Boże, Basiu, Jadziu, to wy jeszcze siedzicie? Przechodziłam korytarzem i zobaczyłam światło. Miałyście spać już od godziny.

Na ustach córki pojawił się łobuzerski uśmiech.

– Mamuś, jakoś nie możemy zasnąć.

– A pewnie, że nie możecie. Jak zamiast głowę do poduszki przyłożyć, to wy sobie po nocy ploteczki urządzacie. – W głosie matki nie było śladu złości.

– To przecież wieczór panieński – starała się usprawiedliwiać przyjaciółkę Jadzia.

– Dobrze już, dobrze. – Kąciki ust pani Feli zadrżały w rozbawieniu. – Na rozmowy będziecie miały jeszcze całe życie. Teraz trzeba wypocząć, bo wreszcie zaśpicie na ślub. Teraz gaście już lampę i spać! Jutro ważny dzień.

★ ★ ★

Przez otwarte, dębowe drzwi do wnętrza niewielkiego kościoła na Solcu wsączało się ostre światło przedpołudnia, a znad pobliskiej rzeki napływał specyficzny zapach mokrego, wiślanego piasku i przybrzeżnej roślinności. W ławach ustawionych po obu stronach wąskiego przejścia przecinającego główną nawę zasiedli liczni goście, w tym wysoki, barczysty mężczyzna, który zajął miejsce w jednym z ostatnich rzędów. Patrząc w stronę ołtarza, uśmiechał się enigmatycznie zza naręcza białych bzów, które o świcie tego dnia zerwał w swoim podwarszawskim ogrodzie. Po latach będzie opowiadał, że młodzi Baczyńscy, klęcząc ramię przy ramieniu, bardziej przypominali dzieci przystępujące do pierwszej komunii niźli dwoje wojennych kochanków. I było nieco prawdy w tej wesołej konkluzji, bowiem powaga na twarzach Barbary i Krzysztofa zupełnie nie korespondowała z ich niedojrzałym wyglądem. On ubrany był w ciemny garniturek, podkreślający drobną, chłopięcą budowę i wąskie ramiona, ona – w kremowy kostium, który mimo wysiłków krawcowej zdawał się być dla filigranowej dziewczyny dużo za duży. Jedyną ozdobę panny młodej stanowił bukiecik konwalii. Klęcząc wspólnie, przypominali parę niedorostków, która przed obliczem Boga znalazła się zupełnie przypadkiem.

Mimo to msza była wzruszająca. Ksiądz Lissowski, znający Basię od dziecka – jeszcze z czasów, kiedy pełnił posługę w Wieczfni – wygłosił bardzo uroczyste, a zarazem osobiste kazanie. Toteż w półmroku kościółka zaszkliły się niejedne oczy. Drużba pana młodego, Jurek Andrzejewski, z wyraźnym wysiłkiem przełykał łzy. Może nie wynikały one z rozrzewnienia, lecz na pewno były szczere. Wraz z tym ślubem ostatecznie grzebał własne, ukryte pragnienia i szczerą miłość, którą bez nadziei na wzajemność żywił do tego uzdolnionego, ślicznego chłopaka… Pan Drapczyński także co chwilę unosił okulary, by ukradkiem otrzeć oczy, i tylko pani Feliksa, zupełnie się swoich emocji nie wstydząc, pochlipywała donośnie. Coś się w jej życiu kończyło, wcześniej niż zakładała. Córeczka, która dopiero co biegała w szkolnym mundurku, teraz poważna, spokojna powierzała swój los obcemu człowiekowi. „Ale jakiż to będzie los…?" – zastanawiała się pani Fela, zerkając co chwila na umęczone ciało Chrystusa na krzyżu. Jej matczyne serce drżało z obawy. Jaki bowiem los może czekać dwójkę zakochanych dzieciaków w tym niepewnym świcie? Jak myśleć o domu, przyszłości, stabilizacji, kiedy już jutro nikogo z tu obecnych może nie być? Z drugiej strony naprawdę polubiła Krzysia i musiała przyznać, że tworzyli z Basią parę idealną. Dotąd córka ślęczała całymi dniami nad książkami sama, teraz w towarzystwie narzeczonego. Wszystko ich do siebie przyciągało. Wspólne pasje, tematy. Oboje o podobnej wrażliwości, intelekcie dotrzymywali sobie kroku w dyskusji. Jakby stanowili doskonale dopasowane części jednej całości, bliskie sobie nawzajem, ale odrębne od reszty świata. Niczym połówki włoskiego orzecha, pofałdowane w mózgowe zwoje, zamknięte w grubej skorupie... Och, żeby tak kogoś kochać, szaleńczo, straceńczo, do ostatka. Nawet ona, Feliksa, nie zaznała w młodości aż takich uniesień; jak z bajki, jak z filmu z Brodniewiczem. Ślub z Rysiem wymusiło serce dziecka bijące pod ślubną suknią matki... Chociaż byli zgodnym i szczęśliwym małżeństwem, to nie mieli czasu na romantyczne porywy. Niechże więc chociaż Basia trochę ich zazna. Co dziś młodzi mają z życia? Wszystko się jakoś ułoży. Ostatecznie pani Drapczyńska nie traciła córki, lecz zyskiwała syna.

„Dzisiaj nie zyskałam córki. Raz na zawsze utraciłam syna" – rozpaczała tymczasem drobna, przykulona kobieta w czerni, zanosząc się łzami w jednej z ostatnich ław. Parę osób, domyślając się, że to matka Krzysztofa, kiwało ze zrozumieniem głowami: wzruszyła się pani Baczyńska. Wszak ona taka samotna, wdowa, a przez ten ślub jedynaka zyska wreszcie rodzinę. Drapczyńscy to dobrzy, prawi ludzie, a Basia miła, mądra, rozsądna i w Krzysiu do szaleństwa zakochana. Każda kobieta życzyłaby sobie takiej synowej... A Stefanią, która nieostre spojrzenie z powodu łez wbijała w plecy klęczącego syna, wstrząsały kolejne fale złości. Na los okrutny, na tę drukarzównę przebiegłą, która tyle lat jej wysiłków wychowawczych odbierała, która wyrywała z rąk spracowanych ukochane dziecko. Na zatracenie, na zmarnowanie cały trud pójdzie. Nie takiej przyszłości dla niego pragnęła. Jej synek miał zostać największym poetą swoich czasów, świat miał paść u jego stóp. Taki był utalentowany, taki wybitny, wychuchany, wypieszczony, a teraz zamiast pisać, zabawę w dom sobie urządzi. Ileż on będzie musiał szyldów wymalować, ile okien wstawić, żeby tę dziewczynę utrzymać? Wszak jego ręce nawykłe do pióra, a nie do fizycznej pracy... Matka właściwą opieką by go otoczyła, troski odsunęła, obiad pod nos podstawiała, pod klosz kuloodporny schowała. Jak kiedyś każdy wiersz by z nim omówiła i pomogła szlifować warsztat... Jednak dzisiejszą przysięgą Krzyś tę miłość, to wsparcie matczyne, odrzuca. Stefania nie miała już syna. Miała za to w piersi krwawiącą, gorejącą ranę. Puste miejsce po sercu, które ktoś nielitościwie wyrwał i zdeptał.

★ ★ ★

– Ależ mamo kochana, tak się nie godzi. To nie wypada. Mama musi przyjść na nasze przyjęcie. Rodzice Basi tak się starali – szeptał Krzysztof wprost do ucha Stefanii.

Pani Baczyńska tuż po tym, jak przed kościołem złożyła młodym życzenia – wyjątkowo chłodne zresztą – zakomunikowała synowi, że na weselu się nie pojawi. Cała dotychczasowa radość w jednej sekundzie spłynęła z twarzy Krzysztofa. Zerkał niepewnie na młodą żonę, której kolejny weselnik składał właśnie życzenia. Jak on Basi wytłumaczy nieobecność matki na Śniegockiej? Ponownie nachylił się nad nią.

– Bardzo mamę proszę…

– Wykluczone – syknęła zduszonym głosem tak, żeby reszta gości nie usłyszała. – Zresztą źle się czuję. Głowa mi pęka.

Krzysztof spojrzał na nią uważnie. Do tej chwili tak był ślubem pochłonięty, tak rozemocjonowany, iż nie zauważył, że matka rzeczywiście nie najlepiej wygląda. Była blada, roztrzęsiona, oczy miała zapuchnięte.

– Ale ja bardzo mamę proszę. Chociaż na chwilę. Najwyżej położy się mama w pokoju Basi. Odpocznie, weźmie coś na ból głowy. Państwo Drapczyńscy tak się napracowali, żeby wszystko przygotować. Jeżeli mama się nie zjawi, na pewno będą rozczarowani.

– Na pewno nie będą – ucięła twardo. – Po prostu przeproś ich ode mnie. Powiedz, że zaniemogłam. Pojadę do domu i odpocznę. Tu jest panna Hala, z nią się zabiorę z powrotem. Dla mnie za dużo emocji… Zobaczymy się na Hołówki, gdy żonę do domu przywieziesz.

Zniecierpliwiony tłumek czekał z życzeniami, zatem Krzyś z niewyraźną miną wypuścił drobne ciało matki z objęć.

– Niech będzie, jak chcesz – powiedział, pokrywając rozczarowanie bladym uśmiechem.

Napierający goście oddzielili panią Stefanię od syna. Chwilę jeszcze stała z boku. Samotna, zapomniana. Obserwowała, jak do młodej pary podchodzi roześmiany Iwaszkiewicz, wraz z innymi zaproszonymi na ślub literatami. Jak młodych obściskuje liczne wujostwo Basi, a wreszcie koleżanki i koledzy. Kiedy głośna grupka weselników ruszyła w stronę ulicy Śniegockiej, pani Stefania w towarzystwie sąsiadki, Hali Perzyńskiej, skierowała się w stronę domu.

Następne trzy dni spędziła w stanie otępienia, nie wstając z kanapy panny Perzyńskiej i mając nadzieję, że syn w końcu do niej przybiegnie. Że zmądrzeje, będzie ją prosił o wybaczenie za grzech miłości do innej kobiety.

Po raz pierwszy w życiu nie doczekała się jego skruchy.

★ ★ ★

Jakże wystawne było to przyjęcie! Jak dostatnie, jak kolorowe na tle szarej codzienności. Pieniądze za złoty zegarek, otrzymany przez pana Drapczyńskiego jeszcze od ojca, wystarczyły zaradnej gospodyni, żeby przygotować wszystko jak należy. Podano nieco cienki, ale za to pachnący koperkiem kapuśniaczek z młodymi ziemniakami – i ze skwarkami! Były nóżki w galarecie i suszone ryby, a nawet półmisek wędlin, co je specjalnie ze wsi pani Fela od znajomej gospodyni sprowadzała. Między miseczkami z sałatką warzywną a śledziem w śmietanie, jako przekąskę, poustawiano talerzyki z pierwszymi w tym roku truskawkami. Do mocniejszych trunków, zorganizowanych na czarnym rynku przez jednego z braci pana Ryszarda, serwowano prawdziwą herbatę i kawę – która tylko pół na pół zmieszana została z palonymi żołędziami – a w dzbankach połyskiwał rubinowo, słodzony jeszcze przedwojennym miodem, kompot. I nawet przetwory trzymane na czarną godzinę w najciemniejszych zakamarkach spiżarni od początku okupacji wjechały dzisiaj na stół.

Na komodzie pod ścianą salonu ustawiono nęcące kremem i owocami patery z ciastkami i ciastami. Podobne cymesy zobaczyć można było chyba wyłącznie przez witrynę niemieckich restauracji, gdzie wypieki kusiły zza tafli zamkniętych gablot. Goście weselni musieli być naprawdę zaskoczeni ich widokiem. Niektórzy, przyzwyczajeni raczej do czarnego chleba i marmolady słodzonej pastylkami sacharyny, od niemal trzech lat nie mieli w ustach podobnych frykasów, zapomniawszy tym samym nie tylko o przedwojennych smakach, ale nawet o zwyczajnym uczuciu sytości. Dlatego teraz z trudem powstrzymywali się przed zbytnią łapczywością, mimo że nie zachodziła najmniejsza obawa, że jedzenia zabraknie – już pani Drapczyńska o to zadbała. Wszelkiej maści łakoci było aż nadto i po kilku godzinach biesiady pani Fela ze szwagierką wyniosły część jedzenia przed dom, żeby obdzielić dzieciaki zwabione wieścią, że u drukarzy wesele.

Tymczasem goście z pełnymi brzuchami porozchodzili się po kątach salonu, wznosząc kolejne toasty lub tocząc ciekawe rozmowy. Atmosfera gęstniała, w czym na pewno nielichy udział miał sowicie polewany jarzębiak i nieco podły w smaku, lecz za to szybko dodający animuszu, bimber. W normalnych warunkach właśnie teraz zagrałaby muzyka, ale Basia z Krzysztofem uznali, że o ile nie mogą zabronić rodzicom podania wystawnego obiadu, a i to uważali za niepotrzebny zbytek, o tyle tańczenie byłoby już dużą przesadą. „Wesele weselem – tłumaczyła matce dziewczyna – jednak nie wypada urządzać tańców i hulanek, kiedy kilkanaście ulic dalej, w więzieniu na Pawiaku, naziści katują Polaków". Pani Feliksa przyznała jej rację, ciesząc się w duchu, że, co jak co, jednak córkę wychowała na porządnego człowieka.

W panującym rozgardiaszu Andrzejewski, już nieco zawiany, postanowił odciągnąć Krzysztofa na balkon, „na dymka". Wymknęli się po cichu z salonu, zostawiając za sobą brylującego w towarzystwie Jarosława i zajęte rozmową w kącie pokoju Marysię[9] i Barbarę. Kiedy przeszklone drzwi się za nimi zamknęły, Jerzy przypalił sobie i przyjacielowi po papierosie i oparł się ciężko o kutą balustradę.

– I jak ci, bracie, z pętami małżeńskimi na szyi? – zapytał, zaciągając się dymem.

– A dziękuję, zacnie – odparł w podobnie wesołym tonie Krzyś.

– Ja ci mówię, nie ma nic gorszego dla miłości niż ślub.

– Jako rozwodnik mi to mówisz czy jako drużba, który mój związek osobiście w kościele poświadczył? – roześmiał się.

– Jako najbliższy przyjaciel.

– A twoja Marysia podziela tę niechęć do sakramentów?

Jerzy spoważniał.

– Marysia i ja to zupełnie inna sprawa. Ona wie, na co się decydowała, wiążąc ze mną swój los.

– Niezwykła kobieta.

---

[9] Maria Abgarowicz, przyszła żona Jerzego Andrzejewskiego.

– Żebyś wiedział.

Spojrzał na Krzysztofa wymownie. Już dawno doszli do porozumienia w sprawie wzajemnych stosunków. Jedyne, na co Jerzy mógł liczyć ze strony młodego poety, to głęboka, czysta przyjaźń. O żadnej wzajemności nie mogło być mowy. Co nie zmieniało faktu, że dzisiejsze wydarzenie Jurek bardzo przeżył. Wiedział to Krzyś, wiedziała na pewno i Maria. „Cóż za ironia losu – myślał Andrzejewski. – Ja drużbą!". Świadkował na ślubie człowieka, którego pragnął jak nikogo na świecie… Była żona, teraz Marysia i wszystkie inne kobiety, które na chwilę pojawiały się w jego życiu, stanowiły erzac miłości niemożliwej do spełnienia.

Uśmiechnął się gorzko, strząsając z siebie nieprzyjemne myśli.

– Kto wie, może jakieś fiksum-dyrdum kiedyś mnie dopadnie i znowu stanę na ślubnym kobiercu? Mniejsza o mnie… Ale tyś się jednak, mój drogi, dobrze wżenił – błaznował w typowy dla siebie sposób, wszak cynizm to najskuteczniejsza tarcza ochronna. – Wyprawili ci Drapczyńscy weselisko, że ho ho… A po wojnie teść wszystkie twoje tomiki na pewno u siebie na Piusa wydrukuje.

Mimo wyraźnego sarkazmu Jurka, i niechybnego stanu upojenia, Krzysztof poczuł się urażony.

– Ja po prostu kocham Basię, możliwości jej ojca niewiele mnie obchodzą.

– Ależ wiem, wiem. Nie rób takiej obrażonej miny. Zresztą wcale ci się nie dziwię. Basia to niezwykle mądra i urocza panna.

– Teraz już nie panna – sprostował przyjaciel, odrobinę się rozpogodziwszy.

– I piękną parę stanowicie. Kto to widział, żeby tak się kochać. Żeby się wzrokiem pożerać bezustannie. Taka romantyczna historia w dzisiejszych okolicznościach…?

– Dzisiejszych, jutrzejszych, jaka to różnica?

– Ano taka, mój młodociany wieszczu, że nie znasz dnia ani godziny, kiedy grozi ci czapa. A ty obecnie jesteś głową rodziny… W czasie wojny, żeby żyć normalnie, trzeba sobie tę normalność wymyślić, wykreować, stworzyć. A czasami, wbrew wszystkiemu – wmówić. Jesteś pewien, że będziesz to potrafił?

– Używasz tych samych argumentów, co moja matka.

– No właśnie. – Klepnął się po udzie Jerzy, coś sobie przypomniawszy. – A czemu to szanowna rodzicielka nie zaszczyciła wesela swoją obecnością?

Krzyś energicznie zdusił niedopałek w popielniczce.

– Daj spokój, Jerzy, pleciesz trzy po trzy po tym jarzębiaku.

– Może trochę – rzucił ze swadą.

– Po co pytasz o matkę, kiedy wiesz, jak się sprawy mają?

Błazeński wyraz zamarł na ustach Andrzejewskiego. Mężczyzna się wyprostował. Poprawił okulary w cienkich oprawkach, które bezustannie zsuwały mu się z nosa, i spojrzał w oczy przyjaciela. Wyglądał, jakby zupełnie wytrzeźwiał.

– Ja się po prostu boję, że na własne życzenie urządzasz sobie piekło – rzekł już bez krztyny rozbawienia, z troską w głosie.

Krzysztof wzruszył ramionami.

– Mamie na pewno ta niechęć przejdzie. Pokocha Basię, zobaczysz. Jak jej zresztą nie kochać…?

– Obyś miał rację. Bo problemów mamy pod dostatkiem i bez wojen domowych. Pożary, które wybuchną niechybnie między twoimi paniami, nie powinny cię odciągać od tego, co najważniejsze. Musisz pisać, tworzyć. To jest twoje przeznaczenie. Nie możesz tego zaprzepaszczać.

– Pisanie wcale nie jest najważniejsze, Jerzy.

Przyjaciel zmarszczył czoło.

– A niby co?

– Ani moje wiersze, ani sprawy osobiste. Dobrze wiesz, o czym mówię.

– Znowu do tego wracasz? Wesele dzisiaj masz, a głupoty ci chodzą po głowie – skwitował.

– To nie są głupoty – obruszył się. – Czuję się okropnym konformistą. Wielu moich znajomych wkłada oficerki, angażuje się w poważne sprawy. A my co? Piórem będziemy walczyć? To jest za mało, Jurek! Coraz częściej myślę, że ja także nie powinienem stać z boku.

Jerzy bez słowa popatrzył na Krzysia. Gdzie się ten cherlawy chłopak pcha do wojaczki? Jak też te jego wydelikacone dłonie miałyby utrzymać karabin?

– To już nie jest kwestia naszego widzimisię – kontynuował z zapałem Krzysztof. – To sprawa honoru. Ja tymczasem coraz częściej z obrzydzeniem patrzę w lustro.

– Przesadzasz.

– Nie przesadzam. Czy zdajesz sobie sprawę, jak ludzie żyją w getcie, ile tam dzieci umiera z głodu? Wiesz, ilu już warszawiaków trafiło do obozów, ilu pomordowano na ulicach? Pokaż mi chociaż jedną osobę, która by kogoś bliskiego nie straciła. Jak długo jeszcze mam na to patrzeć z założonymi rękami? Jak długo mam się ukrywać za pozorami wyższych celów, za moimi wierszami? Co one znaczą?!

– Znaczą bardzo dużo. Już teraz, ale i dla przyszłych pokoleń. Ktoś musi zostawić świadectwo. Ty to dobrze rozumiesz, czujesz... Zresztą działalność kulturalna to też jakaś forma oporu, niezgody. To także rodzaj walki. Każdy dzierży taki oręż, na jaki mu staje sił i możliwości.

– Takie gadanie. Żadnym wierszem nie przegonimy szkopów z Warszawy, z Polski. Powinienem działać. Powinienem się szkolić, żeby we właściwym momencie złapać za broń. Gdyby żył mój ojciec, byłby tego samego zdania.

– Gdyby twój ojciec żył, na pewno chciałby cię chronić.

– Nie sądzę. Obowiązek wobec Ojczyzny stawiał ponad wszystko inne.

– Ale przede wszystkim był pisarzem. I zapewne rozsądnym człowiekiem.

– Przede wszystkim był żołnierzem – rzekł z naciskiem Krzyś.

Wydawał się zdenerwowany. Dobył z marynarki papierośnicę. Poczęstował Jurka, sam też znowu zapalił. Zaciągnął się głęboko, po czym powoli wypuścił dym. Przez chwilę obserwował, jak mglisty szary obłok rozpływa się w niebycie.

– Ostatnio widziałem na ulicy jednego z dawnych kolegów z Batorego – powiedział wreszcie. – Byliśmy z Dawidowskim w równoległych klasach, z tym że on chodził do matematyczno-fizycznej. Nie znaliśmy się zbyt dobrze, raczej z widzenia. Zresztą to nieważne. Wtedy na ulicy nawet się nie przywitaliśmy, nie zauważył mnie. Szedł dumnie, wyprostowany jak struna. A jak się przy tym prezentował?! Na nogach oficerki, zamiast zwykłych portek – bryczesy, marynarka przepasana skórzanym pasem, a na głowie sportowa czapka. Może to nierozsądne tak się afiszować przynależnością do podziemia, jednak on nie wyglądał na wylęknionego.

– Do czego zmierzasz? – Andrzejewski słuchał nieco znudzony. Ile już podobnych rozmów przeprowadzili? Ileż to razy wybijał niebezpieczne koncepty z głowy młodszego kolegi?

Krzyś znowu zaciągnął się łapczywie, nerwowo. W jego oczach zapłonął niezdrowy ogień.

– To są moi rówieśnicy, rozumiesz? Chłopaki ze szkolnej ławy, z jednego podwórka. Żadni bohaterowie, a jednak nie siedzą, załamując ręce, nie ukrywają się. Zamiast tego śmieją się okupantowi w twarz. Nie płaczą nad biedną, zdeptaną Polską po nocach, tylko wypisują hasła na murach, rozrzucają ulotki albo rozprawiają się z kolaborantami. To jest prawdziwy sprzeciw, realna walka!

– I tobie też się marzą takie heroiczne czyny – stwierdził z przekąsem Jurek.

– Nie. Marzy mi się wewnętrzny spokój, a dopóki stoję z boku, dopóty na pewno go nie zaznam.

Przez chwilę milczeli, obserwując wydłużające się cienie, które pełzały po podwórku kamienicy. Zza drzwi balkonowych dochodził głuchy odgłos rozmów i śmiechów weselników. W środku chyba nikt się nie zadręczał myślami o wojnie. Na ten jeden krótki moment wszyscy z rozmysłem odsunęli od siebie codzienne lęki i niepokoje.

– A Basia wie o twoich rozterkach? – zapytał wreszcie Jerzy.

– O wszystkim szczerze ze sobą rozmawiamy, o tym również. Ona mnie rozumie i ma identyczne poglądy. Powiedziała, że przyjmie każdą decyzję.

– Dopiero co uczyniłeś ją żoną, a już myślisz zrobić wdową?

Krzysztof uśmiechnął się w typowy dla siebie sposób – ni to wesoły, ni smutny. Andrzejewski, chociaż znali się już jakiś czas, wciąż nie umiał rozszyfrować, kiedy przyjaciel się martwi, a kiedy cieszy.

– Co komu pisane… Zresztą i bez udziału w konspiracji może mi się coś przytrafić.

– Jednak wstąpienie w jej szeregi to jawne kuszenie losu i chyba powinieneś jeszcze raz wszystko przemyśleć. Później nie będzie odwrotu. A ja zamierzam stać na stanowisku, że największy jest z ciebie pożytek, gdy piszesz.

– Jeszcze zobaczymy. Na razie muszę poukładać sprawy domowe. Nacieszyć się ślubem, małżeństwem. Pewnie na chwilę wyjadę z Basią poza Warszawę, na krótki miesiąc miodowy, a po wakacjach planujemy razem rozpocząć studia na polonistyce. Wtedy się zobaczy...

Na ostatnie słowa drzwi balkonowe uchyliły się bezgłośnie i zza firanki wyłoniła się rozpromieniona postać panny młodej.

– A czemu to panowie tak długo się tutaj ukrywają?

Obaj mężczyźni równocześnie, w pospiechu, zaczęli gasić niedopałki. Krzyś na widok ukochanej uśmiechnął się szeroko i przyciągnął ją do siebie. Na twarz Jerzego także powrócił wesoły wyraz.

– My tu, droga pani Baczyńska, urządzamy sobie nową inscenizację „Wesela" – rzekł z udawaną powagą.

– Tak? – zapytali równocześnie Basia i Krzysztof.

– Ano tak – potwierdził Jerzy, wzbudzając konsternację przyjaciela i ciekawość jego żony.

– I które postaci panowie odgrywacie? – dopytywała zaintrygowana.

– Tu jeszcze nie doszliśmy z Krzysiem do porozumienia. Prawda, Krzysiu? On niechybnie porzuci rolę Pana Młodego, nasuwającą się samą przez się. Bo też, cóż to za rola? Zbyt bezbarwna dla naszego poety. I podejrzewam, że ostateczny wybór padnie na Wernyhorę, a może nawet na Rycerza.

– Rycerza...? – Na ustach Basi pojawiło się zdziwienie. Chyba już się domyślała, o czym jej mąż deliberował przed chwilą z Andrzejewskim.

– A pan?

– Cóż, ja jako nadworny błazen powinienem zostać Stańczykiem, ale obawiam się, że brak mi jego mądrości i co najwyżej przypadnie mi w udziale rola Dziennikarza.

Basia wtulona w mężowskie ramię zaśmiała się serdecznie.

– A w takim razie, w którą postać, według pana, ja powinnam się wcielić?

– Naturalnie w powabną Rachelę o przenikliwych oczach i wrażliwej duszy, w mądrą córkę karczmarza, która co prawda sama nie tworzy poezji, ale doskonale ją wyczuwa i rozumie. Tak jak pani rozumie wiersze Krzysia.

– W tym podziale ról widzę, Jerzy, pewien mankament – nieoczekiwanie wtrącił Krzysztof.

– A jaki to mankament?

– Dzisiaj Rachela nie mogłaby wystąpić w żadnym przedstawieniu, bo zapewne przebywałaby za murem. Więcej: ani powab, ani inteligencja, a tym bardziej wrażliwość nie uchroniłyby jej przed szykanami ze strony naszych „gości" o jednoznacznie aryjskich rysach i brzuchach wypełnionych sznapsem.

– Psujesz zabawę, Krzysiu – teatralnie obruszył się Jerzy. – Skąd ten defetyzm?

– Z życia. – Wzruszył ramionami.

Słuchając wymiany zdań mężczyzn, Basia poczuła się nieswojo. Ich rozmowa zaczęła schodzić na niebezpieczne tory, a przecież dzisiaj chciała delektować się radością. Wojenne demony mogą znowu obudzić się jutro rano, ale w dzień ślubu trzeba być szczęśliwym. Trzeba przynajmniej próbować.

Oderwała się delikatnie od męża.

– Panowie, przyjdzie jeszcze czas na smutki, a teraz… Mama prosiła, żebym panów przyprowadziła do środka. Podobno tacie udało się załatwić tort u Lardelliego.

– Tort? Od Lardelliego?! – Uradował się Jerzy. Krzysztof wciąż stał zadumany, nieobecny. – Ostatni raz miałem okazję jeść ciastka z jego cukierni w trzydziestym dziewiątym. I jakie to były ciastka! Te brioszze, tartoletki, eklery… Istna poezja! Pani Basiu, po takim torcie to nawet brak tańców jakoś dzisiaj przeboleję. – Bez zwłoki ruszył za dziewczyną do drzwi.

Krzyś, zanim do nich dołączył, przez chwilę jeszcze stał oparty o balustradę. Nawet w imię prywatnego szczęścia nie opuścił go katastrofizm, nie chciał i nie potrafił zupełnie zapomnieć o otaczającym ich mroku. Wchodząc do salonu pełnego rozbawionych gości, konkludował, że do dzisiejszego dnia jednak pasowałby taniec. Chocholi.

★ ★ ★

Przed dwudziestą drugą, mimo że zmierzch dopiero zapadał, mieszkanie przy Śniegockiej zaczęło pustoszeć. Godzina policyjna wygoniła do domu nawet najwytrwalszych weselników. Do wyjścia zbierali się również państwo Drapczyńscy z synem, Zbyszkiem. Tę noc zamierzali spędzić u stryjostwa Basi, dając młodym szansę na odrobinę intymności. Matka, żegnając się wylewnie z córką w drzwiach, nie omieszkała wysłać jej kilku porozumiewawczych spojrzeń. Z zażenowanym uśmiechem, szepcząc jej przy tym do ucha, że pościeliła nowożeńcom na p o d w ó j n e j wersalce w pokoju gościnnym.

Zakłopotana mina rodzicielki nieco rozbawiła Barbarę, bowiem dzisiejsza noc wcale nie miała być dla niej i Krzysia pierwszą. Gdyby w ręce dobrotliwej pani Feliksy wpadł któryś z erotyków Krzysztofa, powstały na długo przed ślubem, wiedziałaby, że etap platonicznej miłości córka już dawno ma za sobą. Wkrótce po zaręczynach młodzi doszli do wniosku, że namiętności, podobnie jak wielu innych aspektów życia, nie należy odkładać na później. Któż da im gwarancję, że dożyją ślubu? Trzeba żyć szybko, trzeba chwytać każdą chwilę. A zresztą, czy Bóg potępia kochanków, którzy w tym najpiękniejszym z aktów oddania, szukają ucieczki od rzeczywistości niemożliwej do pojęcia?

Basia nie czuła się winna. Nie czuła się też grzeszna. Świat zmysłów postrzegała jako coś pięknego i czystego zarazem. Jednak kiedy dom wreszcie opustoszał, a Krzysztof wziął ją za rękę i zaprowadził do pokoju, gdzie w skąpym świetle naftowej lampki łagodnie opadli na łóżko, jej kruche ciało wypełniła już nie tylko znajoma fala pożądania, ale także poczucie zupełnie nowe – wyjątkowego spokoju. Po raz pierwszy w ruchach ich ciał nie było pośpiechu. Nie było strachu, że ktoś nadejdzie, ktoś ich nakryje. Istniał jedynie ów wszechogarniający spokój, spływający kropelkami potu po skórze, wsączający się ciepłem przyspieszonych oddechów w splątane włosy, wnikający dotykiem ust w konstelacje nerwowych zakończeń... Nie było wstydu ani niepewności. Świat ze swoimi bolączkami pozostał poza szczelnym kokonem utkanym z miłości i namiętnych pocałunków młodych kochanków. Do jego bezpiecznego wnętrza nikt dzisiaj, ani nigdy, nie miał otrzymać dostępu.

Późno w nocy, a może już nad ranem, gdy Basia wyczerpana zasypiała w ramionach męża, przypomniały jej się słowa jednego z pierwszych wierszy, które dla niej napisał.

Nic gruzy. Dwułodygą wyrośniem,
dwugłosem zielonym światła...[10]

---

[10] *Wyroki*, tomik wierszy *Autobiografia*, Oficyna Wydawnicza „GRAF", Gdańsk 1990.

Słowa wyroki, słowa zaklęcia. Obietnica lepszej, bo wspólnej przyszłości, łagodnie przepływała między słodkim letargiem a pozostałościami jawy. *Nic gruzy, nic gruzy...* zdawało się na potwierdzenie wybijać spełnione serce, kołysząc Basię do najpiękniejszego ze snów. Snu o spełnionej miłości.

★ ★ ★

Pan Kozłowski, dozorca domu przy Hołówki, w ramach wyjątku wpuścił nadjeżdżającą rikszę na podwórze. Na wytartej ławce przed cyklistą siedziała przytulona para, skąpana nie tyle w blasku czerwcowych promieni, co w tym, który bił od niej samej. Za chwilę mieli przekroczyć próg nowego mieszkania i rozpocząć najcudowniejszy, bo pierwszy i pełen nowości, etap małżeństwa – etap miodowego miesiąca. Nieskrępowanej miłości i bezustannego rozkoszowania się wzajemną bliskością.

Od początku wydawało się jasne, że nie będą mogli zamieszkać w stumetrowym, ale dzielonym z obcą rodziną lokalu pod numerem pięćdziesiątym drugim. Pokój, który Krzysztof zajmował wraz z matką, był całkiem spory, niemniej po dokwaterowaniu Wysockich, Stefania zebrała meble z całego mieszkania – pamiątki po mężu, całe stosy książek i liczne obrazy – i wstawiła je do tej jednej z sypialni, która od tej pory stanowiła całą ich przestrzeń życiową. Pomieszczenie zostało tak zagracone, że ciężko się było po nim poruszać, ale matka nie godziła się na sprzedanie lub oddanie czegokolwiek, co siłą rzeczy przypominało jej o lepszych, dostatniejszych czasach. Czasach sprzed wojny.

Do domu przy ulicy Hołówki 3 państwo Baczyńscy wraz synem wprowadzili się w trzydziestym szóstym roku. Mieszkanie wynajęte od doktorostwa Łąskich było duże i jasne, a oprócz przestrzeni dla trójki głównych mieszkańców pozwalało na wygodne ulokowanie służącej. Każdy z członków rodziny dysponował swoim pokojem, z których największy zajął pan Stanisław. Tam, oprócz łóżka, umieszczono bogaty księgozbiór, a pod oknem stanęło mahoniowe biurko, przy którym ojciec pisał teksty do prasy oraz swoje książki. Dwie pozostałe, nieco mniejsze sypialnie, zajęli Stefa i Krzyś.

Jakże im tam było wtedy dobrze, jak wygodnie… Później Stanisław zaczął ciężko chorować, Stefa także podupadała na zdrowiu. Wraz ze śmiercią pana Baczyńskiego bezpieczny świat przy Hołówki rozsypał się w proch. Dotąd głównym źródłem utrzymania rodziny były tantiemy za różne publikacje Stanisława i jego wynagrodzenie za wykłady na wyższych uczelniach. Teraz Stefania została z synem bez środków do życia. A w miesiąc później na Warszawę spadły pierwsze bomby…

Stefa nie znosiła obecności nowych lokatorów w miejscu, które darzyła takim sentymentem, ale trzeba było spojrzeć prawdzie w oczy – z dorywczych prac swoich i Krzysia nie byłoby jej stać na opłacenie komornego za tak duże mieszkanie. Toteż gnieździli się w dawnym gabinecie męża, w otoczeniu artefaktów dawnej świetności, a jej zgorzknienie i poczucie bezsilności narastało.

Wraz ze ślubem Krzysia problem mieszkaniowy powrócił. Nie było możliwości, żeby pomieścili się we trójkę w jednym pokoju, do tego kompletnie pozbawionym funkcjonalności i choćby odrobiny wolnej przestrzeni. Basia, czując ponadto głęboką niechęć teściowej, nie brała pod uwagę, że mogłaby się do niej wprowadzić. Państwo Drapczyńscy mieli warunki i chęci, by przyjąć młodych pod swój dach, jednak tym razem to Krzyś nie chciał przystać na podobne rozwiązanie. Tłumaczył Basi, że jednak wolałby zamieszkać bliżej schorowanej matki, wszak: „Ona nie ma nikogo prócz mnie" – mówił. Rozwiązanie problemu mieszkaniowego młodego małżeństwa nadeszło samo. I to w samą porę. W domu przy Hołówki zwolniło się jedno z mieszkań. Maleńkie, dwuizbowe, ale z jasną, całkiem sporą kuchnią. A co najważniejsze – samodzielne!

Komorne przewyższało zdolności finansowe Krzysztofa, toteż z pomocą młodym przyszedł pan

Drapczyński. Wciskając pieniądze w dłoń zawstydzonej córki, która na początku nie chciała się zgodzić na wsparcie, ojciec uspokajał ją słowami:

– Staniecie, Basiu, z Krzysztofem na nogi, to mi zwrócisz. Na początku małżeństwa zawsze jest ciężko, a w dzisiejszych czasach to już wyjątkowo. Rodzice są od tego, by dzieci wspierać.

Ta doraźna darowizna miała się jednak przekształcić w stałą, comiesięczną pomoc, chociaż Krzysztof czuł się faktem braku samowystarczalności głęboko zawstydzony. Ale cóż było począć? Musieli gdzieś zamieszkać, zatem honor należało schować do kieszeni.

Od początku niepisana umowa zakładała, że do nowego lokum za jakiś czas wprowadzi się także Stefania. Za jakiś bliżej niesprecyzowany czas, kiedy młodzi się sobą nacieszą i się urządzą. Poza tym matka nie była specjalnie rada z pomysłu ewentualnej przeprowadzki. To Krzysztof ją namawiał. Czuł, że bardzo przeżywa jego małżeństwo, dlatego w ramach niejakiej rekompensaty, pragnął widzieć matkę przy sobie. Uważał też, że wspólne mieszkanie sprawi, że lepiej pozna ona Basię i się do niej przekona. Oślepiony własną miłością, nie wyobrażał sobie, aby Stefania w końcu nie zaakceptowała jego żony...

Jeszcze przed ślubem państwo młodzi otrzymali od właściciela klucze do ich nowego gniazdka. Pusta przestrzeń zapełniła się meblami przeniesionymi ze składowiska w dawnym mieszkaniu matki i syna. Było ich aż nadto, a wiele jeszcze zostało pod starym numerem. Na ścianach zawisły ciekawe czarno-białe grafiki i kolorowe akwarele Krzysztofa, których matka miała całe szuflady, oraz nowoczesne obrazy ze zbiorów Baczyńskich – Stefa nie lubiła malarstwa klasycznego i miała ogromne wyczucie w kwestii doboru sztuki.

Dwie izdebki w nowym mieszkaniu kiedyś pewnie tworzyły jedną dużą przestrzeń. Lecz widocznie któryś z poprzednich lokatorów postanowił zmienić układ wnętrza, bo teraz przedzielała je licha ścianka działowa, stanowiąca tylko pozorną, bo zupełnie niedźwiękoszczelną, przegrodę. W większym pomieszczeniu, tuż przy wyjściu na balkon, stanęło stare biurko ojca, a vis-à-vis – przykryty szarą narzutą tapczan. W zamyśle miał to być pokój dzienny, sypialnia małżeńska i gabinet Krzysia. W drugim pokoiku prócz książek i małej komody, nad którą dumnie zawisła szabla Stanisława Baczyńskiego wraz z jego zdjęciem w mundurze, postawiono szaro-niebieską, rozkładaną amerykankę – „gdyby jednak mama zechciała u nas przenocować".

Właśnie do tak urządzonego lokum w dzień po swoim ślubie zawitali Basia i Krzysztof.

Stanęli na progu rozpromienieni, z pakunkami pełnymi jedzenia pozostałego po weselu. Krzysztof z bijącym z radości sercem wziął pannę młodą na ręce. Zaraz obraz jego szczęścia miał się dopełnić poprzez obecność pani Stefanii. Był bowiem przekonany, że jej przygnębienie już minęło i przywita ich w domu. Chlebem i solą? Może nawet z uśmiechem?

Czuł się rozczarowany jej wczorajszym zachowaniem, ale bezgraniczne uczucie wygrywało z wszelkimi żalami. Pragnął zacząć nowe życie w obecności dwóch najbliższych mu istot, uważając, że spełnienie istnieje tylko wtedy, gdy można je dzielić. Basia także postanowiła nowy rozdział życia zacząć bez uprzedzeń. Jakże byłoby cudownie znaleźć w matce ukochanego mężczyzny przyjaciółkę...

Przekroczywszy jednak próg mieszkania, ich marzenia prysły. Zamiast Stefanii w drzwiach przywitała ich dojmująca cisza.

★ ★ ★

Nic nie zapowiadało nadchodzącej burzy. Stefania po trzech dniach, niczego nie tłumacząc, po prostu przeniosła swoje rzeczy do mieszkania syna. Ani słowem nie wspomniała, co robiła ani gdzie była przez cały ten czas. Nie zapytała Krzysztofa, jak się udało wesele ani też jak się czuje w nowej roli. Natomiast obecność Basi kompletnie ignorowała. Wszelkie próby zainicjowania przez dziewczynę rozmowy zbywała, odpowiadając na pytanie bezpośrednio Krzysiowi lub w ramach łaski zwracając się do synowej monosylabami. Przy tym niezmiennie zachowywała dystans, tytułując ją „panią". Mimo że Basia już przy pierwszej sposobności poprosiła, by teściowa mówiła do niej po imieniu. Jednak na tę grzeczność zabrakło chęci ze strony kobiety, a także nie padła w rewanżu zachęta do tytułowania jej „mamą". Dlatego synowa tak lawirowała podczas rzadkiej wymiany zdań między nimi, by całkiem pomijać właściwą formę osobową.

Pragnienie znormalizowania stosunków z każdym dniem powoli umierało w sercu Krzysztofa. Matka, jakby chcąc pokazać, kto jest panią tego domu, z miejsca zaanektowała kuchnię, nikomu nie dając do niej dostępu. To ona gotowała, zarządzała pranie, ona strofowała Basię – nigdy Krzysia – o nieporządek. O jakiejkolwiek intymności między młodymi nie mogło być mowy. Stefania, nie bacząc na nic, wchodziła do ich pokoju o każdej porze dnia. A to, żeby coś przynieść, wynieść, uprzątnąć. A to, żeby zapytać o coś syna lub po prostu bez słowa rozsiąść się na tapczanie, rzucając w stronę synowej nienawistne spojrzenia sponad czytanej książki czy robótki.

Mimo że między kobietami na razie jeszcze nie dochodziło do jawnych przejawów agresji, atmosfera była niezwykle przytłaczająca. Basia znosiła ją z trudem, lecz nadal zaciskała zęby. Wychowana na grzeczną i kulturalną pannę, miała w sobie głęboko zakorzeniony szacunek do starszych. Nie potrafiła i nie chciała urazić starszej kobiety, więc każde ociekające jadem słowo wypowiedziane pod jej adresem – najczęściej pozornie niewinne – zbywała milczeniem.

Krzysztof nie był ślepcem i bardzo przeżywał te ciche domowe burze. Starał się jak najczęściej przebywać z Basią poza domem – u jej rodziców lub u wspólnych przyjaciół – i wracać na Hołówki tuż przed godziną policyjną. Coraz częstszy smutek wypisany na twarzy żony głęboko go jednak dotykał. Próbował porozmawiać z matką – bez efektu – a żonę otaczać jeszcze większą estymą niż dotychczas. Doceniała jego wysiłki, a jednak łzy potrzebowały mieć gdzieś ujście. Nie chcąc obarczać go własnym smutkiem, wypłakiwała się w ramię Jadzi Klarnerówny: „Nigdy nie mieszkaj z teściową"[11].

Krzysztof coraz gorzej znosił domowe napięcia. Dlatego z utęsknieniem i nadzieją oczekiwał momentu, kiedy wyjadą z Basią do Radości. Planowali spędzić tam dwa miodowe tygodnie na przełomie

---

[11] Zapis prawdziwych słów Barbary Baczyńskiej. Źródło: W. Budzyński, *Taniec z Baczyńskim*, Prószyński i S-ka, 2001.

czerwca i lipca. Miał nadzieję, że wśród pól i lasów na chwilę zapomną o atmosferze panującej w domu. Stefania będzie miała czas, by także nieco ochłonąć. Czas... Potrzebny im tylko czas, który wszystko wygłuszy, wyłagodzi. W swojej spokojnej naturze Krzyś, zaślepiony miłością do obu kobiet, nie przewidział, że woda wstrzymywana sztucznie usypaną tamą w przyszłości może trysnąć ze wzmożoną siłą.

★ ★ ★

Zapach traw zdawał się przenikać splątane, nagie ciała. Długie źdźbła poruszane delikatnym powiewem zamykały dwójkę kochanków w objęciach falującego morza traw i odgradzały ich od wszystkiego, co ziemskie. Miłosne odgłosy mieszały się ze świergotem ptaków dochodzącym z pobliskiego lasu i jednostajnym brzęczeniem owadów.

Westchnienie spełnienia wypełniło polanę i Krzysztof opadł zmęczony na plecy. Przygarnął do siebie Basię i oślepiony słońcem zamknął oczy. Kropelki potu połyskiwały na jego skórze, na ustach rozkwitał wyraz szczęścia. Ramię oplatało szczupłe plecy żony wtulonej w jego bok.

Basia po raz pierwszy przy mężu czuła się skrępowana swoją nagością. Blade ciało intensywnie odcinało się na tle jaskrawej zieleni. Krzyś wyczuł jej napięcie, kąciki ust zadrżały wesoło.

– Wstydzisz się, Baś? – zapytał, obserwując, jak dziewczyna stara się dyskretnie naciągnąć rozpiętą w przypływie namiętności letnią sukienkę.

Zerknęła na niego zarumieniona.

– Czego się wstydzisz? Nikt nas tu nie widzi. Może tylko te dwa bociany. – Wskazał na niebo.

– Jednak to takie dziwne, że my... tutaj... A jeśli, mimo wszystko, ktoś nas zobaczył?

– To cóż z tego?

– Sama nie wiem, tak nie wypada. Zachowujemy się jak para dzikusów.

Zaśmiał się, wsuwając dłoń w jej zmierzwione włosy. Pachniały łąką, rozpaloną ziemią i miłością.

– Ależ pani Baczyńska, nie tylko wypada, ale nawet należy. Jeśli nie z małżeńskiego obowiązku, to chociażby dla sztuki. Pamiętaj Baś, że jesteś moją muzą. A muza powinna stanowić niesłabnącą inspirację dla poety.

Uniosła się na łokciu i zajrzała w jego wpółprzymknięte oczy.

– Nie chcesz chyba powiedzieć, że o tym, co tu robiliśmy, napiszesz wiersz? – zapytała przestraszona.

– A czemu by nie? Czyż to nie jest najpiękniejsza sceneria dla wiersza? Czy ty nie jesteś piękna? – Mówiąc ostatnie zdanie, uchylił szerzej jedno oko i łypnął nim wymownie na drobną, dziewczęcą pierś.

– Jesteś nieznośny. – Zaśmiała się, próbując zasłonić nagość.

– Jestem nieznośnie zakochany. – Pociągnął ją do siebie i złożył kilka pocałunków w zagłębieniu obojczyka. – A wiersz mógłby się na przykład zaczynać jakoś tak… – Zamarł w pół kolejnego pocałunku, po czym z jego ust popłynął swobodny potok słów:

> *Nie wstydź się tych przelotów*
> *pełnych płomieni białych,*
> *tych dźwięków a niestałych,*
> *takich jak w burzy złoto…*

Basia zasłuchana patrzyła na męża.

– Nie wstydź się? – powtórzyła za nim.

– A nie wstydzisz się? – spytał rozbawiony. Skupienie wyżłobiło cienką linię na jego czole.

Basia znała ten grymas na twarzy ukochanego i wiedziała, że w jego głowie właśnie rodzą się kolejne strofy.

– A dalej brzmiałby tak:

> *Nie wstydź się…*

Ważąc kolejne słowo, spojrzał na Basię zawadiacko.

...cnoty. Ona,

choć jej nadali ciało

zbrodni – toć jej za mało,

czeka nie napełniona

jak dzban – to kształt jej nadaj...[12]

– Jak ty to robisz, że tak naprędce potrafisz sformułować własne myśli? – zapytała, gdy słowa wybrzmiały.

Krzyś połechtany komplementem zrobił niewinną minę.

– To dzięki tobie. Ty jesteś moim natchnieniem. A jeśli już przy tym jesteśmy... Sądzę, że aby skończyć ten wiersz, potrzebuję jeszcze nieco inspiracji.

Kolejna fala „białych płomieni" splotła ciała kochanków, wypełniając polanę na powrót „dźwiękami niestałymi".

„Czy istnieje stopień jeszcze wyższy od słowa najszczęśliwsza?" – rozmyślała Basia, tonąc w zieleni traw i w pocałunkach Krzysztofa, nim ostatecznie poddała się namiętności.

★ ★ ★

Kiedy właściciele pensjonatu w Radości dowiedzieli się, że miejsca na letnisko szukają nowożeńcy,

---

[12] *Nie wstydź się tych przelotów...*, tomik wierszy *To jestem cały ja*, Agencja Wydawnicza „AD OCULOS", Warszawa–Rzeszów 2007.

zaoferowali im swój najlepszy pokój. Usytuowany z boku piętrowej, drewnianej willi, posiadał wyjście na oszkloną werandę i dalej do ogrodu, za którym rozciągała się ściana sosnowego lasu. Przestronna sypialnia prócz uroczego widoku za oknem posiadała jeszcze jeden atut. Oddalona była od innych pokoi gościnnych, które w większości znajdowały się na piętrze. Basia i Krzysztof nie wpadali zatem na innych pensjonariuszy i delektowali się ciszą oraz intymnością.

Dnie spędzali zazwyczaj na spacerach. Potrafili godzinami błądzić po lesie, bowiem pachnące sosnowe powietrze wyjątkowo służyło Krzysiowi i prawie zupełnie przestał kasłać. A wieczorami zasiadali w wiklinowych fotelach na werandzie, by w blasku naftowej lampy czytać, rozmawiać lub, po prostu trzymając się za ręce, obserwować taniec cieni, który po zmierzchu, w akompaniamencie świerszczy, wykonywały dla nich niestrudzone ćmy.

Dni upływały im leniwie, a miłość mieszała się z poezją. Basia odnosiła wrażenie, że ten sielski, wiejski świat uśpiony upałem, tak przecież nieodległy od stolicy, znajduje się w jakiejś innej, oddalonej galaktyce, poza czasem, poza granicami rzeczywistości. Jest tylko sennym marzeniem, nierealną, bo zbyt piękną, bajką. Słodkawy zapach sosnowej żywicy niemal zupełnie wyparł z jej pamięci obraz

Warszawy i powiewających nad nią nazistowskich flag, zamazywał widok mieszkania przy Hołówki i kobiety w czerni siedzącej nad stołem z zaciśniętymi nieżyczliwie ustami. Ani razu nie obudziła się w nocy, ani razu nie przestraszyła się dźwięków dochodzących zza okna. Z jednej strony wiele by oddała, żeby tu zostać, by móc trwać w stanie zawieszenia, w błogim upojeniu. Z drugiej jednak wiedziała, że to, czego doświadczają z Krzysiem w Radości, to tylko zabawa w życie, zagrane na skrzypcach świerszczy *interludium* w codzienności, które musi wybrzmieć, musi dobiec końca. Bowiem tylko tam, w murach miasta, może się dokonać ich przeznaczenie. Tam są z Krzysztofem przypisani, tam jest wszystko, o co powinni zawalczyć. Zresztą Warszawa – zazdrosna kochanka – nie pozwoliła im o sobie zapomnieć.

Pani Stefania, przesyłając Krzysiowi list, zakłóciła zakochanym krótką chwilę szczęścia.

Ich pobyt chylił się już końcowi. W ciągu dnia nad Radością przeszła intensywna, letnia burza i spadł deszcz, który wraz z wieczorem zaczął unosić się oparami nad rozgrzaną ziemią. Basia i Krzysztof po wycieczce przerwanej przez ulewę wrócili do pensjonatu wcześniej i całe senne popołudnie zamknęli w dotyku spragnionych rąk. Później, zmęczeni zasiedli w fotelach na werandzie.

On w małym notesie coś pisał, ona, oparłszy stopy na kolanach męża, czytała. I wtedy usłyszeli dyskretne pukanie do drzwi. To była właścicielka willi. W ręce trzymała kopertę. Przepraszała, że przekazuje pocztę dopiero teraz, listonosz przyniósł list już koło południa, ale nie wiedziała, że młodzi państwo wrócili. Basia podała przesyłkę mężowi. List napisany dłonią Stefanii zaadresowany był wyłącznie do syna. Na widok pisma matki Krzyś się uśmiechnął i porzucając pracę, z miejsca przystąpił do czytania.

Obserwowała go w milczeniu. Początkowa radość lśniąca w jego oczach wraz z kolejnymi linijkami tekstu ustępowała miejsca przygnębieniu. Gdy skończył lekturę, wyglądał na głęboko poruszonego. Niepytany przez żonę o zawartość listu, odezwał się pierwszy:

– Pamiętasz tego dzieciaka państwa Matuszewskich, tego Stefcia z pierwszej klatki? – zaczął bez wstępów.

Basia jeszcze nie zdążyła poznać nazwisk wszystkich sąsiadów zamieszkujących dom przy Hołówki, ale chłopaka kojarzyła.

– To taki urwis od chmur nawracania – mówił dalej Krzyś. – Ale do rany przyłóż. Wysoki i chudy jak tyka, wyglądał na jakieś szesnaście lat, ale chyba nie miał nawet czternastu.

– Pamiętam. Zawsze już z daleka mi się kłania. Blondynek, piegowaty, uśmiechnięty, ale widać że ma diabła za skórą.

– Miał – sprostował zdławionym głosem Krzysztof.

– Miał...? – Poczuła w żołądku nieprzyjemny skurcz.

– Mama pisze, że wczoraj była na jego pogrzebie. Zresztą połowa mieszkańców naszego domu była obecna. Taka tragedia... Pani Matuszewska podobno nad grobem na cały cmentarz płakała, rzucała się na trumnę. A przy tym tak wyklinała Niemców, że aż się żałobnicy bali, iż ktoś niepowołany to usłyszy.

– Co się stało?

Krzyś wziął oddech.

– W tamtym tygodniu, w poniedziałek, chłopaka wraz z innymi pasażerami żandarmi wyciągnęli z tramwaju, gdzieś w Śródmieściu. Starszych poustawiali pod ścianą i po kolei sprawdzali kenkarty. A potem wrzucali na ciężarówkę... Dzieci rzekomo chcieli wypuścić. Ale Stefek zamiast poczekać spokojnie, aż go wylegitymują, przeszukają, to pokręcił się nerwowo, a wreszcie dawaj w nogi. Nie ubiegł nawet dziesięciu metrów, kiedy dostał strzał prosto w tył głowy. Trup na miejscu.

Basia poczuła jak coś gryzie ją w gardle, jak oczy zaczynają boleśnie szczypać. Zacisnęła usta, spuściła głowę. Nie wiedziała, co powiedzieć.

– Z tego co mówią ludzie, Niemcy znaleźli przy nim broń i lewe papiery. Jakieś konspiracyjne meldunki podobno przewoził. – Umilkł.

Las przestał pachnieć igliwiem, a świerszcze, przerywając koncert, zamarły w ciszy. Mrok zapadający nad ogrodem i tonący we mgłach już nie wydawał się pięknym zjawiskiem. Teraz był groźny i nieprzenikniony.

– Czternaście lat… – wyszeptała wreszcie Basia. – Czy teraz już nawet dzieci włącza się do walki? Boże, Krzysiu, to naprawdę jeszcze dzieci…

– To nie są już dzieci, kochanie, to są ludzie, którym dzieciństwo odebrano, a którzy jednak są na tyle zdeterminowani, żeby się temu przeciwstawić. – Zadumał się. – Za każdym razem, gdy słyszę o kolejnej młodej ofierze, czuję wstyd.

– Wstyd?

– Kiedy ten chłopak niosący meldunek konał na ulicy, ja być może pisałem kolejny wiersz. Nie mogę przestać pisać, ale nie mogę też dłużej udawać, że świat nie istnieje poza moją poezją.

– Rozmawialiśmy już o tym…

– No właśnie. Ja tylko rozmawiam. Rozmawiam… A to Stefan leży teraz z kulą w głowie. Czas nam, Basiu, wracać do Warszawy. Czas wrócić na ziemię.

★ ★ ★

To było kompletne nieporozumienie. Ona wcale nie zamierzała stłuc „ulubionego" talerza pani Stefanii. Nie zrobiła tego celowo. Naczynie po prostu wysunęło się jej z rąk podczas wycierania. A te ubrania teściowej, które przyniosła z suszarni, poskładała w kostkę, bo myślała, że tego życzyłaby sobie właścicielka. Skąd mogła wiedzieć, że zagnieceń po złożeniu nie da się później rozprasować? Ulubioną zupę szczawiową Krzysia też posoliła tylko raz, więc to niemożliwe, żeby zupa była niezjadliwa. Chyba że kiedy wyszła z kuchni, jakiś nielitościwy „chochlik" posolił ją raz jeszcze? Celowo...

Płomień w domowym ognisku państwa Baczyńskich buchał z taką siłą, że tworzył w małym mieszkanku złudzenie piekła. A temperatura była nie do zniesienia i bez emocjonalnych eksplozji, bowiem lipcowe upały nie chciały odpuścić. Zachodnia wystawa okien mieszkania także nie ułatwiała sprawy. Basia bezustannie otwierała drzwi balkonowe, by wpuścić nieco świeżego powietrza i głębiej odetchnąć. Teściowa zamykała je z trzaskiem. „Czy p a n i nie zdaje sobie sprawy, co się stanie, jeśli Krzysia zawieje?! – rzucała podniesionym głosem. – Lato, nie lato, przeciągi mu szkodzą. Jakąż to trzeba być ignorantką, żeby tak własnego męża narażać!". Według Stefanii to właśnie przez żonę Krzysztofem co noc wstrząsały teraz silne ataki astmy, to przez nią wyglądał tak blado. Oczy miał podkrążone, oddech płytszy. Przez nią wyglądał na przygaszonego i nieszczęśliwego. To przez nią! Zupełnie jak wtedy, wiosną…

Od powrotu nowożeńców z Radości, Stefa zmieniła front. Dotychczasowe działania zaczepne przekształciły się w jawną ofensywę. Słowa ostre jak brzytwa, zazwyczaj wywołane jakąś błahostką, siekały niewielką powierzchnię czterdziestu metrów kwadratowych i celnie uderzały w Basię. Jej jedyną obronę nadal stanowiła tarcza zaciśniętych w milczeniu ust, ale na szczęście coraz częściej także pierś męża. Dziewczyna nie potrafiła sama się odciąć teściowej, ale Krzysztof nie był bierny i niejednokrotnie stawał w jej obronie. A to z kolei dodatkowo rozjuszało agresora. Krąg wzajemnej niechęci się zapętlał.

Z pozoru wszystko wyglądało jednak jak dawniej. Młodzi Baczyńscy nadal prowadzili aktywne życie towarzyskie. Spotykali się z przyjaciółmi podczas wieczorów literackich, często także bywali u teściów. Cieszyli się latem, starali się uciekać w świat wewnętrznych przeżyć. A mimo tego przyszłość zdawała się coraz szybciej zasnuwać ciemnymi burzowymi chmurami.

Jak wszyscy ze zgrozą słuchali doniesień o poczynaniach Niemców w dzielnicy żydowskiej. Wraz

z końcem lipca okupanci rozpoczęli masowe oczysz-
czanie zamkniętego terenu Warszawy z jego mieszkańców. Z *Umschlagplatz* wyjeżdżały wypełnione po
brzegi ludźmi składy wagonów towarowych, a ulice
getta spłynęły krwią kilku tysięcy pomordowanych.
Tych, którzy pozostali przy życiu, wysiedlano rzekomo na wschód – zalecając zabranie do piętnastu
kilo bagażu podręcznego, w tym złota i kosztowno-
ści, oraz zapasu żywności na trzy dni – ale nikt nie
miał najmniejszych wątpliwości, że stacją końcową
tragicznej podróży jest Treblinka. Zamysły okupanta, które dotąd stanowiły zaledwie niewiarygodną
hipotezę, teraz weszły w etap realizacji.

Krzysztof pod wpływem tych wydarzeń – do-
tykających go bezpośrednio ze względu na własne
korzenie – znowu częściej zaczął widywać się z Jurkiem Weintraubem. Dzielił z nim nie tylko miłość
do poezji, drugie imię – Kamil – lecz także żydow-
skie pochodzenie.

Poznali się dwa lata wcześniej, podczas jakiegoś
spotkania przy Nowogrodzkiej u Staszka Dobro-
wolskiego, którego Krzyś znał jeszcze sprzed wojny.
W mieszkaniu znajomego godzinami rozprawiano
o literaturze i sprawach bieżących, ale także bawiono
się, popijając to, co akurat było dostępne: namiast-
kę herbaty lub kawy, czasami bimber, prawdziwą
„monopolkę", a od wielkiego dzwonu nawet wino,

którego największym koneserem był Krzyś. W oparach papierosów i wzniosłych dysput tworzono ekwiwalent normalności. Budowano pozory młodzieńczej beztroski, kradnąc krótkie chwile z czasu obarczonego śmiertelnym piętnem.

Podczas jednej z przegadanych, lub może raczej, przehulanych nocy, Jurek Weintraub, wpadł na pomysł stworzenia „Wydawnictwa Lokatorów Przyszłości". Wysoki i chudy, o oczach błyszczących chorobą, uwielbiał żartować. Wydawnictwo stanowiło właśnie taki żart. Poetycka inicjatywa miała na celu zrzeszenie młodych adeptów literatury, lecz przede wszystkim ułatwienie im zaistnienia w druku. Naturalnie nawet taka niewinna sztubacka zabawa, która bardziej przypominała granie na nosie okupantowi niż profesjonalne działanie, obarczona była ryzykiem aresztowania i rozstrzelania. Więc dla zmylenia przeciwnika zbiorki opatrzono datą wsteczną – trzydziestego dziewiątego roku. Dzięki „Lokatorom" Krzyś opublikował kilka wierszy w zeszytach literackich. No i przede wszystkim zyskał nowego przyjaciela.

Weintraub, pięć lat starszy od Baczyńskiego, z chwilą utworzenia getta także pozostał po aryjskiej stronie. Jednak o ile wygląd jasnookiego Krzysia nie nastręczał mu trudności w codziennej egzystencji, o tyle przyjaciel o wyraźnie semickich rysach zmuszony był błąkać się po różnych lokalach, myląc za sobą tropy rozjuszonej niemieckiej hordy. Te częste przeprowadzki, także poza miasto, utrudniały przyjaciołom spotkania, zatem Krzyś z ogromną radością przyjął informację, że Jerzy znowu jest w Warszawie i zaprasza go do siebie wraz z żoną.

Nowe mieszkanko Weintraubów znajdowało się na Starym Mieście w jednej z obskurnych kamieniczek. Nad ciasną ulicą unosił się zapach zatęchłego powietrza i wilgoci. Wiekowe mury spuchnięte od nadmiaru wody i brunatne nacieki pleśni wijące się po elewacji w promieniach lipcowego słońca sprawiały wrażenie ożywionej masy. Samo lokum także prezentowało się bardziej niż skromnie. Prócz jednej izby składało się z niewielkiej kuchni, która służyła małżonkom również za łazienkę. Za powieszoną na sznurku zasłonką ustawiono balię z wodą i nadtłuczone lustro, a spartańsko urządzony pokój z trudem mieścił wąskie łóżko, stół i wysłużoną szafę. Całość tworzyła scenerię nad wyraz przygnębiającą. Przebywanie w takim otoczeniu – jak szybko skonstatował Krzyś – musiało mieć wyjątkowo zgubny wpływ na chorego na gruźlicę Jerzego.

Zawstydzony swoim położeniem gospodarz już w drzwiach zaczął się tłumaczyć nowo przybyłym:

– Okropna nora, nieprawdaż? Ale to tylko tymczasowo. Szukamy czegoś wygodniejszego, chociaż w naszej sytuacji to niełatwe. Z moim wyglądem pieniądze nie zawsze załatwiają sprawę. – Na jego ustach zagościł smutny uśmiech. – Zresztą kiedy tutejsi sąsiedzi zaczną na mnie krzywo patrzeć, a na pewno zaczną, znowu będziemy musieli się z Joasią szybko wynosić. Ludzie teraz bardzo się boją, a Żyd w kamienicy to dla nich tylko kłopoty…

Baczyńscy pokiwali ze zrozumieniem głowami. Od chwili kiedy na mieszkańców getta padł strach przed wywózką, coraz więcej osób wiedzionych instynktem samozachowawczym przedostawało się na aryjską stronę. W piwnicach, na poddaszach i w pokojach, których wejścia dla niepoznaki zastawiano szafami lub częściowo zamurowywano, zaroiło się od czarnookich, wychudzonych cieni. Wielu warszawiaków bez oporu udzielało schronienia uciekinierom. Jednak byli i tacy, którzy z obawy o własne bezpieczeństwo nie wahali się wyjawiać kryjówek nadprogramowych lokatorów. Podejrzenia Jurka były więc uzasadnione. A przecież jeszcze do niedawna spotykał się z Krzysiem w miejscach publicznych. Tymczasem teraz o spacerach, które urządzali sobie na początku okupacji, nie mogło być mowy. Mimo cudownej, letniej aury przyjaciel Baczyńskich zmuszony był niemal cały czas spędzać w zamknięciu.

Po serdecznym powitaniu Jerzy zaprowadził gości do pokoju. Pani Joanna postawiła na stole dzbanek z herbatą – która jednak ani wyglądem, ani zapachem nie przypominała tego szlachetnego napoju.

– I jak wam się wiedzie, Krzysiu? – zagaił Jerzy, kiedy żona napełniła ich filiżanki.

– Cóż, nie jest lekko – odparł, zerkając na przygaszoną nieco Basię, siedzącą tuż obok.

– I mówi to świeżo upieczony mąż? – Zaśmiał się krótko gospodarz.

Spojrzenia Baczyńskich się skrzyżowały. Basia uważała ich domowe problemy za zbyt wstydliwe, by otwarcie o nich rozmawiać. Tym bardziej, że Weintraubów widziała dotąd zaledwie kilka razy.

Krzyś widocznie zrozumiał tę niemą sugestię, gdyż chwytając czule jej dłoń spoczywającą na stole, rzekł po namyśle:

– Och, nie myślę tu o mnie i Basi. Nasz ślub to w ostatnim czasie jedyna rzecz, która przynosi mi radość. Zresztą mniejsza o to. Lepiej powiedzcie, jak wy sobie tutaj radzicie?

– Bywało lepiej. – Jerzy wzruszył ramionami. – Od początku okupacji mieszkałem już w tylu miejscach, że trudno by zliczyć. Czasami trafi się coś porządnego, a czasami... – Powiódł wymownie wzrokiem po odrapanych ścianach. – Osiągnąłem już taki stan zobojętnienia, że przestałem zwracać uwagę, w jakich warunkach mieszkam. Czy raczej: wegetuję... Grzyb czy brak bieżącej wody to najmniejszy problem, najgorsze jest to bezustanne uciekanie, zacieranie śladów, ciągłe nasłuchiwanie, czy już po mnie nie idą. Ciężko jest znieść tę izolację, to osamotnienie. Mam wrażenie, że ciągła ucieczka w obawie przed aresztowaniem wcale nie sprawia, że jestem wolny. Każde kolejne mieszkanie jest jak więzienie. Nie umiem żyć w oderwaniu od ludzi, duszę się...

Przy stole zaległa cisza. Jerzy, zawsze tak wesoły, dowcipny, wyglądał w tej chwili na naprawdę przybitego. Widocznie Joanna uznała, że szczerość męża może zawstydzać gości, bo postanowiła zmienić temat:

– Pisze pan coś teraz? – odezwała się do Krzysia. – Po ślubie pewnie ciężko się zmobilizować, tyle nowych obowiązków na głowie.

Krzysztof się rozpromienił.

– Jeśli chodzi o wiersze, to nie narzekam. Przez ostatnie pół roku napisałem ich chyba więcej niż dotąd.

– Naprawdę? – Ucieszył się Jerzy. – To wspaniale. Niemniej szkoda by było, gdyby zalegały po szufladach. Nam już się zapewne nie uda wskrzesić „Lokatorów Przyszłości", a ty powinieneś mieć gdzie publikować.

– Krzyś miał pewną propozycję... – wtrąciła nieśmiało Basia.

Jurek uważnie spojrzał na przyjaciela.

– Kto? Co? Opowiadaj szybko. Ja ostatnio ciągle zamknięty jestem w czterech ścianach i zupełnie nie wiem, co się dzieje w naszym światku.

– Słyszałeś o tym nowym podziemnym miesięczniku „Sztuka i Naród"[13]?

– Wystartowali jakoś niedawno, na wiosnę, tak? Coś mi się obiło o uszy, ale nie miałem jeszcze okazji tego czytać.

– Bo na razie ciężko zdobyć egzemplarz. Wydają go w zeszytach, które odbijają na powielaczu. Chociaż podobno pomysł chwycił i w najbliższym czasie zamierzają to drukować.

Na twarzy Weintrauba odmalowywało się coraz większe zaciekawienie.

– I cóż, myślisz, żeby coś u nich opublikować?

Usta Krzysztofa nieznacznie się skrzywiły. Przez jego jasne oczy przeszedł cień zadumy.

Basia postanowiła wyręczyć męża.

– Krzyś dostał od nich propozycję… Nasz znajomy, Tadek Sołtan, współpracuje z redakcją. Umówił go na spotkanie z Bojarskim i Gajcym. Gajcy też niedawno dołączył do redakcji, po tym jak zajął

---

[13] Konspiracyjny miesięcznik literacki wydawany w Warszawie w latach 1942–1944, ideowo powiązany z organizacją Konfederacja Narodu, wywodzącą się z ONR-u.

trzecie miejsce w konkursie organizowanym przez „Sztukę i Naród".

– I co, spotkałeś się z nim? – Jerzy zwrócił się bezpośrednio do przyjaciela.

– Spotkałem – odparł z wyczuwalną niechęcią.

– Dołączysz do redakcji?

– Nie sądzę.

Odpowiadający monosylabami Krzysztof wyglądał, jakby siedząc z innymi przy stole, równocześnie toczył jakiś wewnętrzny monolog.

W odpowiedzi ponownie wyręczyła go Basia.

– Czy pan się orientuje – zwróciła się do Weintrauba – jaki profil ma to pismo?

– Nie.

– Otóż oni negują całe międzywojnie, Skamandrytów, awangardę. Uważają, że wszystko, co wtedy napisano, było miałkie, nijakie, bez charakteru. Nic niewarte! Twierdzą, że liryzmem słowa nie da się opisać rzeczywistości. Naszej gorzkiej rzeczywistości. I istnieje tylko jedna forma wyrazu, dzięki której można osiągnąć maksimum obiektywizmu: groteska. Tylko drwiną można uderzyć w martyrologię. I trzeba w nią uderzać bezpośrednio, bez niedomówień. Chcą odnowy, rewolucji kulturalnej. Snują jakieś postapokaliptyczne wizje i roją sobie o słowiańskim imperializmie, jakby nie dostrzegali rzeczy im bliższych, mniejszych, a równie istotnych. To nie jest ideologia, z którą Krzyś mógłby się utożsamić.

– Jednak współpraca na poziomie twórczym w niczym by ci, Krzysiu, nie uwłaczała – zauważył Jurek, zerkając na milczącego przyjaciela.

– Tak pan sądzi? – Basia w roli adwokata męża zapalała się coraz bardziej. – A ja twierdzę, że z jednej strony chcieliby widzieć w swoim kręgu Krzysztofa, bo on ma już wyrobioną pozycję w Warszawie, bo został dostrzeżony przez uznanych twórców starszego pokolenia. Lecz z drugiej uważają jego poezję za zbyt patetyczną, zbyt niejednoznaczną, romantyczną i zapewne próbowaliby urobić go na swoją modłę. – Wzięła głęboki oddech. – Krzyś w swoich wierszach nie relacjonuje rzeczywistości wprost, on raczej oddaje jej klimat. Nie trzeba groteski, by ją negować. Równie dobrze można osiągnąć podobny efekt poprzez delikatne pociąganie za właściwe struny nastroju odbiorców. Poprzez bogactwo metafor i aluzyjność. Nie potrzeba drwiny i sztucznych póz. Krzyś tego nie potrzebuje. Jego poezja jest doskonała w takiej formie, w jakiej ją tworzy.

– A kto dokładnie współpracuje z redakcją? – Weintraub zmienił nieco temat.

– Oprócz Gajcego i Bojarskiego rzekomo Trzebiński, Stroiński… – odezwał się wreszcie Krzyś. –

Mnie po prostu z nimi nie po drodze. A poza tym nie podoba mi się, że to wszystko organizowane jest za pieniądze Konfederacji Narodu. Wiesz, że ja się w politykowanie już dawno przestałem bawić. Z lewicy wyrosłem, a z taką prawicą jak ta też mi nie po drodze.

– Krzysiu, ale ty chyba zdajesz sobie sprawę, że podobna oferta drugi raz może się nie powtórzyć. Zresztą dobrze wiesz, jak to jest w naszym otoczeniu: kto nie z nami, ten przeciwko nam. Sympatia kolegów literatów na pstrym koniu jeździ. Nie boisz się, że odrzucając ich propozycję, narazisz się na ostracyzm? Na własne życzenie zepchniesz na margines środowiska? Twoich kolegów poetów już wystarczająco kłuje w oczy, że to właśnie ty, jako jedyny z młodych, otrzymujesz stypendium literackie.

– Ale przecież ja nie mogę działać wbrew sobie. Nie chcę przynależeć do żadnej z klik. Nie zamierzam iść na ustępstwa, na kompromis z własnym stylem tylko po to, by się komuś przypodobać, by tylko mieć gdzie publikować. A o tym, czy moja poezja jest coś warta, niech zdecydują ci, którzy już na literaturze zjedli zęby. Bardziej mnie interesuje zdanie Iwaszkiewicza, Zagórskiego czy Miłosza niż bandy młokosów na czele z Trzebińskim i Gajcym. Niech sobie uprawiają tę swoją groteskę, niech wzniecają rewolucję kulturalną, ale beze mnie.

W pokoju zapadła cisza. Nikt nawet nie tknął dziwnego naparu, który już dawno wystygł w filiżankach.

Kłopotliwe milczenie przerwała Joanna.

– Ale to byłaby taka szkoda, gdyby pana twórczość nie ukazywała się drukiem. Te zaczytane do granic możliwości odpisy pańskich wierszy krążące po Warszawie na pewno stanowią dla pana, jako artysty, wyznacznik jego wartości. Jednak mimo wszystko druk, to druk.

Krzyś się uśmiechnął.

– Toteż wcale nie zamierzam poprzestać na tej formie publikacji. Planuję wydać coś samodzielnie.

– Zdajesz sobie sprawę, jakie to niesie zagrożenie. Przecież za drukowanie i kolportaż takich rzeczy dostaje się kulkę w łeb – wtrącił Jurek.

– Już postanowiłem. Ojciec Basi zaoferował, że udostępni mi swoje maszyny. Skład mogę zrobić sam. Okładkę również. Albo może poproszę jakiegoś profesjonalnego grafika. No i oczywiście wydam zbiór pod pseudonimem i ze wsteczną datą, dla bezpieczeństwa. Bardziej niż Niemców boję się zresztą, że nakład się nie sprzeda, a nie chciałbym być dłużnikiem teścia.

Pozostała część rozmowy zeszła na techniczne zagadnienia dotyczące druku oraz na temat doboru właściwych wierszy do zbiorku.

Kiedy pokój wypełniła różowa poświata zapadającego wieczoru, Baczyńscy zaczęli zbierać się do powrotu. Zanim podnieśli się od stołu, Jerzy postanowił poruszyć jeszcze jedną sprawę.

– Chciałem się spotkać z tobą, Krzysiu, także z nieco egoistycznych pobudek. – Wstał, otworzył ciężkie drzwi szafy i zanurkował w jej czeluściach. Po chwili wydobył z dna opasłą tekturową aktówkę. Podał ją zaskoczonemu przyjacielowi.

– Co to?

– Rękopisy moich przekładów poezji Rilkego. Te, które tak ci się podobały. Zrobiłem oczywiście odpisy dla Joanny, ale na wszelki wypadek chciałbym, abyś ty także miał swoje egzemplarze.

– Ale dlaczego? Chyba nic ci nie jest? Znowu dokucza ci gruźlica? Zobaczysz, jeszcze mnie przeżyjesz. – Starał się trywializować.

– Krzysiu, drogi przyjacielu, nie ma co się oszukiwać. Moja choroba to teraz fraszka. W każdej chwili ktoś może na mnie donieść. Mogą mnie aresztować, a wtedy Niemcy nie będą się ze mną patyczkować. Sam widzisz, co się dzieje w Warszawie. Nie chcę, żeby śmierć mnie zaskoczyła. Wolę być do niej przygotowany.

– Jerzy, co ty opowiadasz…?

– Bierz i nie dyskutuj. Przechowaj to dla mnie. To są całkiem dobre tłumaczenia. Może kiedyś ci się przydadzą.

Krzysztof wziął do ręki zniszczoną teczkę. Przyjmował spuściznę przyjaciela z oporami, chociaż wiedział, że nie da się dalej zaklinać rzeczywistości. Zapobiegliwość Jurka była uzasadniona. Czuł na sobie oddech śmierci, czuł zapach strachu, który od kilku dni wznosił się nad gettem i docierał nawet tu, na Stare Miasto. Jeśli nie można się było wyrwać z macek przeznaczenia, należało chociaż ocalić dorobek wielu lat pracy.

Przyjaciele żegnali się tego wieczoru wyjątkowo długo, jakby nie mogąc się rozstać. Papiery spoczywające na dnie torby przewieszonej przez ramię Krzysztofa niemal paliły jego bok. Wrażenie, że każde spotkanie może być ostatnim, każda rozmowa pożegnalną, tego wieczoru było wyczuwalne bardziej niż kiedykolwiek wcześniej. Coś dobiegało kresu.

★ ★ ★

Lipiec chylił się ku końcowi. Na wodach Wisły pojawiały się coraz większe łachy piasku, ale upał wciąż nie chciał zelżeć. Podobnie jak niechęć Stefanii do synowej.

Po jednej z kolejnych awantur i nocy przepłakanej w poduszkę Basia, ignorując wystraszone spojrzenie Krzysztofa – oraz triumfujące teściowej – spakowała kilka najpotrzebniejszych rzeczy i o świcie trzasnęła drzwiami. Biegnąc na przystanek tramwajowy, czuła, że jeszcze chwila, a nieszczęście rozerwie jej serce. Nie potrafiła żyć bez Krzysia i wciąż była w nim nieprzytomnie zakochana, lecz trwanie przy mężu równoznaczne było z obcowaniem z jego matką. A tych dwóch rzeczy nawet cierpliwa i uległa Basia nie potrafiła już ze sobą pogodzić.

We łzach dotarła na ulicę Śniegockiej. Bez słowa pomaszerowała do swojego dawnego pokoju, gdzie zamknięta przesiedziała kilka godzin. Dopiero po pewnym czasie wpuściła do siebie matkę. Pani Feliksa od razu zrozumiała, co oznacza porzucony w przedpokoju tobołek i postanowiła odegrać rolę mediatora w małżeńskim – a raczej pozamałżeńskim – konflikcie.

Na nic się jednak zdały prośby i zaklęcia, żeby dziewczynie wrócił zdrowy rozsądek, żeby postarała się Krzysztofa zrozumieć. W końcu on także znalazł się między młotem a kowadłem. Basia była nieprzejednana: „Bo mama nie wie, jakie mi tamta kobieta piekło urządza. Wojna Hitlera to dziecięca igraszka przy tej, która się rozgrywa w naszym domu".

Ich rozmowę przerwał dzwonek do drzwi. Tym razem na progu stanęło drugie z małżonków, z równie grobową miną, rozdygotane, zdenerwowane. Pani Fela wycofała się dyskretnie do kuchni, dając młodym szansę na rozmowę, ale Krzyś tylko poprosił, by żona, zanim podejmie ostateczne decyzje, zechciała gdzieś z nim pojechać.

Niechętnie ruszyła z nim w stronę Śródmieścia. A później dalej, na Żoliborz. Przez całą drogę na Powązki – bo właśnie tam zmierzali – obrażona Basia nie odezwała się do męża ani słowem. Stojąc obok siebie w tramwaju, małżonkowie obserwowali umykający za szybą pejzaż miasta, jakby byli dwójką przypadkowych podróżnych. Jednak kiedy wagonik zatrzymał się niedaleko wejścia na cmentarz, Krzysztof podał wysiadającej Basi dłoń i już jej nie wypuścił. Ona także nie cofnęła ręki. Z jednej strony czuła do Krzysia żal, z drugiej – jej zakochane serce wciąż się ku niemu wyrywało.

Milcząc, przemierzyli alejki wojskowego cmentarza, by wreszcie stanąć przed jednym z pomników.

Krzyś zebrał kilka suchych listków, które opadły na grób z wypalanych lipcowym słońcem drzew, i zapalił zrobiony przez matkę łojowy znicz. Basia przyglądała się tym czynnościom w ciszy.

„A jednak dzisiaj zabrał w to miejsce właśnie mnie, nie ją. I zrobił to na pewno wbrew ich domowej tradycji i ku niezadowoleniu matki" – myślała, czytając litery wykute na prostej i skromnej płycie nagrobnej.

Mityczny ojciec Krzysztofa. Wyidealizowany przez Stefanię, ale również przez syna, któremu ta śmierć nie tyle odebrała rodzica, co duchowego przewodnika. Ojca stanowiącego niedościgniony wzór, ojca – symbol...

Krzyś dokończył sprzątanie grobu i stanąwszy przy żonie, podobnie jak ona z zadumą utkwił spojrzenie w wypisanym imieniu ojca.

– Dlaczego poprosiłeś, żebym tu z tobą przyszła? – rzekła wreszcie. W jej głosie nie było złości ani wyrzutu, jedynie smutek. – Matka na pewno będzie miała ci za złe, że jej nie zabrałeś. A przecież dzisiaj rocznica jego śmierci.

Odwrócił się do niej i przysłonił oczy przed palącym słońcem.

– Chciałem z tobą porozmawiać. Bez świadków. Uznałem, że to będzie najlepsze miejsce. Baś, ja ciebie rozumiem, ale ty także postaraj się zrozumieć mamę.

– Jak mam ją zrozumieć, jak można tę kobietę zrozumieć, tę jej chorą, zaborczą miłość? – żachnęła się, po czym dodała już spokojniej: – Nie potrafię konkurować z waszymi uczuciami. Zawsze będę tą trzecią.

– Nie jesteś trzecią. Jesteś pierwszą, jedyną.

– Sam nie wierzysz w to, co mówisz. Kochasz ją, ja to rozumiem, w końcu to twoja matka. Jednakże miłość do mnie i do niej całkowicie się wykluczają. To jej własne słowa. Nie można równie mocno kochać dwóch kobiet.

– Można. Bo każdą z was kocham inaczej. Ja to wiem, ty także i tylko… Mamie jest po prostu ciężko się pogodzić, że straciła na mnie monopol. Taka już jest. Całe życie wszelkie uczucia przelewała na mnie. Dlatego traktuje cię jak rywalkę, mimo że nią nie jesteś. Ja mam pojemne serce.

– W takim razie jej to wytłumacz. Ja dłużej już nie zniosę takiego traktowania, tej jawnej niechęci, uszczypliwości, tych pretensji o wszystko, o to, że śmiałam wejść w twoje, w a s z e życie… Przecież ja we własnym mieszkaniu czuję się jak *persona non grata*.

– Basiu, nie wiem, czy ona się zmieni, ale ja nie zmienię się na pewno. Nie umiem przestać cię kochać.

Ostatnie słowa zawisły w rozedrganym powietrzu popołudnia. Bez odzewu. Basia spuściła jedynie głowę. Nie da się dyskutować z podobnymi argumentami. I nie da się żyć w domu tak przepełnionym nienawiścią.

– Dlatego chciałem, żebyś tu ze mną przyszła. Chciałem, żebyś spróbowała zrozumieć, czemu jest tak zaborcza, czemu to właśnie ja jestem dla matki taki ważny. Chciałem ci coś powiedzieć tu, nad jego grobem.

Słuchała go w skupieniu.

– Moja matka, odkąd pamiętam, zawsze była zaborcza. Nikogo prócz mnie nie miała.

– A twój ojciec?

– Ojciec…? – Zamyślił się. – Ojciec był niezwykłym człowiekiem, przyjął na siebie wiele ról, ale mężem być nie potrafił. Nigdy ci o tym nie opowiadałem, bo i po co rozgrzebywać zabliźnione rany? – westchnął. Basia widziała, że słowa przychodzą mu z wysiłkiem. – To było bardzo trudne małżeństwo. Pełne wzajemnych żalów, animozji. Dziwne, gdyby je mierzyć obowiązującymi społecznie normami. Pewnie gdyby nie ja, dawno by się rozpadło. Ojciec był wspaniały, elokwentny, nieprzeciętnie inteligentny, oczytany, a przy tym niezwykle przystojny, co zapewne działało na kobiety. A jednak w życiu domowym, osobistym był okropnie apodyktyczny i chłodny. Kochał matkę. Na pewno na początku ją kochał. Ona jego także. To nie było małżeństwo z rozsądku. Poznali się na studiach i ku zdumieniu obu rodzin z miejsca postanowili się pobrać.

– Tak jak my?

– Dokładnie. Może tę niecierpliwość odziedziczyłem właśnie po ojcu – rzucił w zamyśleniu. –

A jednak później coś się popsuło. Długo starali się o dziecko, a kiedy wreszcie się urodziło, wyczekiwane, wytęsknione, szybko zmarło. Śmierć Kamili była zapewne pierwszym gwoździem do trumny ich związku.

– Miałeś siostrę? – Basia ze zdumienia otworzyła szerzej oczy. Jak to możliwe, że Krzyś nigdy jej o tym nie wspomniał? Ile jeszcze rodzinnych tajemnic przed nią ukrywał? I dlaczego? Czy były aż tak bolesne?

– Owszem, miałem siostrę. Chociaż nie dane mi było jej poznać. Zmarła, zanim przyszedłem na świat. Krzysztof Kamil Baczyński... Kamil. To drugie imię odziedziczyłem właśnie po niej. – Umilkł. Przez długą chwilę ze smutkiem wpatrywał się w nagrobek ojca. – A później urodziłem się ja. Po dziesięciu latach od ślubu rodziców, kiedy z ich uczucia niewiele pozostało. Matka całą miłość przelała na wyczekane dziecko. Dziecko, które przeżyło. Na mnie. Obdarowała mnie uczuciem, które powinno przynależeć też ojcu, mojej siostrze... Jednak zostałem jej tylko ja. Ojciec zajął się swoimi sprawami. Długo przebywał poza Warszawą. Jako wojskowy w pierwszych latach niepodległości miał mnóstwo zajęć. Posyłano go w różne części kraju. Podróżował. Ona została ze mną sama. Porzucona, opuszczona. Trochę mieszkała z rodzicami, a na rok wyjechaliśmy nawet do Białegostoku, gdzie przyjęła posadę nauczycielki. Byłem wtedy berbeciem tak małym, że nic z tego nie pamiętam. Tę część naszego życia znam tylko z jej opowieści. Później wróciła tutaj. Ojciec po różnych swoich przygodach także w końcu zawitał z powrotem do Warszawy. Jednak po dawnej miłości nie został ślad. Byli sobie kompletnie obcy. Żyli w separacji, mimo że w następnych latach schodzili się i znowu rozstawali. Nie tylko ze względu na niemożliwe do pogodzenia różnice charakterów... – Zamilkł wymownie. – On miał już swoje życie. Osobne. Rozumiesz, co mam na myśli? Jednak matka w końcu zaakceptowała tamtą kobietę ojca. A nawet, kiedy już chodziłem do szkoły, pozwoliła mu z nami zamieszkać. Oczywiście wyłącznie ze względu na moje dobro, bo nie sądzę, by żywiła jeszcze jakiekolwiek nadzieje, że ich wzajemne relacje się poprawią. Wolała pozory normalności, wolała się nim dzielić z kochanką, niżbym wychowywał się w niepełnym domu. A jak się domyślasz, dosyć egzotyczny to był dom. Będąc dzieckiem, wielu rzeczy tylko się domyślałem. Później ojciec i matka, oboje tacy nowocześni, postępowi, przestali udawać. Wiedziałem, że on prowadzi podwójne życie, ale zupełnie nie rozumiałem, czemu matka się na to godzi. Byłem już całkiem duży, kiedy mi się przyznała. W pierwszych latach małżeństwa, kiedy ojciec zaczął wyjeżdżać w swoich sprawach, ona także znalazła ukojenie w czyichś ramionach. Chociaż zdaje się, że to było coś przelotnego, nieistotnego w jej życiu. Przyznała się ojcu, wierząc, że skoro ona wybaczała i akceptowała jego zdrady, tego samego może oczekiwać w zamian. Ale on jej nie wybaczył, pies ogrodnika, więc matka swoją winę postanowiła odpokutować. Pobożnością, postami, umartwianiem. Chyba czuła się współodpowiedzialna za to, co się między nimi wydarzyło. Może dlatego również akceptowała tamtą kobietę?

– Jak można żyć w ten sposób?

– Nie wiem. Ja także tego nie rozumiem. Może jednak matka wciąż na swój sposób go kochała...? Kiedy ojciec zaniemógł, to właśnie ona, a nie ta druga, zajmowała się nim w chorobie. Z oddaniem, z poświęceniem, bez słowa skargi. Ojciec przed śmiercią bardzo cierpiał, miał raka żołądka. Nie było mnie wtedy przy nim. To działo się zaraz po maturze i mama wysłała mnie do Zakopanego na wakacje. Kiedy ja beztrosko chodziłem po górach, ona zamknęła mu oczy. Nie wiem, czy sobie nawzajem wybaczyli. Przez ostatnie trzy lata nie miałem odwagi jej zapytać.

– Musiała być bardzo nieszczęśliwa. – Basia prawdziwie współczuła Stefanii. Wiele dziwnych zachowań teściowej tłumaczyło to, czego właśnie się dowiadywała.

– Tak. Była bardzo nieszczęśliwa. Jako żona, jako kobieta… Jedyną radość czerpała z macierzyństwa. Wszystko, co robiła, robiła dla mnie. Wszystkie plany i nadzieje, oczekiwania oraz marzenia przelała na jedynego syna.

– A teraz pojawiłam się ja. Rywalka do twojego serca – stwierdziła głucho Basia.

– W pewnym sensie… Przemawia przez nią poczucie straty, bo ona nie jest z natury zła. Myślę, że nie czuje do ciebie niechęci za to, jaka jesteś. Czuje ją, ponieważ w ogóle jesteś. Podobny stosunek miałaby do każdej kobiety, którą bym pokochał. W jej mniemaniu zajęłaś przynależne jej miejsce. Odebrałaś jedyną rzecz, w której upatrywała sensu swojego istnienia. Matka nie rozumie, że zakochując się w tobie, nie przestałem kochać także jej. Że nie przestała być dla mnie ważna. Wszak ty mi jej nie zastąpisz, tak jak ona nie zastąpi mi ciebie. Kocham was obie. Równie mocno. I którejkolwiek z was by zabrakło, czułbym się tak, jakby ktoś wydarł mi kawałek duszy.

Popatrzyła na Krzysia. Zdawał się taki przygnębiony, przybity. Nie potrafiła już ukrywać wzruszenia. Jakże on musiał cierpieć przez to rozdarcie, przez niemożność pogodzenia ze sobą dwóch

najbliższych mu osób. Złapała go za rękę i mocno
ścisnęła.

– Basiu, proszę cię. Błagam! Wróć do domu. Nie
potrafię bez ciebie żyć. Nie mogę trwać w takim zawieszeniu. Jesteś moją żoną, jesteś wszystkim, co mam. Ja
nie popełnię błędów moich rodziców. Nie zaprzepasz-
czę tego, co nas łączy. Jeśli trzeba będzie, wybiorę małżeństwo. Ale nie zmuszaj mnie do podobnego wyboru.

– To nie ja cię do niego zmuszam – powiedziała
łagodnie.

– Więc bądź mądrzejsza od mojej matki. Wy-
trzymaj jeszcze trochę. Obiecuję, że ona się opamię-
ta, że wszystko się zmieni. Spróbuję na nią wpłynąć.
Porozmawiać z nią.

– Wierzysz, że ona się zmieni?

– Zmieni się. Musi!

– Jednak dopóki będziemy mieszkać razem,
wszystko zostanie po staremu.

– Więc się wyprowadzimy, jeśli uznasz to za jedyne rozwiązanie. Nie śmiałbym jej tego zapropo-
nować, nie mogę jej przepędzić. Lecz w ostateczno-
ści to my czegoś poszukamy.

– To nie jest takie proste, nie stać nas…

– Może nie jestem przykładnym i zaradnym mężem, ale w końcu znajdę wyjście z sytuacji. Ten pat
nie będzie trwał wiecznie. Tylko wróć do mnie. Błagam, Basiu, wróć!

★ ★ ★

Krzysztof już od kilku dni planował spotkanie z Jurkiem Andrzejewskim. Chciał zasięgnąć jego rady w sprawie kilku napisanych ostatnio wierszy. Zaprosiłby przyjaciela do siebie, ale atmosfera w domu nie sprzyjała rozmowie, dlatego umówili się na mieście. Nie było go może ze trzy godziny, nie dłużej, lecz kiedy wrócił do mieszkania, od razu zrozumiał, że podczas jego nieobecności między żoną a jego matką znowu doszło do niekontrolowanego wybuchu. Basia płakała nad kuchennym stołem. Pani Stefania siedziała u siebie z zaciętym wyrazem twarzy, wpatrzona w ścianę, którą zdobiło zdjęcie zmarłego męża.

Po pamiętnej ucieczce dziewczyny do rodziców i jej wybłaganym przez Krzysia powrocie przez kilka następnych tygodni panowało zawieszenie broni — w postaci przykrego, choć dającego poczucie pozytywnej zmiany, milczenia obu kobiet. Krzysztof w pozornej obojętności i swoistej rezygnacji, w jaką popadła matka, upatrywał końca ich problemów. Uważał, że każda nienawiść kiedyś się wypali. Jednak ów stan trwał krótko. Stefania nie umiała się pohamować i wraz z końcem sierpnia awantury, wyrzuty i płacze znowu wypełniły niewielką przestrzeń mieszkanka. Tym razem nie pomogły już ani kolejne rozmowy Krzysztofa z matką, ani jego prośby o wyrozumiałość i cierpliwość skierowane do Basi. Miecz Damoklesa zawisł and głową trójki lokatorów, gotowy do rozstrzygającego cięcia.

Zastawszy Basię i Stefanię w stanie wzburzenia, Krzysztof bez słowa wszedł do kuchni. Dalsze chowanie głowy w piasek nie miało sensu. Należało raz na zawsze przeciąć węzeł agresji i przedsięwziąć ostateczne kroki. Przytulił mocno żonę, złożył na jej czole przepraszający pocałunek, a następnie poszedł do matki.

Energicznie zamknął za sobą drzwi i stanął przy oknie. Czuł, że w środku wszystko w nim buzuje. Przez chwilę mierzyli się ze Stefanią spojrzeniem aż wreszcie wyrzucił w jej stronę zduszonym szeptem:

– Co jej znowu mama powiedziała?! Dlaczego Basia płacze?!

– Nic jej nie powiedziałam – odparła bez emocji.

– Mama naprawdę chce mi życie zmarnować?

– Ja tobie chciałam, synku, życie ocalić, to ty sam je marnujesz. Przy tej… – Wąskie wargi wykrzywiły się w niesmaku.

– To nie jest, mamo, żadna „ta", to jest moja żona!

– Ja jej nigdy nie zaakceptuję.

– A ja nigdy nie zaakceptuję mamy wrogości do Basi. Mało było jednego rozbitego małżeństwa w tej rodzinie? Chce mama, żebym i ja był nieszczęśliwy?

– Jak możesz?! – oburzyła się na wzmiankę o swoich stosunkach z mężem.

– Otóż mogę. Bo tego piekła znosić dłużej już się nie da. Schodzimy mamie z oczu, usuwamy się z domu przy każdej okazji. Basia się boi we własnym mieszkaniu głośniej odezwać. Ja nie mogę się skupić na niczym, nie mogę pisać, bo bezustannie mam wrażenie, jakbym siedział na beczce prochu. A mama ciągle niezadowolona, skwaszona, rozdrażniona. Co moja Basia mamie zrobiła, że tak jej mama nienawidzi?

– Po prostu jest.

Mimo że oboje starali się rozmawiać półgłosem, dziewczyna na pewno wszystko słyszała w kuchni. Do ich uszu doszedł dźwięk odsuwanego od stołu taboretu, szybkich kroków w przedpokoju, a na koniec – trzaskających drzwi wejściowych. Krzysztof zamarł. Nie pobiegł jednak za żoną. Gdy zakończy tę rozmowę, także stąd wyjdzie. Być może na zawsze.

Potarł czoło. Czuł się zmęczony. Miał wrażenie, że od dwóch miesięcy w kółko odgrywają z matką tę samą scenę. Ale koniec z tym!

– Ja się z nią nie rozstanę. Niech mama to wreszcie zrozumie!

Na ustach Stefy pojawił się bezbarwny uśmiech.

– Przegrałam – rzekła zrezygnowana.

– Przegrała mama? Przecież to Basia się poddaje przy każdej waszej sprzeczce. Łyka bez słowa wszystkie gorzkie pigułki, które jej mama serwuje.

– Przegrałam…

Nagle wydała mu się starsza. Przygarbiona, malutka. Mimo złości, poczuł w stosunku do niej litość.

– Wszyscy przegrywamy – rzekł już spokojniej. – Dopóki będziemy mieszkać razem. Już zdecydowałem. Nie mogę pozwolić, żeby Basia znowu stąd uciekła, żeby ode mnie odeszła. Nie przeżyłbym tego. Zresztą zaraz zaczynamy studia, powinniśmy się na tym skupić, a w takiej atmosferze ciężko żyć, a co dopiero się uczyć. Dlatego postanowiłem, że się wyprowadzimy. Na razie do jej rodziców. Jeżeli mama nie może ścierpieć jej widoku, to nie ma innego wyjścia.

– Jest.

Krzysztof zmarszczył czoło.

– Nie, mamo, nie ma.

– Jest – powtórzyła stanowczo. – Jeżeli ja już nie mam twojej miłości, jeżeli twoja żona mi ciebie odebrała, to nie jestem tutaj do niczego potrzebna. Jeszcze się łudziłam, że wróci ci rozsądek, że zrozumiesz, iż w życiu jest tylko jedno prawdziwe uczucie, ale się nie doczekałam. Omotało cię to dziewuszysko i nie ma dla ciebie ratunku.

– Nie mów o niej w ten sposób!

– Tak, nienawidzę jej – ciągnęła podniesionym głosem Stefa, nie zwracając uwagi na słowa syna. – Nienawidzę równie mocno, co mocno kocham ciebie. Starałam się, próbowałam. Bóg mi świadkiem, chciałam zdusić w sobie tę niechęć. Modliłam się o to, ale Bóg mnie nie wysłuchał. Nie mogę nawet na nią patrzeć, bo za każdym razem coś chwyta mnie za gardło.

– I właśnie to jej mama powiedziała? Dlatego Basia płakała? Jak mama mogła?

– A mogłam. Przegrany ma prawo do skargi, a ja twojej pannie drukarzównie właśnie ustępuję pola, ja się wycofuję. Powinna triumfować.

– Nie rozumiem.

– Możesz te swoje plany wyprowadzki do Drapczyńskich odłożyć. To ja się wyprowadzam! Zresztą tutaj i tak nie mogłabym mieszkać sama. Przecież to twój łaskawy teść płaci za mieszkanie. Nie zniosłabym jego wspaniałomyślności, a sama nie wysupłam odpowiedniej kwoty na komorne.

– Ale gdzie, dokąd? Gdzie mama zamierza się wynieść?

Potarła rąbek czarnej spódnicy, jakby chciała z niej zetrzeć jakąś nieistniejącą plamę.

– To już postanowione. Wszystko załatwiłam. Nie mówiłam ci, bo i po co. Wszak uważasz, że jestem wszystkiemu winna. Jeśli kochasz tę swoją…, to ją sobie kochaj, twój wybór. Ja do rozpadu małżeństwa ręki nie przyłożę. Związani jesteście świętym sakramentem i nie mam prawa go rozrywać. Co Bóg złączył... Sam kiedyś do tego dojrzejesz, zobaczysz. Znudzisz się nią, jej ciało ci spowszednieje, pożądanie się wypali, a wtedy przyjdziesz po rozum do głowy, wrócisz do starej matki. Jednak tak czy inaczej, ja się teraz muszę usunąć, żeby na twoją żonę dłużej nie patrzeć.

– Wytłumaczy mi mama wreszcie, co to za nowe koncepty?

– Tego dnia, kiedy ci powiedziałam, że idę się spotkać z ciotką Kmitową, pojechałam do Anina. Tam organizują tajne nauczanie na poziomie gimnazjalnym. Szukają nauczycieli. Postanowiłam spotkać się z dyrektorem. Brakuje im kadry o właściwych referencjach, a ja mam przecież duże doświadczenie pedagogiczne, napisałam kilka szkolnych podręczników, potrafię uczyć. Z miejsca mnie przyjęli.

– W Aninie?!

– Miejsce dobre jak każde inne.

– Ale mama niemal całe życie mieszkała w Warszawie. Gdzie mama się zatrzyma, jak sobie sama poradzi? Przecież żeby tam dojechać kolejką, to w obecnej sytuacji pół dnia trzeba zmarnować.

– Już ty nie udawaj, że cię tak mój los obchodzi. Wyrzuciłeś mnie ze swojego serca, więc i ja się usuwam z twojego życia. Wszystko tam już mam uzgodnione. Pokoik malutki od początku września mam wynajęty, więcej mi nie potrzeba. Jakieś pieniądze zarobię na kompletach. Na skromne życie wystarczy, zresztą ja wysokich wymagań nie mam. Z głodu nie umrę. A ty się tu będziesz mógł wreszcie do woli żoną zajmować. Zniknę wam z oczu. Będziesz szczęśliwy.

Krzysztofa ogarnęło odrętwienie. Nie spodziewał się takiego obrotu spraw. Radość, że oto wszystko może się wreszcie normalnie poukładać, zakłócało mu nagłe poczucie straty. Wraz z odejściem matki on także w jakiś sposób przegrywał domową batalię. Naprawdę kochał tę zgorzkniałą, wysuszoną kobietę. Nie zapomniał, jaką czułością obdarzała go przez lata. Jaka była mu bliska, jak dla niego zawsze ważna. A teraz usuwała się w cień, odchodziła od niego i opuszczała swoje miejsce na ziemi, swoje ukochane miasto. Ustępowała pola, żeby uratować jego małżeństwo. Przed samą sobą… Nie wiedział, czy gorsza była gehenna, którą przeszli z Basią w ostatnich miesiącach, czy fakt, że teraz nagle matki zabraknie. Gdybyż jeszcze nie wyprowadzała się tak daleko. Ale Anin? To zupełnie wykluczało możliwość częstych spotkań, rozmów… A może właśnie celowo wynalazła tę pracę poza Warszawą? Chciała przeciąć łączącą ich nić za karę, że Krzysztof odważył się pokochać kogoś prócz niej?

– Jesteś pewna, że dobrze robisz?

– Jestem pewna, że nie ma innego wyjścia.

Przed moimi oczami rozciąga się widok na konający Paryż Północy.

Idę ulicami, które znam niemal od dziecka, a jednak zupełnie ich dzisiaj nie poznaję. To już nie jest moje miasto – czarujące, dostojne, barwne. To, co widzę, w ogóle go nie przypomina, ponieważ żywą niegdyś tkankę od tygodni wypala niesłabnąca pożoga, obracająca wszystko w proch. Zewsząd sterczą ziejące trupim fetorem kikuty domów, oplątane pajęczyną pozrywanych kabli i przewodów, a jezdnie – poznaczone tu i ówdzie lejami po bombach i pokryte grubą warstwą szkła z wybitych okien – siecze w poprzek system wysokich barykad. Budulec tych misternych konstrukcji, prócz płyt chodnikowych i gruzu, stanowią najdziwniejsze czasem przedmioty. Dostrzegam wózki dziecięce, książki w skórzanych oprawach, skorupy talerzy Wedgwooda malowane błękitem w arkadyjskie scenki, pianina mahoniowe, pluszowe fotele, serwantki na wysoki połysk, a prócz tego kubły na śmieci, resztki wozów tramwajowych i połamanych ulicznych lamp.

Makabrycznego obrazu Warszawy dopełniają skwery i trawniki, które jeszcze miesiąc temu cieszyły oczy zielenią, a teraz zamienione zostały w prowizoryczne cmentarzyska. Szczelnie wypełnione krzyżami falują mniejszymi i większymi kopczykami świeżej ziemi. Staram się nie patrzeć na nie i nie roztrząsać, co kryje się pod nimi. Tutaj na pewno nie ma mojego Krzysztofa, tu nie będę go szukać.

Zamiast tego kieruję swoje kroki do miejsc, gdzie jeszcze tli się wiara w życie, gdzie pielgrzymują tłumy mieszkańców stolicy. Zatrzymuję się wraz z innymi pod każdym murem i parkanem szczelnie oklejonym morzem niewielkich kartek. Ludzie gromadzą się i czytają w kompletnej ciszy, w skupieniu, bo te ściany to nasze drzewa wiadomości dobrego i złego. Stąd dowiadujemy się, kto zginął, a kto przeżył, kto ma jeszcze jedzenie na handel, a kto chętnie sprzeda futro po matce albo zamieni je na choćby jeden kawałek chleba.

Przeciskam się do przodu, by podejść jak najbliżej, długo wodzę spojrzeniem po setkach karteluszek, a wreszcie doklejam własną bolesną cegiełkę.

Jakaś starsza pani w zniszczonej, czarnej sukience, stojąca tuż obok i trzymająca za rękę umorusane dziecko, wpatruje się szklistymi oczami w jeden ze świstków. Nerwowo przeciera opuchnięte, zmęczone powieki – jakby nie dowierzała przeczytanym słowom – a wreszcie wybucha przejmującym szlochem. Pada na kolana, szarpie posiwiałe włosy, wyje jak zranione zwierzę. Towarzyszący jej maluch zerka bezradnie na swoją opiekunkę – ciotkę czy może babkę? – i niczego nie rozumiejąc, czeka w milczeniu, aż ta się uspokoi. Ludzie rozstępują się na boki, przyglądając się całej scenie bez słowa. Można by uznać, że warszawiakom zagraża nie tyle jakaś medyczna zaraza, którą straszeni są w biuletynie, co epidemia znieczulicy. Lecz ja wiem, że owo zobojętnienie wcale nie wypływa z braku empatii, a wyłącznie z głębokiego lęku o własne rodziny. Zebrani pod murem, patrząc na rozgrywający się dramat kobiety, w duchu żarliwie proszą Boga, by kolejna przeczytana informacja nie stała się wyrokiem i dla nich.

Znam ich myśli, bo chociaż żywię głębokie współczucie dla staruszki i dziecka, ja także nie jestem w stanie ruszyć się z miejsca. Nie umiem się zdobyć na jakikolwiek ludzki gest solidarności. Nie chcę wiedzieć, kogo straciła kobieta, bo paraliżuje mnie strach. Nie umiem wydusić z siebie słów pocieszenia, ponieważ kiedy wsłuchuję się w jej lamenty, jedyne o czym myślę, to czy zniosłabym podobny ból? Czy umiałabym żyć bez Krzysia?

Jednak ściana jest dla mnie dzisiaj łaskawa. Dwa razy dokładnie sprawdzam, czy nigdzie nie znajdę informacji na jego temat, lecz szczęśliwie nie natrafiam na nic złowieszczego. Wycofuję się więc z tłumu i już zamierzam zawrócić w stronę domu, kiedy dostrzegam znajomą postać po drugiej stronie ulicy. Młody człowiek idzie dziarskim krokiem, nie patrząc pod nogi. Jest wysoki, przystojny, prosty jak struna, chociaż chyba dużo szczuplejszy niż wówczas, kiedy widziałam go po raz ostatni. Ubranie ma w strzępach, oficerki brudne od kurzu, lecz na ramieniu – w żaden sposób nie starając się go ukryć – z żołnierską dumą dźwiga erkaem. Czuję, jak serce zaczyna mi nerwowo łopotać, jak mimowolnie zaczynają drżeć mi dłonie. Bez zwłoki krzyczę w ślad za nim:

– Mors! Mors, zaczekaj!

Biegnę w poprzek jezdni, nie zważając na ciekawskie spojrzenia przechodniów, przeskakuję ponad roztrzaskaną latarnią, nad zwałami gruzu i omijam ziejący śmiercionośnym oparem uchylony właz kanału. Dopadam wreszcie do zaskoczonego chłopaka, a nim oboje zdążymy cokolwiek powiedzieć, rzucam się mu na szyję. Długo trwamy w serdecznym uścisku, chociaż wyczuwam, że Mors jest odrobinę zmieszany wylewnym powitaniem – zupełnie do mnie niepodobnym. Znamy się przecież pobieżnie. Widzieliśmy się zaledwie kilka razy, kiedy gościł na Hołówki podczas zbiórek. Nawet nie wiem, jak on się właściwie nazywa. Nigdy bezpośrednio nie uczestniczyłam w podziemnych naradach Krzysztofa i zawsze w trakcie spotkań, dla celów bezpieczeństwa, starałam się wychodzić z pokoju.

Nie znałam nazwisk odwiedzających nas ludzi, nie pytałam, skąd przybywają i na jak długo zostaną. W czasie okupacji im mniej wiesz, tym większa szansa, że w razie aresztowania nikogo nie sypniesz. Przeżyjesz przesłuchania. Niewiedza jest błogosławieństwem.

Mimo zachowania konspiracyjnych zasad, mimo pozornej anonimowości, doskonale znam twarze tych ludzi, tak jak i oni znają moją. Więc może dlatego Mors jednak odwzajemnia uścisk, a na koniec, uśmiechając się szeroko, mówi jak do starej koleżanki:

– Basia, Bogu dzięki. Cała jesteś?

Co prawda nigdy oficjalnie nie przeszliśmy ze sobą na ty, jednak teraz, kiedy świat wokół stanął na głowie, instynktownie zarzuca się dawne konwenanse. Każde spotkanie, nawet z dalekim znajomym, jest dzisiaj wyjątkowe, każde może być ostatnim. Na sztuczne formy szkoda czasu.

– Cała, Mors, jestem cała – wyrzucam na jednym wydechu. Serce wali mi jak oszalałe. Zaraz, już za moment dowiem się, co z Krzysiem. Może nawet go zobaczę?

– Bardzo dobrze wyglądasz. – Odsuwa mnie na odległość ramion i lustruje od stóp do głów. – A gdzie teraz mieszkasz? Zostałaś na Czerniakowie?

– Nie, przeniosłam się do rodziców. Jesteśmy tu niedaleko, na Pańskiej.

– I jak sobie radzicie? Wasza kamienica stoi?

– Kilka domów w okolicy się spaliło. Nas na szczęście ominęły bombardowania. Zaraz na początku ukryliśmy się w piwnicy. Wszyscy mieszkańcy domu tak zrobili.

– I bardzo słusznie, tak jest najbezpieczniej. Dopóki walki nie ustaną, lepiej, żebyście tam zostali.

– Niemniej ciężko pod ziemią wytrzymać. Ludzie popadają ze strachu w paranoję i już ciężko wysłuchiwać ciągłych skarg i lamentów. Duchota tam straszliwa, warunki sanitarne wprost nie do opisania, jedzenia coraz mniej, no i z wodą problem… Ale mniejsza o to, opowiedz, jak ty się miewasz? Gdzie teraz stacjonujecie? Nie jesteś ranny?

Chciałabym od razu przejść do pytań zasadniczych, najważniejszych, niemniej zachowuję pozory opanowania. Zaraz i tak wszystkiego się dowiem. Mors musi wiedzieć, gdzie jest Krzyś, wszak mój mąż jest jego zastępcą w plutonie.

– Jak widzisz – chłopak z teatralną nonszalancją wypina pierś – jeszcze mi szkopy niczego nie odstrzeliły. Parę razy było blisko… Najwidoczniej mój czas jeszcze nie nadszedł.

– A co z waszym oddziałem, co z Krzysiem? Gdzie on jest? – W końcu nie wytrzymuję i pada najważniejsze dla mnie pytanie.

Twarz Morsa zmienia się w jednej chwili. Widzę, jak znika z niej wesołość, jak chłopak nagle kuli się w sobie, jego czoło zasnuwa cień. Pochyla nisko głowę. Nerwowo zaciska usta.

– Mors! – Łapię go za rękaw. – Mors, spójrz na mnie. Co z Krzysztofem?

– Nie wiem, Basiu – szepcze głucho. Unikając mojego spojrzenia, intensywnie wpatruje się w czubki ubłoconych oficerek.

– Jak to, nie wiesz? Jesteś dowódcą?!

Jego orzechowe oczy wreszcie się na mnie podnoszą i wyczytuję w nich coś, czego chyba nie chciałam dojrzeć. Strach? Wstyd?

– Słuchaj! – Potrząsam chłopakiem. – Ty coś wiesz, prawda?

Przygryza zbielałe wargi.

– Mors!

– Nie, Basiu – duka niewyraźnie, chociaż każdy nerw jego twarzy zaprzecza słowom. – Naprawdę nie umiem ci powiedzieć, co z Krzysiem, nie widziałem go od dnia wybuchu powstania. W tym zamieszaniu chyba nie dostał informacji na temat godziny „W" ani o miejscu zgrupowania naszego batalionu.

– Jak to?! Przecież stawił się w punkcie na ulicy Focha, sama go odprowadziłam – tłumaczę. – Z tego, co mówił, właśnie przy placu Teatralnym został wyznaczony punkt zbiórki.

– Tak, ale miejsce koncentracji było gdzie indziej. Na Focha Krzyś miał się tylko zająć przydziałem butów dla chłopaków, widocznie za późno go tam wysłano, a łączniczka nie zdążyła dostarczyć na czas następnego meldunku. Ktoś musiał popełnić błąd.

– Błąd?

– Podejrzewam, że rozpoczęcie walk zupełnie go zaskoczyło.

– Mój Boże... – Chowam twarz w dłonie. Wreszcie wszystko zaczyna mi się układać w logiczny ciąg. – On rzeczywiście nic nie mówił, że to już i że idzie do powstania – głośno myślę. – Cały czas tłumaczył, że wykona rozkazy i zaraz wróci na Pańską, tymczasem rozpętało się piekło i już go więcej nie zobaczyłam. Wiesz, Mors, my się wtedy nawet nie pożegnaliśmy w jakiś wyjątkowy sposób. Sądziliśmy, że rozstajemy się na chwilę... – Przełykam ślinę, coś chwyta mnie za gardło. – Więc chcesz powiedzieć, że tamtego dnia Krzyś został kompletnie sam, odcięty od batalionu?

Mors twierdząco kiwa głową.

– Niestety, tak to wygląda. O godzinie siedemnastej byliśmy z chłopakami na Woli, jednak Krzysztof do nas nie dotarł.

– Więc gdzie on teraz jest?!

– Basiu, uspokój się. Twój mąż to rozsądny człowiek, a poza tym był dobrze przygotowany do służby, wiedział, jak się zachować w podobnym przypadku. Podejrzewam, że po prostu dołączył do innego oddziału.

Wtedy na placu Teatralnym też walczyli nasi. Zaraz
na początku zdobyli gmach Ratusza i Pałac Blanka.
Może był wśród nich.

– *Ależ to było trzy tygodnie temu! Mors, nie wierzę,*
że do dziś nie masz o nim żadnych wieści. Chyba po-
siadacie jakiś system łączności? Podczas działań musi-
cie na bieżąco wymieniać się informacjami. Na pewno
wiecie, gdzie przesuwają się poszczególne oddziały i na
jakich odcinkach znajdują się wasi ludzie – *naciskam,*
czując narastającą frustrację.

On bezradnie wzrusza ramionami.

– *Od chwili, gdy część chłopaków wycofała się ze*
Śródmieścia, panuje kompletny zamęt. Ciężko osza-
cować straty w ludziach, a co dopiero określić ich kon-
kretne pozycje. Rozwój wydarzeń tak szybko następuje.
Musieliśmy przejść do defensywy i teraz poruszamy
się na ślepo. Każdy nasz ruch jest jedynie próbą obro-
ny zdobytych wcześniej przyczółków i odpowiedzią na
działanie wroga. Zrozum, Basiu, wcześniejsze pla-
ny dowództwa wzięły w łeb i nad niczym nie mamy
już kontroli. Ludzie przemieszali się w oddziałach,
nawet „Parasol" się rozdzielił. Część batalionu jest tu-
taj ze mną i na Mokotowie, część przeniosła się na Sta-
re Miasto. Może Krzyś właśnie tam walczy?

– *Może?*

– *Naprawdę nie umiem ci dać jednoznacznej odpo-*
wiedzi.

– Błagam cię, ty wiesz, co się z nim stało, prawda? Czy on jest ranny? – pytam bliska obłędu.

– Basiu… – W głosie Morsa słyszę wahanie. Jego twarz oblewa rumieniec zakłopotania, lewa powieka nerwowo drży.

– Czy on żyje, powiedz mi, czy on żyje?!

– Nie wiem.

Mors kłamie. Czuję to. Po prostu wiem, że nie mówi wszystkiego. Ciemne plamy wirują mi przed oczami: czy to możliwe, że Krzyś nie żyje?

Między nami zapada milczenie. Tak gęste od słów nieprawdziwych i tych niewypowiedzianych, od gestów zbyt jednoznacznych, że nie słyszę nic prócz gwałtownego łomotu własnego serca. Nie ma już ulicy wokół nas, nie ma odgłosów strzałów i sierpniowego słońca, kartek na murach i bezimiennych grobów. Jest tylko pewność, że oto spełniają się moje najczarniejsze przypuszczenia. Bez słowa potrząsam ręką chłopaka na pożegnanie – jest chłodna i wilgotna. Nie mamy sobie nic więcej do powiedzenia. Zostawiam go samego na środka ulicy.

Biegnę.

Gnam na oślep niesiona rozpaczą. Potykam się o zwały cegieł, o nadpalone artefakty miasta, którego już nie ma. I mnie w tej chwili także jakby nie było – czuję, że rozpadam się w środku. Ostatkiem sił nabieram haust powietrza, by utrzymać się na powierzchni nadziei, a jednak coraz głębiej tonę w rzeczywistości, *której nie umiem jeszcze dać wiary. Uciekam od Morsa i jego zawstydzonego wzroku, od bolesnego przekonania, że wszystko stracone. Uciekam do mojej piwnicy. Do świata zamkniętego w mroku. Przeciskam się przez ciżbę stłoczoną w podziemiu. Potrącam sąsiadów i dopadam do ciasnej izdebki w głębi, którą dzielę z rodzicami. Wracam do mojego więzienia, które teraz jawi się azylem, bowiem iluzorycznie odgradza od bólu i strasznego świata na górze. Ciemność rozmazuje się pod załzawionym spojrzeniem. Czuję, jak ogarniają mnie ciepłe ramiona matki.*

— Basiu, Basieńko, co się stało?

— Mamo, spotkałam Morsa — wyrzucam w czarną przestrzeń głosem urywanym przez płacz. — On nie chciał mi nic powiedzieć. Nie chciał… Ale ja wiem.

III

(…) A anioł wziął go w ciszy mocno za obie dłonie
i rzekł: „Czyś ty zapragnął krzyżować smugi dróg,
które wydrążył przed nim ognisty boży pług?
Ale wiedz: kto zaufał, gdziekolwiek niesie lot,
miłością pooddziela od miłowanych zło".

Wtedy się serce Jana skruszyło w miękki popiół,
to serce, które z duszą porwane – ziemskie było.
I próchno się na ziemię jak rosa albo łza
zsunęło. Nisko w dali fala chmur białych szła.
Jeszcze dzwonek na wieży,
ptaki w locie i obłok,
wietrzyk dzwonił i gasł.
„Podaj mi rękę – mówił anioł –
oto się stajesz zapatrzeniem gwiazd".

K.K. Baczyński, *Wybór*,
ukończony 14 września 1943 roku,
pisany w miesiącach: maj, lipiec, sierpień, wrzesień

Z chwilą, gdy po krótkotrwałej eksplozji złota i czerwieni liście na drzewach zaczęły płowieć,
a Stefania wyprowadziła się poza miasto, życie Basi

i Krzysztofa weszło w nową fazę. Coraz częściej toczyło się dwiema odrębnymi ścieżkami czasu. Świat dzienny stanowiła rzeczywistość rozsypanych w gruzy systemów moralnych, brutalnie podzielona drutem kolczastym, gdzie ze ściśniętych gardeł padały słowa: Treblinka, Majdanek, Auschwitz, a śmierć stała się tak powszechna i zwyczajna, że sprowadzono ją do liczb, do statystyki. Świat nocny – nierzeczywisty, ulotny – chronił młodych kochanków za pozornie bezpieczną barierą utkaną z ich pocałunków. Pod grubą warstwą słów o szczęściu, cicho szeptanych do ucha w bezsenne godziny. I tych wykrzyczanych w miłosnym uniesieniu, a później przelewanych w świetle świecy zielonym atramentem nadziei na papier. Słów, których drobne linie coraz szczelniej zapełniały notesy Krzysztofa. W takich chwilach pisał:

Ciepła ciemność na ramionach się oprze,
Jest dobrotliwym zwierzęciem milczenia,
Ogromna i powolna. Jest cicho. Tak dobrze.
Słychać, jak się zabliźnia stratowana ziemia. (…)[14]

Między północą a godziną trzecią aksamitna zasłona mroku odgradzała ich od strachu…

---

[14] *Z nocy*, tomik wierszy *Sen w granicie kuty*, Tower Press, Gdańsk 2000.

Basię pochłonęły zajęcia na tajnej polonistyce, Krzysia dodatkowo – a może przede wszystkim – praca nad pierwszym własnym zbiorkiem wierszy, który po długich godzinach spędzonych w drukarni teścia, wraz z nadejściem jesieni wydał pod pseudonimem jako Jan Bugaj. Wyrzuty sumienia narastające w Krzysztofie w ciągu dnia i płynące falą listów ponad wstążką Wisły do ukrytego wśród lasów Anina skutecznie tłumił nawał nowych obowiązków.

Wykładowcy podziemnego uniwersytetu, mimo wojny, nikomu nie dawali taryfy ulgowej. Wyśrubowane wymagania zmuszały studentów do systematycznej pracy. Basia podeszła do studiów z entuzjazmem, pełnym zaangażowaniem i pozytywną energią. Krzyś natomiast traktował je jako swoistą gimnastykę intelektualną. Jako strawę dla umysłu wygłodzonego przez okupację. Planował go karmić jedynie tymi zagadnieniami, które rzeczywiście wydawały się interesujące. Zresztą wybiórczym nastawieniem do nauki – tak typowym dla każdego indywidualisty – oraz skłonnością do absencji na zajęciach Krzysztof cechował się jeszcze w czasach, gdy uczęszczał do gimnazjum. Pomimo nieustannych połajanek matki i reprymend nauczycieli, zawsze samodzielnie dobierał lektury, zgłębiając tylko to, co było według niego warte uwagi. Już wtedy ponad bezproduktywne ślęczenie z głową w książkach przedkładał tworzenie swoich grafik i wierszy. Kiedy podjął studia polonistyczne, nie planował zmieniać dawnych przyzwyczajeń, z miejsca przyjmując raczej pozycję wolnego słuchacza, aniżeli sumiennego studenta. Nadal sztuka była mu bliższa niż nudne naukowe wywody, toteż z koszyka zajęć wybierał te, które mogły wpłynąć bezpośrednio na jakość jego poezji. Prawie nigdy nie opuszczał proseminariów z poetyki i historii literatury u profesora Adamczewskiego ani wykładów z filozofii prowadzonych przez Milbrandta. Tymczasem na inne przedmioty chodził w kratkę. Ów lekki stosunek męża do kompletów równoważyła Basia. Zawsze sumienna i obowiązkowa przychodziła na wszystkie zajęcia i skrupulatnie notowała każde słowo – „żeby Krzyś nie miał żadnych zaległości".

Był starszy od pozostałych kolegów i koleżanek z grupy, a przy tym nad wiek poważny i z natury nieśmiały, co niektórzy brali za zadzieranie nosa, a to z kolei implikowało wzajemny dystans. Może dlatego przez pierwsze tygodnie nauki wielu studentów nawet nie podejrzewało, że rozchwytywany i szeroko omawiany w kręgach uniwersyteckich tomik poezji niejakiego Bugaja wyszedł właśnie spod pióra ich znajomego. A wieści o niezwykle uzdolnionym młodym poecie lotem błyskawicy roznosiły się po Warszawie. *Wiersze wybrane* – starannie wyselekcjonowane przez Krzysia z jego bogatych zbiorów – idealnie oddawały nastroje większości jego rówieśników. I tak, jesienią czterdziestego drugiego roku stolicę poruszyła wiadomość, że oto narodził się nowy „głos pokolenia".

★ ★ ★

Basia i Krzysztof, jak niemal codziennie, wrócili na Hołówki dopiero, gdy zaczęło zmierzchać. Ponieważ od rana nie przestawał padać deszcz, byli przemoczeni, a dodatkowo zmęczeni. Zajęcia odbywały się bowiem w usytuowanych w różnych częściach miasta prywatnych lokalach wykładowców, toteż Baczyńscy zmuszeni byli bezustannie przemieszczać się z jednego krańca Warszawy w drugi. Nie zdążyli nawet do końca się osuszyć, kiedy usłyszeli pukanie do drzwi. Ponieważ jego rytm układał się w umówiony sygnał, Krzyś bez zwłoki pobiegł do przedpokoju.

– Jurek?! – przywitał gościa z szerokim uśmiechem. – Że też ci się chciało jechać aż z Bielan w taką paskudną pogodę.

Andrzejewski zrzucił mokry płaszcz i wyjął kilka zwiniętych kartek zza poły marynarki.

– Właśnie to dzisiaj dostałem. Przeczytałem i... po prostu musiałem do ciebie przyjechać. Czytałeś już?

Wzrok Krzysztofa padł na charakterystyczną stronę tytułową „Sztuki i Narodu", uśmiech zniknął z jego ust.

– Owszem – rzucił z kwaśną miną i pociągnął przyjaciela do kuchni.

Basia właśnie podgrzewała obiad. Na widok Jerzego, podobnie jak wcześniej mąż, szeroko się uśmiechnęła. Przywitawszy gościa, dostawiła dodatkowy talerz na stół.

– Ależ pani Basiu, proszę nie robić sobie kłopotu, jestem już po obiedzie. Poza tym ja tylko na chwilę.

Dziewczyna się roześmiała.

– Już ja znam to wasze „na chwilę". Jak zaczniecie z Krzysiem dyskutować, to zawsze godzina policyjna was zastaje. Zresztą proszę się nie spodziewać jakichś frykasów. Ostatnio tak jesteśmy zajęci, że nie mam czasu na gotowanie, a i gospodyni ze mnie marna. Nie wspominając już o tym, że spiżarnia niezbyt zasobna. – Zajrzała pod pokrywkę garnka, pod którą wesoło bulgotała mętna ciecz o szarobrunatnej barwie. – Z tego, co znalazłam, wyszedł chyba krupnik, chociaż ręki sobie za to nie dam uciąć.

– Ważne, że ciepły – stwierdził Jerzy.

– I to jedyny pozytywny przymiotnik, jakim można go opisać – zażartowała w odpowiedzi Basia.

Krzysztof, przysłuchując się ich swobodnej rozmowie, usadowił się na jednym ze stołków, drugi wskazał koledze.

– Jerzy czytał już recenzję w SiN-ie – rzucił smutno w stronę żony.

Dziewczyna odwróciła się od kuchenki. Spojrzała na Jerzego i natychmiast spoważniała.

– Naprawdę?

Andrzejewski położył na stół gazetę, którą dotąd ściskał w dłoni. Widząc reakcję obojga Baczyńskich, nie bardzo wiedział, jak zacząć tę rozmowę. W kuchni zaległa głucha cisza, którą zakłócały jedynie metaliczne uderzenia pokrywki o garnek. Basia – wciąż bez słowa – rozlała parujący płyn do talerzy i zajęła swoje miejsce.

Mimo całkiem przyjemnego zapachu, jaki wypełnił pomieszczenie, nikt nie chwycił za łyżkę.

– I co pan sądzi na ten temat? – Z wyraźną niechęcią popukała palcem w spoczywający na blacie egzemplarz periodyku. – Krzyś się tym wszystkim okropnie przejmuje…

– Baś! – przerwał jej Krzysztof z zażenowaną miną.

– Ależ kochanie, pan Jerzy to twój przyjaciel. Myślę, że możemy być z nim szczerzy. A ty, owszem, przejmujesz się, i to bardzo. Dotknęło cię to, co tu powypisywano. Chociaż, według mnie, nie powinieneś brać tego sobie do serca. Jak pan uważa, panie Jerzy?

Jurek z uwagą przyglądał się dziewczynie. Już wcześniej zauważył, że gdy w grę wchodziło dobro Krzysztofa, z cichej, delikatnej pensjonarki zamieniała się w lwicę. Musiał przyznać, że jego przyjaciel – wrażliwiec, a może wręcz histeryk – wybrał sobie na żonę odpowiednią partnerkę. Basia nie tylko wydawała się w Krzysiu do szaleństwa zakochana, ale otaczała go niemal matczyną troską, stanowiąc bufor między nim a światem. Jako miłośniczka i orędowniczka jego talentu rozumiała i głęboko przeżywała wszystkie artystyczne rozterki i niepowodzenia Krzysztofa.

– Cóż… – zaczął. – To normalne, że każdy talent poddawany jest krytyce.

– Ma pan rację. Aczkolwiek ten atak trudno nazwać konstruktywną krytyką. Już w poprzednich numerach znalazło się kilka przytyków do wcześniej opublikowanych przez Krzysztofa wierszy, ale teraz ta jednoznaczna niechęć przybrała znamiona nagonki… Już kiedy Krzyś odrzucił propozycję współpracy z redakcją, Weintraub ostrzegał nas, czym to się skończy. I proszę. Nie musieliśmy długo czekać. *Wiesze wybrane* dopiero się ukazały, a już nie pozostawiono na nich suchej nitki.

Jerzy się zamyślił.

– A jak nakład? Zostało coś, czy rozszedł się cały?

Dopiero teraz Krzysztof nieco się rozchmurzył.

– Z tych dziewięćdziesięciu sześciu egzemplarzy, które wydrukowałem, pozostał mi jeden.

– No widzisz! I to jest wymierna ocena twojej twórczości. Wzbudzasz zainteresowanie. Wszędzie się o tobie mówi. Z tego, co słyszałem, cała tajna polonistyka aż huczy od plotek, kim naprawdę jest Jan Bugaj. Cóż znaczy jeden niepochlebny głos wobec opinii wielu zadowolonych czytelników.

– Ten jeden głos znaczy dla mnie bardzo wiele. To nie jakiś nieokrzesany młokos wyraża swoje zdanie, ale osoba, która zna się na rzeczy.

Andrzejewski rzucił okiem na podpis pod tekstem.

– A kim jest ów Topornicki, że tak bardzo bolą cię jego sądy?

– Naprawdę nie wiesz? Przecież to pseudonim Gajcego.

Jurek pokiwał głową.

– Może kierowała nim zazdrość? Może, jak twierdzi Weintraub, nie powinieneś był się odcinać od środowiska?

– Ale cóż to za argument? Krytyka musi być bezstronna, nie może się opierać na koterii, na jakichś osobistych sympatiach. – Krzyś podniósł gazetę ze stołu. Otworzył ją w odpowiednim miejscu. –

O, posłuchaj na przykład tego: *Ogólny poziom wierszy bardzo nierówny. Różnice są uderzające. Wierszy dobrych 4–5, reszta na poziomie lub słaba. Jest jednak nawet w tych słabszych utworach cecha wiążąca je z osiągnięciami szczęśliwszymi. To cecha pewnej dostojności wewnętrznej, pewien duchowy patos, który niekiedy ujawnia się przykro, pretensjonalnie*[15].

Oderwał się od lektury i podniósł pytające spojrzenie na przyjaciela.

– Naprawdę jestem pretensjonalny, a moje wiersze są patetyczne?

– Daj spokój. Znasz moje zdanie. A to…? No cóż, faktycznie opinia Gajcego nie jest ci zbyt przychylna.

– Niezbyt przychylna?! Przecież on mnie tutaj miesza z błotem.

– Chyba odbierasz to zbyt emocjonalnie.

Krzyś głuchy na słowa Jerzego znowu nachylił się nad tekstem. Wyszukał odpowiedni fragment.

– Albo to: *Wiersze wybrane mimo wielu niedociągnięć noszą w sobie piętno indywidualności d o j r z e - w a j ą c e j. Znać świadome jeszcze podciąganie „na głębię" – dowód, że autor pragnie stonować, wyrównać swoją twórczość. Jest to niebezpieczne, jeśli wynika*

---

[15] Karol Topornicki, właśc. Tadeusz Gajcy, „Sztuka i Naród", XI 1942, nr 5.

z zamierzenia t y l k o formalnego. Stąd prymitywizm
uczuciowy i formalny...[16].

Znowu przerwał czytanie.

– Prymitywizm uczuciowy?! – Czoło Krzysztofa
przecięła pionowa kreska.

– Moim zdaniem jesteś już w pełni dojrzałym arty-
stą, a twoje wiersze w żadnym razie nie są prymitywne –
rzekł spokojnie Jerzy. – Wiesz, że Jarosław myśli to
samo. Widzi w tobie niezwykły potencjał. A to chyba
większy autorytet niż twoi rówieśnicy? Zresztą, jeśli już
o tym mowa, chyba nie powinno cię dziwić stanowisko
SiN-u. Zdobyłeś uznanie wśród artystów starszego pokolenia, a to na pewno kłuje niektórych w oczy.

Podobne uwagi Andrzejewskiego zazwyczaj po-
prawiały Krzysztofowi humor. Lecz tym razem nie
wyglądał na uspokojonego. Złożył gazetę i rzucił ją
ze złością na blat.

– Zaiste, opinia Iwaszkiewicza jest dla mnie bardziej miarodajna, jeśli chodzi o kwestie literackie,
techniczne. Niemniej, gdy weźmiemy pod uwagę
postrzeganie dzisiejszego świata... Czasami się zastanawiam, kto jest bliższy prawdzie. Kto ma lepszy ogląd rzeczywistości; czy środowisko skupione
wokół Stawiska, które, sam przyznasz, w pewien
sposób oderwane jest od bólu naszych czasów, czy

---

[16] Tamże.

może jednak moi rówieśnicy? Czy wiesz, że podobno Gajcy i Stroiński są już w konspiracji?

– A cóż to za argument?

– Otóż argument bardzo istotny. Oni znają prawdziwy strach. Oni go dotknęli. Poczuli chłód cyngla na palcu. Może nawet już pociągnęli za spust? A czy ja mam moralne prawo pisać o świecie, o naszym życiu, o tej katastrofie, która dotknęła moje pokolenie, będąc tylko obserwatorem?

– A ty znowu swoje. – Jerzy z dezaprobatą pokręcił głową. – Krzysiu, dobry literat to taki, który potrafi świat wnikliwie obserwować. Który umie przefiltrować otoczenie i zamienić obraz w słowo. Ty ten talent posiadłeś. Na co ci wojowanie? Ani nie masz ku temu predyspozycji, ani zdrowia. Pani Barbaro, niech pani sama powie.

Basia utkwiła wzrok w kawałkach jarzyn smutno dryfujących na powierzchni chłodnej już zupy. Jerzy westchnął i znowu spojrzał na rozognioną twarz Krzysia.

– Czy ty naprawdę uważasz, że trzeba się złożyć na stosie całopalnym Warszawy, żeby zostać pełnoprawnym poetą?

– Tak sądzę.

– Głupstwa pleciesz. Niby jestem od ciebie starszy tylko o dekadę, a jednak rozsądniejszy o wieki. Twoje dobrowolne wystawianie się na śmierć nikomu nie przyniesie korzyści. Masz dopiero dwadzieścia jeden lat, przed sobą całe życie i wiele literackich wyzwań. Pomyśl, co stworzysz i jaki poziom osiągniesz za lat dwadzieścia, trzydzieści...

— Jeśli świat będzie wtedy wyglądał tak jak dziś, to ja wcale nie chcę tego czasu doczekać. Rozumiesz?

Jerzy wyraźnie tracił cierpliwość.

— To powiedz, po co to wszystko? — Zatoczył dłonią po kuchni. — Po co zakładałeś rodzinę? Po co zacząłeś zabawę w dom? Spójrz na swoją żonę. Twierdzisz, że za nią szalejesz, a równocześnie chcesz wystawić na takie niebezpieczeństwo. Studia nie dostarczają ci wystarczającej dawki adrenaliny? Przecież to także zakazane, to też forma sprzeciwu. Chcesz tu urządzać spotkania konspiracji? I może jeszcze pod podłogą urządzisz sobie skrytkę na broń?! Zastanów się, jak was tym narazisz. — Kilka razy zaczerpnął powietrza. Na jego twarz powrócił spokój. — Pani Basiu... — znowu zwrócił się do dziewczyny. — Jeśli pani kocha tego cymbała, to niechże pani przemówi mu do rozsądku.

Powoli podniosła oczy na gościa. W jasnym, przenikliwym spojrzeniu nie było cienia lęku czy wątpliwości.

— Ale ja się z Krzysiem zgadzam — rzekła stanowczo. — Przecież pan czyta jego wiersze, zatem jak to możliwe, że pan go nie rozumie?

– Powariowaliście oboje! – Andrzejewski wstał energicznie. Wsunął ręce do kieszeni i podszedł do okna. Zapalił papierosa. Dopiero gdy wypuścił z płuc pierwszą strużkę dymu, nieco się uspokoił. Odwrócił się do pozostających przy stole Baczyńskich. – Jak możecie chcieć się wikłać w podobne sprawy? Jesteście przecież tacy młodzi. Niedawno się pobraliście. A co, jeśli pojawi się dziecko? Czy ty w ogóle o tym, Krzysiu, pomyślałeś?

– Na razie nie planujemy dziecka. Skąd ten pomysł? – Wyglądał na zaskoczonego bezpośredniością przyjaciela.

– To nie zawsze da się zaplanować. To się czasami po prostu zdarza – rzekł głucho i już jakby do siebie.

– Jerzy, czy ty…?

– Tak. Ja i Marysia zostaniemy rodzicami.

★ ★ ★

Basia czuła, że owo wewnętrzne napięcie zaczęło narastać w Krzysztofie już zimą. Pisał mniej niż zazwyczaj, koncentrując uwagę na odręcznie tworzonych książeczkach, ozdabianych własnymi ekslibrisami i rysunkami, które później ofiarowywał jej w kolejne miesięcznice ich ślubu. Nad tą żmudną pracą potrafił spędzać długie grudniowe wieczory, podczas których tylko od czasu do czasu podnosił oczy na żonę i posyłał jej smutne uśmiechy. Niemal nie wychodził z domu, rzadziej niż dotychczas pisywał do matki. Zaniedbywał też większość tajnych kompletów. Jeśli już opuścił bezpieczną przystań mieszkania przy Hołówki, to i tak wydawał się nieobecny duchem. Nie spotykał się z przyjaciółmi, nie bywał na wieczorach poetyckich. Z jednym wyjątkiem… Kiedy koledzy z kompletów dowiedzieli się wreszcie, kim naprawdę jest cichy i spokojny Krzyś, namówili go, by któregoś grudniowego wieczoru przeczytał im swoje wiersze. Spotkanie odbyło się u jednego z kolegów, Wacka Twarowskiego, na Hożej. Atmosfera była podniosła, a zebrani zachwyceni poetą. Niemniej nawet ów miły przerywnik w codzienności nie zdołał wyrwać Krzysia z pogłębiającej się melancholii.

Często po powrocie do domu z kolejnego wykładu czy spotkania w gronie znajomych Basia zastawała go stojącego przy uchylonym oknie. Paląc papierosa, wpatrywał się w pozbawiony kolorów pejzaż zimy. Podchodziła wówczas do niego i wtulała się w jego ramię, a on – jakby w bliskości żony szukał ukojenia – mocno odwzajemniał uścisk. Później słuchał jej szczegółowych sprawozdań z tego, czego się nauczyła, czego dowiedziała lub kogo poznała, i znowu uśmiechał się do niej łagodnie, z nieobecną miną. Był blisko i zarazem daleko od niej. W swoim świecie.

Jednak ani przez chwilę nie pomyślała, że taki stan może zwiastować koniec ich miłości. Przeciwnie. Im Krzysztof był słabszy, im bardziej kruchy jej się wydawał, tym mocniej rosło w niej przekonanie, że jest dla niego ważna, nieodzowna. Była niczym powietrze. Była nim. On nią. Mówił to, milcząc, mówił półgestami, półuśmiechami, dotykiem wciąż niesytych ust i dłoni. Podejrzewała, co dręczy Krzysztofa, co go tak wypala od środka. Wiedziała, dlaczego cienie na bladych policzkach zdają się z każdym dniem nabierać coraz głębszej barwy. Rozumiała, skąd się biorą kolejne ataki kaszlu, które wstrząsały jego wątłym ciałem każdej nocy z taką intensywnością, jakby Krzyś miał nie dożyć poranka. Wiedziała i niemal fizycznie odczuwała jego wewnętrzne zmaganie, jego walkę z samym sobą. W ciszy pozwalała mu dojrzeć do decyzji.

A ta wykrystalizowała się w chwili, gdy z ulic Warszawy do kanałów powoli zaczął spływać brudny śnieg, w czasie, kiedy świat powinien budzić się do życia, kiedy rodzi się nowa nadzieja. Wiosna czterdziestego trzeciego roku nie przyniosła jednak nadziei. Przyniosła za to cały ciąg tragicznych wydarzeń, które ostatecznie pomogły Krzysztofowi w dokonaniu wyboru między głosem rozsądku a powinnością.

Wraz z końcem lutego studentami tajnej polonistyki wstrząsnęła wiadomość o nagłym zniknięciu jednego z nich. Ogólnie lubiany autor niedawno wydanego cyklu poetyckiego *Gdziekolwiek ziemia*, Tadek Borowski, został aresztowany przez gestapo. Jedni mówili, że miał przy sobie jakieś lewe papiery i zakazane książki, przez co od razu trafił na Szucha. Inni opowiadali, że wpadł przez narzeczoną, aresztowaną w tym samym dniu, której tropem podążał w ów feralny wtorek. Dopiero po tygodniu bezustannego napływu sprzecznych informacji na młodych ludzi spadła wiadomość najstraszniejsza: ktoś twierdził, że Borowskiego już nie ma w areszcie. Tadzio nie wróci, bowiem jego nazwisko widnieje na listach osób wywiezionych z Warszawy w jednym z ostatnich transportów. Transportów na zachód. „Zachód" w nomenklaturze okupowanego miasta oznaczał miejsce, o którym nikt nie ważył się mówić głośno – Auschwitz.

Krzysztof miał okazję czytać teksty młodszego o rok kolegi i uważał je za naprawdę dobre. Miał chłopak przed sobą przyszłość. Miał. A teraz nagle go zabrakło. Nie opowie więcej żartu, nie urządzi tajnego spotkania. Czy ktokolwiek wrócił z obozu koncentracyjnego? Z *Konzentration Lager*? Czy komory gazowe, o których szeptano, mogły istnieć naprawdę? Przecież ludzie nie są zdolni do takiego bestialstwa!

Tamtego wieczoru, gdy Basia przyniosła na Hołówki wieści o wywiezieniu Tadeusza, Krzyś długo siedział w kuchni, wpatrując się w czarny, połyskliwy kwadrat okna. Odbijał się w nim płomień karbidowej lampki i jego kredowobiała twarz.

– To mógł być ktokolwiek z nas, Basiu. To mógł być ktokolwiek... – powtarzał w kółko.

Wiosna jednak dopiero się zaczynała. Sprawa aresztowanego poety stanowiła zaledwie pierwszy klocek domina.

Gdy miesiąc później Krzyś wyjechał do Iwaszkiewiczów, by podreperować zdrowie, Warszawą wstrząsnęły kolejne dramatyczne wypadki. Informacje przekazywane z ust do ust podminowywały i tak już napiętą atmosferę, szczególnie wśród młodzieży. Basia nie umiała napisać o tym do Stawiska. Za każdym razem, gdy siadała do listu, coś w jej wnętrzu stawiało opór. Wszak Krzyś po ciężkiej zimie i sprawie Borowskiego dopiero zaczynał wychodzić na prostą. Udało mu się nawet nieco odbudować nadszarpniętą przez Gajcego wiarę w siebie i swoją poezję, bo w połowie marca na konspiracyjnym konkursie literackim otrzymał jedną z czterech równorzędnych nagród. Wśród nagrodzonych znalazł się między innymi Miłosz, a w skład jury wchodzili tacy znawcy literatury, jak choćby Iwaszkiewicz czy Wyka. To wyróżnienie sprawiło, że Krzysztof wreszcie poczuł się doceniony jako poeta. Powoli osiągał wymarzony szczyt Parnasu. A zaraz potem przyszło kolejne zaproszenie do Stawiska. Wszystko tak pięknie zaczęło się układać.

Gdyby nie wojna…

Basia nie zdobyła się na odwagę, by zakłócić spokój przebywającemu na wsi mężowi. O tym, co się wydarzyło podczas jego nieobecności, opowiedziała mu dopiero po powrocie.

Wyszła po niego na dworzec kolejki EKD. Był piękny wiosenny dzień, z chodników zniknęły ostatnie resztki śniegu. Na rachitycznych gałązkach krzaków porastających skraj ulicy Nowogrodzkiej pojawiły się pierwsze bazie. Zobaczyła Krzysia w szybie nadjeżdżającego wagonika. Po raz pierwszy od miesięcy wyglądał na zdrowego i wypoczętego. Widocznie pani Anna jak zwykle trochę go odkarmiła, bowiem lekko rumiane policzki wydawały się pełniejsze.

Kolejka się zatrzymała. Krzysztof z rzadką dla siebie energią zeskoczył po stopniach i mocno przytulił żonę.

– Nawet nie wiesz, Baś, jak się za tobą stęskniłem.

– Wspaniale wyglądasz – rzuciła, starając się uśmiechnąć.

– Bo porządnie wypocząłem.

Chwycił ją za rękę. Ruszyli w stronę Marszałkowskiej, skąd odjeżdżał ich tramwaj. Z jego ust popłynął potok słów.

– Tym razem miałem o niebo lepszą pogodę u Iwaszkiewiczów niż w zeszłym roku. Może raz popadało, a tak ciągle było piękne słońce. Mogłem pospacerować po lesie, odetchnąć świeżym powietrzem. Tamtejszy klimat naprawdę mi służy i prawie nie ma śladu po kaszlu. A pani Anna bez przerwy podtykała mi coś do jedzenia. Zatem i wypocząłem, i nabrałem ciała. A przy okazji popracowałem sporo. Będę ci musiał wszystko w domu przeczytać, ale Jarosławowi bardzo się podobało…

– Bardzo się cieszę – rzekła wyraźnie nieobecna.

Krzysztof przystanął. Spojrzał na nią uważnie. Dopiero teraz zauważył, że w wyrazie jej oczu jest coś dziwnego.

– Basiu, coś się stało? Ja tak mówię bez ustanku, a ty się w ogóle nie odzywasz. Nie cieszysz się, że wróciłem?

– Ależ bardzo się cieszę… – odparła, pociągając go za ramię, by nie tarasowali przejścia.

Krzyś taki był rozpromieniony, taki szczęśliwy. Jak mogła psuć mu nastrój? Ostatnio rzadko bywał uśmiechnięty. Ale przecież i tak w końcu będzie musiała mu wszystko opowiedzieć. Tego, co się wydarzyło, nie da się zachować w tajemnicy. Już cała

Warszawa o tym dyskutowała. Krzysztof i tak się dowie.

– Widzę, że coś cię dręczy – przerwał milczenie. – Przecież cię znam, Baś. Stało się coś na tajnych kompletach?

– Nie, to nie to.

– A więc jednak coś się stało – stwierdził z powagą.

– Nie chciałam o tym pisać, żeby nie popsuć ci wyjazdu. Kogoś aresztowano i…

– Kogoś z naszych bliskich?!

– Ja go nie znałam. Ty na pewno tak.

– Basiu, proszę cię, nie mów zagadkami. Kogo aresztowano?

Odwróciła twarz w jego stronę. Byli na ulicy, powinna panować nad emocjami. Jednak w jej oczach zaszkliły się łzy.

– Pamiętasz, jak mi opowiadałeś o swoich kolegach ze szkoły? Mówiłeś, że niektórzy wstąpili do konspiracji.

– Pamiętam. Chodziło o chłopaków z matematyczno-fizycznej.

– Zatem na pewno znałeś Janka Bytnara.

– Naturalnie.

Nerwowo przygryzła wargę.

– To właśnie jego zabrało gestapo. Dowiedziałam się zaraz po twoim wyjeździe… Znaleźli u niego jakieś dokumenty. Podobno torturowano go podczas przesłuchań, dlatego koledzy postanowili go odbić. Wszystko dokładnie zaplanowano. Podczas ataku na więźniarkę przewożącą go z Szucha na Pawiak doszło do ulicznej bitwy. O niczym innym się nie mówi od kilku dni. Nawet sądziłam, że i do ciebie na wieś dotrą jakieś strzępy wiadomości, ale z listów wywnioskowałam, że nic nie wiesz, zatem uznałam... – Zaczerpnęła powietrza. – W każdym razie podczas odbijania więźniów poleciały butelki z benzyną, a w strzelaninie zginęło kilku Niemców. Istny koniec świata. Akcja się powiodła, ale...

– Ale?

– Kilka dni później dowiedziałam się od jednego z chłopaków na zajęciach, że Bytnara jednak nie udało się odratować. Zmarł w wyniku obrażeń doznanych podczas przesłuchań. – Zamilkła. Przez chwilę szli bez słowa. Krzysztof wbił wzrok w brudny trotuar. – Katowano go z wyjątkowym okrucieństwem, ponieważ nie chciał wydać kolegów z konspiracji.

– Mój Boże – Krzysztofowi łamał się głos. Usta drżały. – To był taki fajny chłopak. Taki wesoły...

– To jednak nie koniec.

– Nie koniec?

– Podczas akcji padło wiele strzałów. Z obu stron. Oprócz tych Niemców ranny został także jeden z naszych. Podobno dostał w brzuch. Lekarze nie byli mu w stanie pomóc.

– Kto to był? – zapytał głucho Krzyś.

– Alek Dawidowski.

Przez resztę drogi na Hołówki, w tramwaju i później już na Czerniakowie, Krzysztof nie odezwał się do Basi ani słowem. Nie potrafił. Czuł, jakby na jego szyi zaciskała się pętla. Wszystko w jednej chwili przestało być ważne. I ta wiosna, i słońce, leniwe dni w Stawisku, nagrody literackie… Nic nie było ważne. Tylko to, że tamci nie żyli. Anioł Śmierci łapczywie zagarnął dwa kolejne istnienia.

Nie żyli…

Na nic się zdał piękny akt odwagi. Szkolni koledzy Krzysztofa, chłopcy z jednej ławy odchodzili w kwiecie wieku. Tak jak on niepogodzeni z otaczającym światem, tak jak on śniący o wolności. Tyle że tamci swoje sny postanowili wyśnić już teraz, zaraz, na jawie. Nie stali bezczynnie, nie czekali na rozwój wydarzeń. Wzięli sprawy w swoje ręce, próbowali dać czynny odpór rzeczywistości. A teraz nie żyli… Obaj pochowani pod fikcyjnymi nazwiskami na dwu różnych cmentarzach. Mogli już spać spokojnie.

Tymczasem Krzysztof przez wiele nocy w ogóle nie mógł zasnąć. Leżał w ciemnościach, przewracając się z boku na bok lub wpatrując się w sufit.

Basia w milczeniu ściskała go za rękę, starając się ciepłem swojego ciała przegonić cień śmierci czający się za ścianami domu, a jednak coraz głębiej przenikający do ich własnego życia. Lecz Krzyś nie potrafił wymazać sprzed oczu obrazu dawnych kolegów. Szczególnie Alka, którego jeszcze nie tak dawno spotkał przypadkiem na ulicy. Widział go pod wpółprzymkniętymi powiekami, widział jak dumnie maszeruje chodnikiem. Jego oficerki lśnią w słońcu... A on wychodzi naprzeciw przeznaczeniu z podniesioną głową, bez strachu.

Z nadzieją.

Tymczasem na warszawskich skwerach i w parkach ogołoconych z drzew wiosna rozkwitała na dobre. Wciąż nie przynosząc nadziei. Zamiast tego nad gettem zawisła szara chmura dymów. Ogień powstania buchał zza muru na aryjskie ulice miasta, ale nie było słychać krzyków walczących. Ich rozpaczliwe wołanie tłumiły wystrzały z broni maszynowej, huk pocisków z moździerzy i łoskot walących się kamienic. Krzysztof jeszcze mocniej skulił się w sobie, zapadł w rozpaczy tłumionej w ramionach Basi. Gasił tę rozpacz w ciele żony, jakby miłość była ostatnim ludzkim odruchem, jedyną tarczą odgradzającą ich od potworności okupacji. Bo ich świat oszalał, konał, przynosząc kres wszelkim wartościom. Ucieczka w wiersze przestała być ratunkiem. Szyba, zza której Krzyś obserwował dotąd wojnę, zaczęła się kruszyć.

Basia starała się rozmawiać z mężem o tym, co czuł, ale po raz pierwszy od dnia, gdy się poznali, brakowało jej słów. Zamiast tego toczyli dialog poprzez jego wiersze. Po jednej z bezsennych nocy znalazła na stole w kuchni świeży jeszcze rękopis.

Byłeś jak wielkie, stare drzewo,
narodzie mój jak dąb zuchwały,
wezbrany ogniem soków żrałych
jak drzewo wiary, mocy, gniewu.
I jęli ciebie cieśle orać
i ryć cię rylcem u korzeni,
żeby twój głos, twój kształt odmienić,
żeby cię zmienić w sen upiora. (…)[17]

Od pamiętnego wyznania na początku ich znajomości Krzyś praktycznie nigdy nie rozmawiał z nią o swoich żydowskich korzeniach. A mimo to Basia wiedziała, że tych kilka kropel semickiej krwi, która płynie w żyłach męża, stanowi integralną część jego tożsamości. Czuła, że Krzysztof, przechodząc obok getta, za każdym razem zadaje sobie pytanie,

---

[17] *Byłeś jak wielkie, stare drzewo…*, tomik wierszy *To jestem cały ja*, Agencja Wydawnicza „AD OCULOS", Warszawa–Rzeszów 2007.

czy przynależy do tej, czy do tamtej części miasta. Targały nim wyrzuty sumienia – czy miał prawo żyć, gdy tamci umierali? On, pół Polak, pół Żyd. Człowiek o rozdartej duszy. Jedyne co mu pozostało, to modlitwa do Boga katolików o miłosierdzie dla tych, którzy już na zawsze mieli pozostać za murem...

Czy można się było czymkolwiek cieszyć, gdy całe kwartały Warszawy zamieniały się na ich oczach w ziejącą gruzami pustynię? A jednak przekorny los widocznie ślepy był na rozterki młodego poety, bowiem właśnie wtedy postanowił sprawić Baczyńskiemu niespodziankę...

Krzysztof zupełnie się nie spodziewał, co mieści w sobie spora koperta nadana na poczcie w Krakowie i jak bardzo jej zawartość poprawi mu humor. List został napisany przez Kazimierza Wykę i stanowił swego rodzaju rozprawę krytyczną na temat twórczości młodego autora. Rozprawę bardzo mu przychylną, potwierdzającą talent i stawiającą pośród najlepszych twórców jego pokolenia. A zarazem rzetelnie analizującą jego utwory, co szczególnie Krzysia ucieszyło. To już nie były pełne przytyków recenzje nieopierzonych kolegów z SiN-u. Tekst znakomitego krytyka stanowił pełnowymiarowy esej i miał się ukazać w krakowskim konspiracyjnym „Miesięczniku Literackim" jako otwarty *List do Jana Bugaja*. Stanowiło to niemałe wyróżnienie.

Basia w trakcie wielokrotnego czytania rozprawy co chwilę powtarzała: „Zobacz, on pierwszy się na tobie poznał" i wśród najbliższych nie kryła dumy, że jej męża docenił prawdziwy znawca literatury. Krzysztof podszedł do sprawy z typowym dla siebie stoicyzmem, chociaż na pewno i on był zadowolony. W głębi duszy doznawał przyjemnego, a dawno zapomnianego uczucia: pewności i spokoju.

Gdybyż ten spokój mógł zapanować także na innych płaszczyznach ich życia... Czarna wiosna jednak nadal się nie skończyła, a Krzysztof kolejny raz poczuł na plecach oddech śmierci.

★ ★ ★

Mieszkanie przy Śliskiej, usytuowane w samym centrum Śródmieścia, a zarazem na przedmurzu getta, już od jakiegoś czasu służyło adeptom polonistyki jako miejsce spotkań z profesorem Adamczewskim. Jednak lokal nie należał do wykładowcy, a do jednej ze studentek, Baśki Bormanówny – zwanej przez wszystkich Czarną. Dziewczyna na cele naukowych zebrań przeznaczyła niewielki salonik z oknami wychodzącymi wprost na ruchliwą ulicę. Miejsce nie było szczególnie bezpieczne, bo Niemcy dosyć uważnie obserwowali ten teren, ale wybrano je w myśl zasady, że najciemniej pod latarnią. To tutaj co środę w specyficznej, swobodnej aurze domu państwa Bormanów toczyły się zajadłe filozoficzne dysputy, a wieczorami – o czym wiedziało niewielu – dochodziło do przerzutu makulatury i narad podziemia.

Baśka, o ślicznej buzi i trudnej do ujarzmienia burzy czarnych włosów, była z natury wyjątkowo żywą i wesołą dziewczyną. Zazwyczaj już od progu wylewnie witała nadchodzących kolegów z grupy. Jednak tego majowego poranka otworzyła Baczyńskim drzwi z wyjątkowo zafrasowaną miną. Szybko odebrała od nich płaszcze, a kiedy prowadziła ich w głąb mieszkania, rzuciła cicho:

– Profesora jeszcze nie ma, ale dobrze, że przyszliście wcześniej. Jest już kilka osób. Okropnie się porobiło…

Zanim Krzyś zdążył dopytać o coś więcej, otworzyła drzwi salonu. W środku czekało już kilka osób. Michał swoim zwyczajem siedział tuż przy oknie i obserwował ulicę. Wacek, Hania, Lusia, a także Zbyszek skupieni wokół okrągłego stołu gorąco o czymś rozprawiali.

Na widok nowo przybyłych przerwali w pół słowa. Zbyszek poderwał się, by dostawić kolejne krzesła. Padły zdawkowe słowa powitania. Atmosfera była wyraźnie napięta.

– Czy coś się stało? – zapytała Basia, zajmując wolne miejsce.

Czarna potoczyła wzrokiem po zebranych.

– Kto im powie?

Najwyraźniej nikt się nie kwapił do roli posłańca złej wiadomości. Wszyscy nerwowo wiercili się na krzesłach. Wreszcie Zbyszek zebrał się na odwagę, odchrząknął.

– Słyszeliście, co się wczoraj wydarzyło pod pomnikiem Kopernika?

Basia zdezorientowana zerknęła na Krzysztofa. Oboje przecząco pokiwali głowami.

– Wczoraj była czterechsetna rocznica śmierci n a s z e g o astronoma i ktoś postanowił uczcić to wydarzenie, składając wieniec. Co chyba zrozumiałe, taka ostentacja nie bardzo przypadła do gustu niebieskiemu policjantowi, który pilnował tam porządku.

Krzysztof zmarszczył brwi.

– Piękny gest, ale faktycznie dosyć ryzykowny. Kto wpadł na ten pomysł?

Zbyszek przełknął ślinę, po czym wyrzucił na jednym oddechu:

– Było ich trzech. Gajcy, Stroiński i Bojarski.

Dla nikogo z zebranych antagonistyczny stosunek Baczyńskich do kolegów skupionych wokół redakcji „Sztuki i Narodu" nie był tajemnicą. W czasie pamiętnego grudniowego wieczorku poetyckiego, który Krzyś zgodził się urządzić dla swojej grupy, niemal wszyscy jednogłośnie zachwycili się jego talentem. Znali jednak niepochlebne wypowiedzi pojawiające się na łamach literackiego periodyku i rozumieli niechęć, jaką autor *Wierszy wybranych* musiał czuć do jego twórców. Dlatego tak bardzo zdziwiła ich teraz reakcja Krzysztofa.

– Matko Boska! A co dokładnie się stało? Aresztowano ich? Żyją? – Wyglądał na wstrząśniętego.

W pokoju znowu zapadło niezręczne milczenie. Najwyraźniej nikt nie miał odwagi powiedzieć prawdy.

– Żyją? – dopytywała równie przejęta Basia.

– I tak, i nie – odezwała się zagadkowo Czarna, która dotąd stała oparta o framugę drzwi. Podeszła bliżej stołu. – Powiedz im, Zbyszek, jak to było.

Chłopak odetchnął ciężko.

– Jest to, co prawda, relacja z drugiej ręki, ale brzmi bardzo wiarygodnie. Podobno chłopcy wybrali się pod ten pomnik z jakimś okazałym wieńcem. Ot, taka mała manifestacja, że Kopernik to jednak nasz, a nie szwabów. Stroiński ukrył się z aparatem w którejś bramie przy Krakowskim Przedmieściu, żeby uwiecznić moment składania kwiatów. Gajcy się schował gdzieś pod kolumnadą Pałacu Staszica, a Bojarski podszedł pod pomnik, dźwigając wiecheć. I wtedy przyczepił się do niego niebieski policjant, menda. Zaczęli się szamotać. Gajcy miał chyba jakąś broń. Oddał strzał ostrzegawczy, ale w pobliżu był patrol żandarmerii. Zareagowali od razu. Bojarskiego postrzelono, a Stroińskiego aresztowano i przewieziono na Pawiak.

– A Gajcy? – Usta Krzysia zupełnie pobladły.

– Zapadł się pod ziemię. Pewnie się gdzieś ukrywa.

– Boże… to straszne – wyrwało się Basi.

– Owszem, straszne – potwierdziła Czarna. – Bojarski chyba już się nie wyliże, bo podobno to jakaś poważna rana. A i Zdzisiowi Stroińskiemu gestapo nie odpuści. Wiecie, jak jest. Pamiętacie, co się stało z Bytnarem. Będą go cisnąć jak cytrynę, żeby tylko sypnął do jakiej organizacji należy i kto im zlecił tę akcję.

Młodzi ludzie zebrani w pokoju popatrzyli po sobie. Jeśli nie osobiście, to przynajmniej z widzenia znali każdego z bohaterów tej historii. Niektórych darzyli sympatią, innych nie. Mniej lub bardziej cenili ich artystyczny dorobek… Teraz nie miało to najmniejszego znaczenia. Kolejne osoby z ich pokolenia znikały z pola widzenia, ponosząc zbyt wysoką cenę za pragnienie wolności.

Krzysztof opuścił głowę. Niemal niedostrzegalnie drżące dłonie schował pod błyszczący blat stołu. A tam już czekała inna dłoń. Ciepła, krzepiąca. Dłoń Basi.

★ ★ ★

Wacek Bojarski, redaktor naczelny „Sztuki i Narodu", zmarł niespełna dwa tygodnie po strzelaninie pod pomnikiem. Nikt nie wiedział, co dzieje się z przebywającym na Pawiaku Stroińskim, a na temat Gajcego chodziły przeróżne pogłoski. Na wydziale polonistyki zapanował przytłaczający nastrój. Studenci uciekali od mrocznej rzeczywistości w naukę.

Krzysztof także. Basia obserwowała tę nagłą zmianę męża z rosnącym zdziwieniem. Całe dnie spędzał na ostatnich odbywających się wykładach lub przygotowując prace seminaryjne. Poświęcał im tak dużo energii, jakby miał przeczucie, że od października nie będzie już kontynuował studiów. W jego działaniu była osobliwa, nieznana dotąd Basi determinacja. Coś się w Krzysiu zmieniło. Nastąpił przełom…

Obudziła się w środku nocy. Śniły jej się jakieś niepokojące obrazy i dźwięki; kwiaty i krew, odgłosy strzałów i płacz dziecka. Z trudem podniosła powieki, starając się odciąć od nocnej mary. Mieszkanie wypełniał mrok. Przez uchylone okno wpadały wiosenne podmuchy, unosząc firankę. Wskazówki małego budzika stojącego przy łóżku wskazywały godzinę trzecią. Wciąż wtulona w bok Krzysztofa, starała się nie poruszyć, by go nie obudzić. Zastygła, przysłuchując się rytmowi jego płytkich oddechów. Były zbyt nierówne, a więc Krzyś także nie spał.

– Obudziłem cię? – zapytał szeptem.

Podniosła głowę. Jego jasne oczy połyskiwały w ciemnościach.

– Nie. Miałam zły sen.

– Ja w ogóle nie mogłem zasnąć.

– Myślisz o Bojarskim?

– Myślę o nich wszystkich – rzekł zupełnie spokojnie. – O Bojarskim, Trzebińskim, Bytnarze, Borowskim... O tym, co się ostatnio działo, o tej przeklętej wiośnie, o getcie... Tak się nie da dalej żyć.

Basia uwolniła się z objęć męża i uniosła na łokciu.

– Co masz na myśli?

– Dobrze wiesz.

O tak. Basia doskonale wiedziała. To w końcu musiało się stać. Ale podobne myśli najlepiej odsuwać od siebie. Długo to czyniła. Widocznie nadeszła chwila, by przestać udawać.

– Jesteś pewny swojego wyboru?

– Tak. I to nie jest pochopna decyzja. Ja się z tym zmagam niemal od pierwszych dni wojny. Ale najpierw nie umiałem podjąć ryzyka ze względu na matkę. Wiesz, co ona sądzi na temat mojego wstąpienia do podziemia. Jestem za słaby, chory. Poza tym ona zupełnie sobie nie wyobraża, jak jej wychuchany syn mógłby biegać z karabinem po ulicach, zamiast pisać. Pisanie. Według niej to jedyne, co powinienem robić, jedyne, do czego się nadaję. Słuchałem też zdania Jerzego, który powtarzał, że wierszami zdziałam więcej, niż wymachując bronią. A później zjawiłaś się ty. Nigdy nie sądziłem, że los tak mnie nagrodzi, że otrzymam od niego taki prezent i spotkam kogoś równie niezwykłego. Uważałem, że nie mam prawa wikłać się w tak niebezpieczne sprawy, bo to oczywiste, że jeśli przystąpię do konspiracji, narażę także ciebie. A jednak, paradoksalnie, właśnie przy tobie dojrzałem, przestałem być szczeniakiem, jedynakiem wypieszczonym przez mamusię, a stałem się mężczyzną. To ty mi dajesz siłę, by podjąć właściwe decyzje, dzięki tobie wiem, co robić, co jest ważne. Nie mogę trwać dłużej w zawieszeniu. Można być poetą i żołnierzem zarazem. Muszę walczyć, Basiu. Muszę to zrobić bez względu na konsekwencje. Chcę być wolny!

– Ja to rozumiem i zaakceptuję każdą twoją decyzję. – Basia czuła, że jej ciało drży, jakby podświadomie stawiało opór słowom. – Zresztą od miesięcy czułam, że jesteś rozdarty. A jednak boję się o ciebie. Nie chcę cię stracić. Gdyby coś ci się stało, nic już nie miałoby sensu.

– Przecież ja też się boję, Baś. Nie tyle o siebie, co właśnie o ciebie. A jednak muszę podjąć ryzyko, żeby co rano bez wstydu patrzeć na siebie w lustrze. Rozumiesz mnie, prawda?

– Tylko jak ty zniesiesz te wszystkie szkolenia, ćwiczenia? Ten wysiłek? To jest ciężkie fizyczne wyzwanie. – Zawiesiła głos. – W jednym muszę się zgodzić z twoją matką: astma na pewno nie ułatwia sprawy.

– Jakoś sobie poradzę, muszę. Zdrowie nie jest teraz priorytetem, a już na pewno nie może być wymówką.

Uniósł dłoń i czule pogłaskał ją po policzku.

– A studia? Twoje wiersze? Jak to wszystko pogodzisz? Na pewno będziesz musiał wziąć udział w różnych zajęciach wojskowych. Nie zwerbują cię chyba do dywersji bez przeszkolenia.

– W tym układzie będę musiał zrezygnować ze studiów.

– Jak to?

Na jego ustach pojawił się sztubacki uśmiech.

– Basiu, i tak nie byłem zbyt pilnym studentem. Gdyby nie twoje zaangażowanie i notatki, niewiele by było z mojej nauki.

– A co zrobisz po wojnie? Studia są potrzebne.

– Jeśli będzie jakiekolwiek „po wojnie", to je wznowię. Na razie są ważniejsze sprawy. Z czegoś muszę zrezygnować. Nie umiałbym z pisania, zatem muszę ze studiów.

Basia z uwagą przyglądała się Krzysztofowi. Mimo mroku widziała napięcie rysujące się na jego twarzy. W tej chwili w niczym nie przypominał ślicznego, zagubionego chłopca czy niefrasobliwego poety. Był pewny swoich racji. Od jak dawna to wszystko planował? Jak długo analizował?

– Mówisz tak, jakbyś już wszystko miał przemyślane.

– Bo mam – odparł spokojnie. – Powinienem był powiedzieć ci o tym już wcześniej, ale nie chciałem uprzedzać faktów. Nawiązałem pewne kontakty. To nie było trudne. Okazuje się, że połowa ludzi, których znamy, jest mniej lub bardziej powiązana z podziemiem. To kwestia dni, gdy ktoś się u nas pojawi. Złożę ślubowanie i…

– Tak szybko?

– Basiu, straciłem wystarczająco dużo czasu, a im potrzeba ludzi. Właściwe szkolenie zacznie się później, zapewne jesienią. Na razie zostanę wtajemniczony w niektóre sprawy, musimy się poznać z chłopakami. Oni także zechcą sprawdzić, czy mogą na mnie liczyć.

– Jednak nie sądziłam, że to już, od razu.

– Nie chciałem mówić wcześniej, bo sam nie wiedziałem, co z tego wyjdzie. Zresztą… Może w ogóle nie powinienem cię wtajemniczać w te sprawy. Im mniej jesteś w nie uwikłana, tym lepiej.

– Wszystko, co dotyczy ciebie, dotyczy także mnie.

– Toteż nie zamierzam niczego przed tobą ukrywać. Może jedynie te sprawy, które bezpośrednio będą miały wpływ na twoje bezpieczeństwo. Musisz to zrozumieć. Takie są zasady. – Umilkł.

– A ja? Co ze mną?

– Nie rozumiem.

– Co ja mam dalej robić? Co ze studiami?

– Ty musisz dalej się uczyć. Nie powinniśmy wiele zmieniać w naszym codziennym grafiku. Ktoś mógłby nabrać podejrzeń. Zresztą nie widzę powodu, dla którego miałabyś rezygnować ze swoich planów. Uwielbiasz się uczyć. Studia to całe twoje życie.

– Ty jesteś moim życiem – odparła stanowczo. – Nie mogę stać z boku, gdy ty…

– Co chcesz przez to powiedzieć?

– Może ja również powinnam zrezygnować z polonistyki i wstąpić do Szarych Szeregów? Mogłabym zacząć chodzić na tajne zajęcia sanitariatu.

Krzyś przestał się uśmiechać, usiadł na łóżku.

– Basiu, co ty opowiadasz?

– Dlaczego ty masz się narażać, a ja nie?

– Ja jestem mężczyzną. To mój obowiązek. Niespecjalnie radzę sobie jako głowa rodziny, więc może chociaż…

– Świetnie sobie radzisz – weszła mu w słowo, również się prostując.

Przygarnął ją ramieniem.

– Baś. Nie oszukujmy się. Nie jestem przykładnym mężem. Nawet nie potrafię nas utrzymać. Gdyby nie twoi rodzice, gdyby nie ich pomoc, na pewno byśmy sobie nie poradzili. Ty nigdy się nie skarżysz, nie narzekasz na niedostatek, na to, że nie mogę dać ci nic ponad te moje wiersze. Lecz to nie zmienia faktu, że czuję się okropnie z moją życiową nieporadnością. Może chociaż żołnierzem będę dobrym i w ten sposób sprawię, że nasz świat stanie się normalniejszy. Dzięki temu kiedyś będziemy żyli normalnie.

– Ale ja chcę ci jakoś pomóc.

– Wystarczy, że jesteś.

★ ★ ★

Któregoś dnia do mieszkania na Hołówki zapukał młody człowiek. To Basia otworzyła drzwi. Nieznajomy nie przedstawił się, tylko zapytał o Krzysztofa. Od razu wiedziała, po co przyszedł. Jej mąż i ten obcy mężczyzna zamknęli się następnie w pokoju i długo rozmawiali. Przez cienkie ściany docierały do niej poszczególne słowa. Starała się ich nie słuchać, nie roztrząsać, co oznaczają. Nie chciała o tym myśleć, bo od kilku dni zajmowało ją coś zgoła innego.

Już od jakiegoś czasu dziwnie się czuła. Męczyły ją wahania nastroju. Nie mogła jeść, na nic nie miała siły, nawet jej entuzjazm do nauki jakby przygasł. Na początku brała te objawy za efekt bezustannego napięcia, jakie towarzyszyło im w minionych miesiącach. Tyle się ostatnio wydarzyło. Ta okropna wiosna: zagłada getta, aresztowania. Podobne rzeczy nie przechodzą bez echa. Niemniej któregoś poranka, jeszcze zanim wstała z łóżka, poczuła mdłości. Nic nie powiedziała Krzysztofowi, chociaż nabrała pewności co do przyczyny swojego dziwnego samopoczucia. Była przerażona i szczęśliwa zarazem. Dziecko... Dziecko jej i Krzysia. Wojna i dziecko. A teraz jeszcze ta konspiracja. To nie był dobry czas. Chociaż czy lepszy kiedykolwiek nastąpi?

Postanowiła na razie zachować swój stan w tajemnicy przed mężem. Krzyś miał teraz na głowie zupełnie inne problemy. Nie trzeba mu było dokładać kolejnych. Zostało jeszcze dużo czasu, żeby oswoić go z niezwykłą nowiną, by go do niej przygotować. Tymczasem zdecydowała się zwrócić do osoby, której wsparcia i pomocy potrzebowała równie mocno, co tych mężowskich. W takich momentach wszelkie obawy i troski najlepiej koją kochające ramiona matki.

★ ★ ★

Zanim Basia przekroczyła próg domu przy Śnie-gockiej, jej uwagę przykuło obwieszczenie przycze-pione do bramy. Jej oczy raz po raz przebiegały po urzędowym piśmie, acz im dłużej się w nie wczyty-wała, tym mniej je rozumiała. Treść wydała jej się zu-pełnie absurdalna. To nie mogła być prawda! Wbiegła na górę i zdyszana energicznie nacisnęła dzwonek.

Drzwi otworzyła pani Feliksa. Bez słowa wpu-ściła córkę do środka. Na twarzy kobiety odmalo-wywało się zmęczenie i rezygnacja. Przeprowadziła Basię do kuchni i ciężko opadła na krzesło.

– Mamo, o co chodzi z tym obwieszczeniem na dole? Ja zupełnie nie rozumiem.

Pani Fela schowała twarz w dłoniach.

– Mamy się stąd wynieść. Mamy opuścić naszą kamienicę, nasze mieszkanie.

– Ale jak to: macie się wynieść?! Niby dlaczego?

– Był u nas wczoraj po południu jeden taki… Nie-miec. Gładki urzędnik, niby kulturalny, w garniturze i z teczką. Powiedział, że władze postanowiły tutaj urządzić niemiecką dzielnicę. *Nur für Deutsche.* Wy-obrażasz to sobie?! Szwabów do naszego domu wpusz-czą. A my mamy tydzień, żeby się spakować i wynieść.

– Ale jak? Dokąd? Przecież to jest jakieś bezprawie!

Matka podniosła załzawione oczy na Basię. Twarz miała spuchniętą, usta drżące. Widać było, że nie przespała ani minuty dzisiejszej nocy.

– To nie jest bezprawie, to jest nowe prawo, córeczko. Oczyścili Niemcy getto, teraz biorą się za
nas. Zresztą właśnie na były teren „małego getta"
mają nas przesiedlić. Jakąś klitkę dostaniemy w zamian za to mieszkanie.

– Jak to na teren getta? Przecież tam jeszcze
zgliszcza nie ostygły.

– Mamy przydział kwaterunkowy na Pańską w tej
części, którą odłączono już latem tamtego roku. Tamtejsze kamienice nie ucierpiały w powstaniu. To niby ta
najlepsza część, gdzie wcześniej mieszkali bogaci Żydzi.
Podobno nie jest tam nawet tak strasznie. Ale co to za
różnica. – Załamała ręce. – Cały dorobek życia, wszystko, cośmy z ojcem wypracowali, trzeba tu zostawić.

Basia z każdym słowem matki czuła, jak ogarnia ją przerażenie. Nie tak miała wyglądać dzisiejsza
rozmowa. Na inny temat miała się toczyć. Mieszkanie rodziców, wypełnione znajomymi sprzętami,
śladami dawnego dostatku i spokoju, stanowiło dla
dziewczyny ostatnią bezpieczną przystań w coraz
bardziej niebezpiecznej Warszawie.

– I nie możecie zabrać swoich rzeczy?

– A owszem, możemy, lecz jedynie te osobiste.
Meble, żyrandole, dywany – to wszystko ma zostać. Mówią, że przecież idziemy na gotowe, że pod
nowym adresem wszystko jest. Cóż za cynizm. To
przecież jeszcze gorzej, niż gdyby były tam tylko

puste ściany. Jak ja ze spokojem ducha będę korzystać ze sprzętów dawnych właścicieli, kiedy wiem, że oni tam w Treblince. Jak będę mogła chodzić po tamtejszych ulicach, mając świadomość, że ci ludzie niedawno na tym bruku umierali.

Pani Fela płakała. W Basi narastał bunt tak wielki, że niemal fizycznie czuła, jak formuje się on w jej wnętrzu w wielką kulę, która za chwilę może eksplodować.

– Mamuś, nie płacz. Nie można się tak poddawać. Na pewno jest jakiś sposób, żebyście tu zostali. Może trzeba komuś dać łapówkę? Sama nie wiem. Może stryj by coś załatwił? On zna wielu ludzi.

– Nic się nie da załatwić. A poza tym, jak ty to sobie wyobrażasz? Mielibyśmy zostać tutaj wśród Niemców? Przecież stąd wszystkich Polaków przepędzają. Prędzej wyjadę z Warszawy, niż zgodzę się mieć za sąsiada jakiegoś fryca.

Znowu zalała się łzami. Basia wyciągnęła rękę i pogłaskała dłoń matki. Nie znajdowała słów, którymi mogłaby ją pocieszyć. Ona sama wciąż nie dowierzała temu, co usłyszała.

– Trzeba będzie się wynieść – wychlipała pani Feliksa.

Przez kilka minut milczały. Obie rozmyślały o tym, że już za tydzień wszystko, co je otacza, co z takim trudem budowali, trzeba będzie porzucić.

Porzucić wspomnienia i złudne poczucie spokoju. Basi kręciło się w głowie z lęku, z niedowierzania. Jak jej najbliżsi sobie poradzą? Jak ona sobie poradzi, utraciwszy dom rodzinny? Pani Feliksa wyciągnęła wreszcie chusteczkę. Otarła oczy i nos.

– Trudno, nie ma wyjścia. Trzeba się wynieść. Ale wiesz, Basiu, co jest najgorsze w tym wszystkim? Ja czuję, że już tu nigdy nie wrócę. Oni nas tak samo jak tych biednych Żydów… Zobaczysz. Nie doczekamy wyzwolenia.

– Mamuś, ale spójrz, co się dzieje na Wschodzie. Może Sowieci w końcu zmienią losy tej wojny. Trzeba to tylko przetrzymać. Trzeba mieć nadzieję.

– Nadzieję? Basiu, ja się równie mocno boję tej czerwonej swołoczy, co nazistów. Dla Polski nie ma ratunku. Nie ma nadziei. Dla nas jej nie ma.

Basia instynktownie dotknęła brzucha. Wezbrała w niej taka bezsilność, taka niemoc, że wstrzymywane dotąd łzy wreszcie i jej popłynęły z oczu.

Nie ma dla nich nadziei. Nie ma nadziei dla jej dziecka…

★ ★ ★

Zgodnie z nowym zarządzeniem gubernatora Franka państwo Drapczyńscy wraz z synem przenieśli się do Śródmieścia. Basia i Krzysztof pomogli im przewieźć rzeczy wynajętą furmanką pod nowy adres. Kamienica była w niezłym stanie, chociaż elegancką niegdyś fasadę szpeciły obecnie głębokie wyrwy po kulach i wyłaniające się spod pokruszonych tynków rdzawe połacie ceglanego muru. Samo mieszkanie także nie prezentowało się najlepiej. Okna dwóch maleńkich pokoików wychodziły na zamkniętą, ciemną studnię podwórza, sprawiając, że niemal o każdej porze dnia spowijał je nieprzyjemny półmrok. Obcy dom i obca, naznaczona śmiercią okolica wprawiały nowych lokatorów w wyjątkowo wisielczy nastrój. Basia jak dawniej niemal codziennie starała się odwiedzać rodziców, ale w świetle ostatnich wydarzeń wciąż nie zdobyła się na odwagę, by wyjawić im swój sekret. Czy może raczej sekrety, bowiem teraz z Krzysiem mieli ich o wiele więcej.

W mieszkaniu przy Hołówki coraz częściej pojawiali się różni młodzi ludzie – bynajmniej nie w celach towarzyskich. Basia zazwyczaj wpuszczała ich bez zbędnych pytań do środka i prowadziła prosto do męża, a sama znikała w kuchni lub w drugim pokoju. Jednak na tak niewielkim metrażu rzetelne dochowanie konspiracyjnych zasad nie do końca okazało się możliwe. Chcąc nie chcąc, Basia stawała się mimowolnym słuchaczem wielu rozmów. Po jednej z nich, kiedy na chwilę przed wybiciem *Polizeistunde* liczne towarzystwo wreszcie opuściło mieszkanie, Krzyś przyszedł do kuchni, gdzie siedziała. Wyraźnie rozradowany, z dziwną miną – wyrażającą ni to dumę, ni niedowierzanie – powiedział uroczyście:

– Basiu, stoi przed tobą zastępowy drugiego zastępu w trzeciej drużynie plutonu „Alek" w kompanii „Rudy" batalionu „Zośka". Chłopcy wybrali mnie w głosowaniu.

Ta przydługa prezentacja wywołała u niej szeroki uśmiech.

– Dlaczego właśnie ciebie?

– Jestem z nich najstarszy. Cieszysz się?

Popatrzyła na niego wyrozumiale. Czasami Krzyś zachowywał się jak duży chłopiec.

– Będziesz musiał wziąć za nich odpowiedzialność.

– Po to dołączyłem do grupy szturmowej. Nie zamierzam się uchylać od obowiązków.

– Nie wiem, czy nie za dużo bierzesz na swoją głowę. Martwię się o ciebie. – Zakasłała.

Krzyś przykucnął przy jej kolanach i zmartwiony zajrzał w oczy.

– To raczej ja się martwię o ciebie. Od tygodnia pokasłujesz. Jesteś blada jak papier. Wychudłaś. Może powinnaś przejść się do lekarza?

W ostatnich dniach rzeczywiście coś ją dusiło w płucach. „To przez nerwy" – tłumaczyła sobie, popijając ziołowe napary. Lecz ziółka na niewiele się zdały. Na pewno miód bardziej by pomógł. Lecz skąd miała wziąć teraz miód, kiedy nawet z zakupem sacharyny ostatnio był problem? Do lekarza też nie chciała iść. Musiałaby się przyznać, że być może jest w ciąży, a wówczas o wszystkim dowiedziałby się także Krzysztof. Na to było za wcześnie. Zresztą szkoda jej było pieniędzy. I tak ledwo starczało im na życie. Nie miała serca, by znowu prosić o pomoc rodziców. To był naprawdę fatalny moment na chorowanie. Tyle jeszcze miała nauki do ostatnich zaliczeń. Krzyś ciągle w biegu i te codzienne pielgrzymki do ich mieszkania. Naprawdę nie było warunków i czasu, żeby mogła porządnie się wykurować.

– Poczekam jeszcze kilka dni. To na pewno nic takiego. Sama się podleczę. Trochę odpocznę i mi przejdzie.

– Zrobisz, jak uważasz, uparciuchu. Ja jednak, Baś, myślę, że nie ma na co czekać.

– Na szczęście rozkazy możesz wydawać na razie tylko swoim chłopakom – zażartowała. – A o mnie się nie martw. Będzie dobrze…

Ale nie było. Minął kolejny dzień i następny. Za każdym razem, gdy Basia starała się wziąć głębszy oddech, coś rzęziło jej w płucach. Coraz częściej też dostawała ataków kaszlu, które starała się tłumić chusteczką, tak by Krzyś niczego nie słyszał.

Jednak któregoś poranka nie mogła już dłużej ukrywać swojego stanu. Pościel mokra była od potu, gdyż Basia silnie gorączkowała. Krzysztof, nie pytając jej dłużej o zdanie, pobiegł do znajomej, która miała telefon. Zawiadomił Drapczyńskich, że z ich córką dzieje się coś niedobrego, zatem natychmiast zabiera ją do szpitala. Następnie wybiegł na ulicę, by znaleźć jakiś transport. Z pomocą rikszarza wpółprzytomną Basię wyniósł z mieszkania i ile siły w nogach pognali do pobliskiego Szpitala Ujazdowskiego.

Lekarze, widząc stan pacjentki, o nic nie pytali, tylko od razu zabrali ją na badania. Krzysztof, odchodząc od zmysłów, dosyć długo czekał na przepełnionym chorymi korytarzu. Dopiero po dwóch godzinach, przekrzykując panujący wokół harmider, siostra wywołała go do pokoju lekarskiego.

Niewielki gabinet sprawiał przygnębiające wrażenie. Bez wątpienia od dawna wymagał remontu. Miejscami ze ścian schodziła olejna farba. W przeszklonej gablocie, na półce spoczywało kilka smętnych fiolek z lekarstwami i niewielki zapas gazy. Za biurkiem siedział mężczyzna w średnim wieku. Miał twarz człowieka, którego nic już w życiu nie może zdziwić. Pognieciony kitel i sińce pod oczami wzmagały wrażenie zmęczenia, jakie roztaczał wokół siebie.

– Pan Baczyński? – zapytał chłodno, wskazując przybyłemu krzesło naprzeciw biurka.

Krzysztof przytaknął, siadając.

– Stępiński – przedstawił się sucho lekarz. – To ja przyjmowałem pana żonę. Proszę usiąść.

Poprawił okulary i zajrzał w leżące na biurku papiery, po czym bez wstępów przeszedł do meritum:

– Po wstępnym badaniu diagnoza rysuje się następująco: pani Barbara ma wysiękowe zapalenie opłucnej i to w dosyć zaawansowanym stadium.

– W zaawansowanym stadium…?

– No cóż. Niestety zlekceważyli państwo pierwsze objawy choroby. Gdyby pani Barbara zjawiła się u nas wcześniej, na pewno jej stan byłby teraz dużo lepszy. Skończyłoby się na zapaleniu płuc i podaniu antybiotyku. – Lekarz oparł się wygodniej o poręcz krzesła. – Teraz jednak w płucach zebrało się sporo płynu, który musimy usunąć. Zleciłem już torakocentezę. Myślę, że właśnie jest wykonywana.

– Co to za zabieg?

– Nakłucie jamy opłucnej w celu pozbycia się nadmiaru płynów.

Krzysztof przytaknął na znak, że rozumie.

– Czy to bolesne?

– To konieczne. Ból nie ma teraz znaczenia.

– Ale Basia z tego wyjdzie?

Stępiński wbił w niego świdrujące spojrzenie. Wokół orzechowych tęczówek jego oczu rozlewała się pajęczyna czerwonych żyłek.

– Ona tak – powiedział z wyraźnym ociąganiem.

– Nie rozumiem. O czym pan mówi?

– Pana żona była w ciąży. – Wyraz twarzy lekarza złagodniał. Stępiński nachylił się nad biurkiem, zmniejszając między nimi dystans. – Pan nie wiedział, prawda?

Krzysztof poczuł, jak po plecach spływa mu strużka potu.

– Pani Barbara poinformowała nas o tym podczas badania – kontynuował doktor. – To był zresztą sam początek… Prawdopodobnie z powodu wysokiej gorączki pojawiło się plamienie. Niestety było już za późno. Nic nie mogliśmy zrobić. Bardzo mi przykro.

Pokój lekarski wypełniła cisza. Jedynie z korytarza wciąż dochodziły odgłosy krzątania się personelu i czyjeś przejmujące pojękiwania.

– Co teraz, panie doktorze? – Krzysztof z trudem panował nad głosem.

– Jak już mówiłem, przede wszystkim musimy osuszyć płuca. Następnie podamy pana żonie antybiotyk. Na szczęście ostatnio wielkodusznie otrzymaliśmy od Niemców niewielki zapas leków, dlatego chwilowo mamy czym leczyć, co niestety nie jest dzisiaj normą. – Zamyślił się nad swoją gorzką dygresją. – W każdym razie myślę, że w ciągu dwóch–trzech dni stan pani Barbary powinien się poprawić. Za tydzień, może półtora, jeśli nie wynikną żadne komplikacje po poronieniu, powinna wrócić do domu.

Krzyś słuchał słów Stępińskiego zupełnie otępiały. Doktor widocznie to dostrzegł, gdyż na jego ustach pojawił się grymas, który być może miał oznaczać uśmiech.

– Proszę pana, zdaję sobie sprawę, że jest to dla pana ogromny szok. Niemniej i tak możemy mówić o szczęściu. Dzisiaj ludziom zdarzają się gorsze tragedie. Wiem, bo oglądam je tutaj codziennie.

– Ale to moja wina. Gdybym wiedział, siłą zaciągnąłbym ją do lekarza.

– To niczyja wina. Takie rzeczy się zdarzają. Być może i bez czynnika chorobowego pana żona nie donosiłaby ciąży. Nawet pan sobie nie wyobraża, jak powszechny jest to obecnie problem w Warszawie. Stres, trudne warunki życia, nieodpowiednia dieta… Państwo są jeszcze bardzo młodzi. Na pewno kiedyś będą mieli państwo dzieci.

★ ★ ★

Basi na szczęście nie położono na korytarzu. Salę, do której trafiła, jak na warunki przepełnionego szpitala można było nawet uznać za kameralną. Mieściła zaledwie sześć łóżek. Najciężej chore pacjentki zajmowały kozetki odgrodzone od reszty przepierzeniami z prześcieradeł, ale w sali wciąż kręcili się lekarze, pielęgniarki i odwiedzający, dlatego o jakiejkolwiek intymności nie mogło być mowy. Krzysztof codziennie spędzał przy łóżku żony tyle czasu, na ile pozwalał sztywny regulamin odwiedzin. Jednak wciąż nie miał okazji, żeby zamienić z nią choćby kilka słów na osobności, by szczerze porozmawiać o tym, co się stało. Zresztą Basia w ogóle nie przejawiała na to ochoty. Osowiała i milcząca starała się jak najwięcej spać albo czytała przyniesione przez Krzysia książki. Nie cieszyły jej nawet wizyty rodziców. Pani Feliksa zawsze przychodziła z nieodzownym słoikiem pełnym jedzenia, bo jak zupełnie słusznie uważała: „To, co serwuje szpitalna kuchnia, to jakieś niestrawne pomyje".

Basia wymogła na mężu i doktorze Stępińskim obietnicę, aby nie wspominali rodzicom o poronieniu. Toteż ci, nieświadomi przyczyn, bardzo się martwili apatią córki. Wszak terapia antybiotykowa szybko zadziałała, zabiegi torakocentezy przyniosły dobre rezultaty, a pani Fela stawała na głowie, żeby porządnie córkę odkarmić. Co zatem było powodem takiego zobojętnienia?

Krzysztof nie musiał zadawać sobie podobnych pytań. Wszak on także teraz cierpiał. Wiedział, że najtrudniej wyleczyć rany niewidoczne gołym okiem. Dlatego uznał, że nie będzie naciskał na Basię i zmuszał jej do zwierzeń. W takich sytuacjach najlepszym lekarstwem jest czas i spokój.

Do takich samych wniosków widocznie doszli rodzice, gdyż w dniu wypisu ze szpitala oznajmili, że na cały lipiec wynajęli na letnisko niewielki domek w Radości. Byłoby wspaniale, gdyby dzieci zechciały do nich dołączyć. Zajęcia na tajnym uniwersytecie właśnie dobiegły końca i nic nie stało na przeszkodzie, by młodzi na chwilę oderwali się od warszawskich problemów. Krzysztof przyklasnął pomysłowi teściów, Basia podeszła do niego sceptycznie. Nie miała siły ani ochoty na wyjazd. Tak naprawdę nie miała ochoty na nic. Najchętniej zaszyłaby się pod kołdrą w mieszkaniu przy Hołówki, gdzie mogłaby bez przeszkód dać upust łzom.

W sukurs Drapczyńskim przyszedł doktor Stępiński, który stwierdził, że wypoczynek w otoczeniu sosnowych lasów na pewno pomoże pacjentce szybciej powrócić do zdrowia. Poza tym – co już dyskretnie przemilczał – był przekonany, że pobyt z dala od domu, w otoczeniu bliskich, poprawi także stan psychiczny Basi. Pozwoli zapomnieć o stracie.

Z medycznym zaleceniem chora nie mogła już dyskutować. Decyzja zapadła.

★ ★ ★

Domek w Radości zdawał się prawdziwym rajem na ziemi. Chociaż był nieduży i pozbawiony wygód, to otoczenie rozległego ogrodu pełnego kwiatów całkowicie rekompensowało tymczasowym lokatorom wszelkie niedogodności. Położony na obrzeżach letniskowej miejscowości zapewniał również to, za czym Basia i Krzysztof najbardziej tęsknili w ostatnich miesiącach – całkowity spokój.

Lipiec rozlewał się upałem po pobliskich łąkach, a szum sosnowych lasów sprawiał, że wojna, okupacja i spływające strachem warszawskie ulice wydawały się tu bardzo odległe. Dnie spędzano na czytaniu książek, spacerach lub błogim lenistwie. Bliskość rodziny i wielogodzinne rozmowy sprawiły, że Krzysztof wreszcie opowiedział teściom o swoim wstąpieniu do konspiracji. Przez pierwsze dni pani Fela załamywała ręce: „I na co ci to, Krzysiu, przecież ty poetą jesteś, nie żołnierzem, zdrowie masz słabe i taki młody jeszcze jesteś...". Pan Ryszard przyjął wiadomość z całkowitym zrozumieniem. Gdyby nie fakt, że miał chore serce i dodatkowo na utrzymaniu rodzinę – a nawet dwie – sam także przystąpiłby do którejś ze zbrojnych organizacji. Tymczasem jedyne, co mógł zrobić dla ojczyzny, to pokątny druk różnej maści papierów. Czasami całe noce zarywał w drukarni, kiedy z maszyn schodziły lewe metryki urodzenia, przepustki czy kenkarty. Chociaż bardzo ryzykował, jednak wciąż miał poczucie, że robi za mało. Jak więc mógłby potępiać szlachetną postawę zięcia?

Oczywiście niezwykła wiadomość największe poruszenie wywołała u Zbyszka, który od jakiegoś czasu także roił sobie o bohaterskich czynach. Był młodszy od Krzysztofa o cztery lata i ogromnie weń zapatrzony. Być może przez tę różnicę wieku trzymali się dotąd na dystans i dopiero wspólne wakacje zbliżyły ich do siebie. W tajemnicy przed panią Feliksą Zbyszek godzinami wypytywał szwagra, w jaki sposób nawiązać odpowiednie kontakty, żeby trafić do dywersji, i jak podziemna działalność wygląda od środka. W leniwe popołudnia spędzane w ogrodzie – ku zgrozie pani Drapczyńskiej – rzucali razem do celu zdobytym gdzieś przez Krzysia granatem ćwiczebnym. A czasami chodzili po chrust do lasu, by przy okazji popatrzeć na transporty z „rąbanką", jak nazywali pociągi z rannymi Niemcami uciekającymi z frontu wschodniego.

Dni wakacyjnej beztroski mijały i tylko między młodymi małżonkami wciąż panowało niespotykane milczenie. Krzyś podjął kilka prób rozmowy z Basią, ale ona widocznie nadal nie umiała pokonać muru niedopowiedzeń, który między nimi wyrósł. Przesiadywała na werandzie, czytając książki, lub uciekała do kuchni, by pomagać matce w przygotowywaniu przetworów na zimę – praktyczna pani Fela nie zamierzała zmarnować okazji, jaką dawała bliskość wsi i jej płodów. Krzysztof, czując się odepchnięty, zsunięty na boczny tor, wymykał się ze Zbyszkiem albo godzinami grał w szachy z teściem.

Być może ciche dni potrwałyby dłużej, gdyby nie przypadek. Nieoczekiwanie sposobność do rozmowy nadarzyła się za sprawą listu, który Krzysztof otrzymał z Warszawy.

Tego ranka Basia wyszła po śniadaniu do ogrodu. Zabrała ze sobą książkę, której nie zaczęła jednak czytać. Zamiast tego, oparłszy się wygodnie o poręcz ławki, wystawiła twarz do słońca. Trwając w bezruchu przez długie minuty, wsłuchiwała się w kukanie kukułki dochodzące z lasu. Była tak zamyślona, że nie zwróciła uwagi na odgłos zbliżających się kroków.

– Śpisz, Basiu? – zapytał cicho Krzysztof, przystając tuż obok.

Drgnęła wyrwana z zadumy i nieznacznie uchyliła powieki.

– Nie. Słucham kukułki i liczę, ile nam jeszcze życia zostało.

Przysiadł obok niej, uśmiechając się melancholijnie.

– I ile nam go zostało?

– To tylko zabobony. Sądzę, że Hitler miałby na ten temat więcej do powiedzenia niż moja kukułka – ucięła chłodno. Wyprostowała się i spojrzała na trzymaną przez Krzysia kopertę. – Dostałeś list?

– Tak. Niedawno przyszła poczta.

– Od kogo?

– Od Jurka Andrzejewskiego.

– I co pisze?

– Pamiętasz, jak ci mówiłem, że poprosił, abym został ojcem chrzestnym Marcina? Właśnie dopytuje, czy się nie rozmyśliłem. No i czy nie przyjechalibyśmy w przyszłym tygodniu do Warszawy, bo w końcu ustalili datę.

Basia zdawała się zaskoczona. Przez to wszystko, co ostatnio się wydarzyło, przez pobyt w szpitalu i ich niespodziewany wyjazd z miasta, zupełnie zapomniała, że przyjacielowi męża urodził się syn. A może tak naprawdę chciała zapomnieć? Może celowo wyparła tę informację z pamięci, ponieważ dziecko znajomych niebezpiecznie przypominało o jej własnym, nienarodzonym?

– Dlaczego Jerzy informuje cię w ostatniej chwili?

– Baś, dobrze wiesz, że na pewno natrafili na trudności przy załatwianiu tej sprawy. Nadal nie mają z Marią ślubu. Widocznie jakiś ksiądz poszedł im w końcu na rękę i nie wybrzydzali z terminem.

– W takim razie musisz jechać.

Zmarszczył brwi. W ostrym słońcu jego oczy wyglądały, jakby zupełnie straciły swój niebieski kolor.

– Nie pojedziesz ze mną?

– Nie.

– Rozumiem, że nadal jesteś słaba, ale Jerzemu i Marysi na pewno byłoby miło.

– Nie o to chodzi – przerwała mu.

– Więc o co?

– Doskonale wiesz.

Krzysztof dotknął nieśmiało zaciśniętych dłoni spoczywających na kolanach żony.

– Nie wiem, Basiu. Nic już nie wiem – rzekł łagodnie. – Od twojego pobytu w szpitalu nie chcesz ze mną porozmawiać. Uciekasz ode mnie. Izolujesz się.

Schyliła głowę. Luźne pukle włosów opadły jej na twarz. Blade policzki w jednej chwili przecięły dwie połyskujące linie. Kropelki na sekundę zatrzymały się na brodzie, by zaraz potem skapnąć na rękę Krzysztofa.

– Nie umiem… Po prostu nie wiem, jak mam o tym z tobą rozmawiać. Czuję się winna!

– Basiu, ty? Dlaczego? – Jemu także łamał się głos. – Jeśli ktokolwiek zawinił, to wyłącznie ja. Gdybyś miała poczucie, że jestem ci oparciem, na pewno powiedziałabyś mi o ciąży. Ale ja okazałem się kompletnym egoistą. Egoistą i ślepcem. Byłem tak skupiony na sobie, na swoich sprawach, że nie zauważyłem, co się z tobą dzieje. Zostawiłem cię samą. To ja, tylko ja mogę czuć się teraz winny. Zbagatelizowałem twoją chorobę. Nie byłem na tyle stanowczy, żeby na czas wysłać cię do lekarza. – Wytarł kciukiem łzy, które nie przestawały spływać po twarzy Basi. – Nie możesz się winić, że cokolwiek zaniedbałaś, Baś... Z drugiej strony, Stępiński mi powiedział, że zapalenie opłucnej wcale nie musiało być bezpośrednią przyczyną utraty ciąży. Żyjemy w ciągłym napięciu, w bezustannym strachu, to się musiało odbić na twoim zdrowiu.

– A jednak czuję się winna. I jakby... pusta w środku. Tak się boję, że może już nigdy nie będziemy mieli dziecka.

– Będziemy. Zobaczysz. Może po prostu tym razem to jeszcze nie był właściwy moment.

Pociągnęła nosem.

– Ja wiem, że to nie był dobry czas. Bałam się, jak to będzie, jak sobie poradzimy, a zarazem tak bardzo się cieszyłam.

– Basiu, kochanie moje. – Przytulił ją do siebie. – Jeszcze kiedyś nam się uda. A teraz... Najważniejsze, żebyśmy byli razem. Rozumiesz? Ja tak bardzo cię kocham. Tak okropnie się bałem, kiedy zachorowałaś. Odchodziłem od zmysłów. Pal licho konspirację, moje wiersze. Wszystko! Nic nie miałoby sensu bez ciebie. Nie przeżyłbym, gdyby coś ci się stało. Jestem w stanie znieść myśl, że nie będziemy mieli dziecka, ale nie to, że mnie odrzucasz, że się odsuwasz. Nie wytrzymam kolejnych dni w milczeniu. Przecież ja nawet pisać ostatnio nie mogłem. Bez ciebie już nie potrafię tworzyć. Tak bardzo pragnę, by między nami było jak dawniej.

– Ja też, Krzysiu, o niczym innym nie marzę – westchnęła. – A jednak tak mi ciężko.

– To pozwól, żebyśmy przeszli przez to razem. Dotąd wszystko było prostsze właśnie dlatego, że dzieliłem to z tobą. Nie chcę tego zmieniać.

Oparła głowę o jego ramię. Miłość stanowiła jedyną pewną rzecz w ich życiu. Tylko tworząc całość, mogli stawić czoła światu.

– Tak bardzo cię potrzebuję – wyszeptała. – Tak bardzo…

Drobinki słońca tańczyły po ich twarzach. Zieleń ogrodu lekko drżała w upalnym powietrzu. Krzyś łagodnie głaskał włosy i szczupłe ramiona Basi. Po raz pierwszy od tamtego strasznego poranka poczuł, że opuszcza go napięcie. Już nigdy nie mogą dopuścić do sytuacji, w której niedomówienia wzięłyby górę nad uczuciami. Żadnych więcej tajemnic.

– Obiecaj mi, że od teraz już zawsze będziemy ze sobą szczerzy. Będę ci mówił o wszystkim i chcę, byś pamiętała, że ja także zawsze cię wysłucham.

Przytaknęła.

– A co do tych chrzcin. – Spojrzała na kopertę porzuconą tuż obok na ławce. – Jeśli tak bardzo ci zależy, żebym pojechała…

– Nic się nie stanie, jeśli pojadę sam. Jerzy też zrozumie. Ty jesteś teraz najważniejsza.

– Po prostu boję się, że to jeszcze dla mnie za wcześnie. Kiedy zobaczę ich dziecko… Nie wiem, czy powstrzymam łzy.

– Dlatego zostaniesz tutaj. To już postanowione. A ja postaram się wrócić najszybciej, jak się da. – Pocałował jej ciepłe czoło, a później jego usta scałowały resztki łez z policzków. – Kiedy wrócę, razem postaramy się cofnąć czas. Znowu będzie jak dawniej, jak w zeszłe wakacje.

★ ★ ★

Krzysztof wyjechał do Warszawy. Zakładał, że nie będzie go dwa, góra trzy dni. Przy okazji chciał się spotkać z chłopakami ze swojego zastępu. Już drugiego poranka jego nieobecności Basia niecierpliwie zaczęła nasłuchiwać charakterystycznego skrzypnięcia przy bramie zwiastującego jego powrót. Zamiast z rodziną na werandzie, przesiadywała na ławeczce od frontu. Co chwilę podnosiła oczy znad lektury z nadzieją, że na alejce wśród kwiatów dostrzeże wreszcie znajomą postać. Jakież było jej zdziwienie, kiedy usłyszawszy dźwięk otwieranej furtki, zamiast Krzysia ujrzała drobną sylwetkę kobiety odzianej w czerń.

Stefa szła niepewnie w jej stronę. Przez ostatni rok jeszcze bardziej się skuliła i przygarbiła. Od chwili wyprowadzki do Anina Basia kilka razy ją widziała, ale dopiero teraz, na tle kolorowych kwiatów i soczystej zieleni, ta niekorzystna zmiana wydawała się bardziej jaskrawa, uderzająca. Teściowa przemierzyła dzielącą je odległość i podeszła do ławki. Basia się podniosła – sama była niewielkiego wzrostu, a jednak przewyższała Stefanię o głowę.

– Dzień dobry – rzuciła na powitanie, starając się pod pogodnym tonem ukryć zaskoczenie niespodziewaną wizytą.

– Dzień dobry – odpowiedziała tamta chłodno, nie odwzajemniając uśmiechu. – Czy jest mój syn?

– Nie napisał do… pani?

Basia wiedziała, że Krzysztof ze szczegółami relacjonuje matce swoje życie i nie miała o to pretensji. W końcu nadal ją kochał, chociaż Stefa w to wątpiła. Nie mógł zbyt często jej odwiedzać, toteż poprzez bogatą korespondencję starał się wynagrodzić matce jej przymusową banicję. Listy do Anina słał co kilka dni.

Stefania zmarszczyła czoło.

– O czym miał napisać?

– O tym, że w tym tygodniu planuje wyjechać na chwilę do Warszawy. Jerzemu Andrzejewskiemu urodził się syn. Pewnie pani wie. Krzyś został poproszony na ojca chrzestnego Marcina. Uroczystość miała się odbyć dziś rano, więc powinien wrócić po południu. Najpóźniej jutro.

– Pani z nim nie pojechała?

– Nadal nie najlepiej się czuję po chorobie.

Stefania otaksowała ją spojrzeniem, lecz nie powiedziała ani słowa. Basia miała nadzieję, że Krzyś zgodnie z jej prośbą nie wspomniał matce o szczegółach jej pobytu w szpitalu.

– No cóż. W takim razie... – Nie kryjąc rozczarowania, Stefa zrobiła krok do tyłu. – Proszę mu przekazać, że tu byłam. Postaram się z nim jakoś skontaktować. Innym razem.

– Ależ, proszę pani. – Basia ruszyła w ślad za teściową. – Proszę poczekać. Krzysztof może w każdej chwili wrócić. Zresztą nie wybaczyłby mi, gdybym pozwoliła pani odejść.

Zupełnie nie miała ochoty na towarzystwo tej kobiety. Wprawdzie topór wojenny został już lekko przysypany ziemią, ale nadal czuła się przy niej nieswojo. Powinna dać jej wrócić na stację. Lecz matka Krzysia wyglądała dzisiaj tak żałośnie, tak przejmująco smutno, że dobre wychowanie – a może dobre serce? – wzięło górę.

– Na pewno jest pani zmęczona po podróży. Niechże się pani chociaż napije herbaty. Rodzice się ucieszą z pani wizyty.

Stefania na pewno uważała, że zaproszenie synowej wynika jedynie z kurtuazji, a jednak wyglądała, jakby się wahała. Wreszcie rzekła z ociąganiem:

– No dobrze, niech i tak będzie. Może Krzyś rzeczywiście niedługo wróci. Trochę szkoda, żebym tłukła się taki kawał na darmo. Ale za herbatę dziękuję. Poczekam tutaj. – Usiadła sztywno na ławce pod domem.

Basia zajęła miejsce obok, próbując zachować maksymalny dystans między nimi. Przez moment patrzyły na furtkę w krępującym milczeniu.

– Krzysztof nie wspominał, że pani przyjedzie. Gdybym wiedziała, wyszłabym po panią na dworzec. Tutaj dosyć trudno trafić.

– Jakoś sobie poradziłam. Poza tym on nie wiedział, że przyjadę. Nie planowałam tego. Nie śmiałabym zakłócać pani i pani rodzinie spokoju – dodała z przekąsem. – Zmusiły mnie okoliczności.

Basia przyjrzała się jej uważnie. Dopiero teraz zauważyła, że oczy Stefy są wyraźnie przekrwione i wilgotne.

– Czy coś się stało?

– Nie mogłam o tym napisać w liście. Nie wiadomo, kto je obecnie czyta, kto sprawdza. Mogłabym Krzysiowi narobić problemów – rzekła zagadkowo, po czym ciężko westchnęła. Blade dłonie bezwiednie zacisnęły się na czarnej tkaninie spódnicy. – Pani chyba mogę o tym powiedzieć... Wczoraj się dowiedziałam, że Adam, mój brat, został aresztowany razem z żoną i dwiema córkami: Dziulą i Jadzią.

– Pan Zieleńczyk?!

Basia tylko raz widziała wujostwo Krzysia. Ukrywali się. Mieli załatwione fałszywe dokumenty i ze zrozumiałych przyczyn nie było ich na ślubie Baczyńskich. Nowożeńcy odwiedzili ich sami, wkrótce przed wyjazdem do Radości rok temu. Doktor Zieleńczyk, filozof i pedagog, okazał się niezwykle serdecznym człowiekiem, lecz źle znosił przymus ciągłego przebywania w zamknięciu. Opowiadał im, że ze strachu, by nie narażać studentów, odrzucił propozycję prowadzenia tajnych kompletów i od tamtego czasu całkowicie pozostawał w ukryciu.

– Pani wie, że Krzyś z mojej strony ma semickie pochodzenie. Adam... Widziała go pani przecież. On ma zły wygląd. Niby posiada świetne papiery, ale dzisiaj to za mało. Nie wiem, co się tam dokładnie wydarzyło. Z samego rana wyciągnęli ich z łóżek. Może wpadli przez donos szmalcownika? Dostałam telegram od ich sąsiadki zaraz po tym, jak zabrano ich na Pawiak... Od razu uznałam, że muszę zawiadomić Krzysia. – Bezradnie opuściła głowę. – To nasza najbliższa rodzina. Mój Boże… Nawet jego córki aresztowano, takie młode dziewczyny, takie zdolne. Wszystkich. Wiem, że oni żywi już stamtąd nie wyjdą.

W Basi wezbrało współczucie dla tej samotnej, starzejącej się kobiety. Jakże straszne było to, co stało się z jej rodziną. „Krzysztof otrzyma kolejny cios. Jak ja mu to powiem?" – myślała gorączkowo. Poczuła impuls, żeby dotknąć kościstej dłoni, która drżała zaciśnięta na kolanach.

– Tak mi przykro, pani Stefanio… – rzekła łagodnie, wyciągając rękę w kierunku teściowej.

W tej samej chwili drzwi domu otworzyły się na oścież. Gest Basi zawisł w pół drogi. Na schodkach pojawiła się zaskoczona pani Fela.

– Pani Baczyńska? Co za niespodzianka. Dlaczego, Basiu, trzymasz panią przed domem? Zapraszamy do środka. Dawno pani przyjechała?

Jedyny w swoim rodzaju efemeryczny moment, kiedy te dwie zwaśnione kobiety mogły wreszcie przełamać lody, rozsypał się bezpowrotnie pod gradem pytań pani Feliksy. Tego poranka Basia nie miała już okazji, by porozmawiać sam na sam z teściową, a po obiedzie wrócił Krzysztof. Matka jak zawsze całą uwagę skupiła na nim. Basia znowu stała się tą trzecią.

★ ★ ★

W sierpniu zrobiło się jeszcze goręcej. Nie tyle z powodu letniej aury, co kilku niespodziewanych wydarzeń, które dotknęły sekcję Krzysztofa. Basia coraz lepiej kojarzyła chłopców odwiedzających ich mieszkanie. Wszyscy mieli ten specyficzny rys. Wyglądali jak dzieci o oczach dorosłych. Znała nawet niektóre konspiracyjne pseudonimy. Tamtego poranka na Hołówki wpadł „Laudański". Mimo że Basia nie umiała go sobie wyobrazić z karabinem, był podobno wyjątkowo ofiarnym żołnierzem i brał już udział w kilku niebezpiecznych akcjach. Kiedy otworzyła mu drzwi, wyczytała z jego miny, że sprowadza go coś pilnego. Chłopak był zdyszany i podenerwowany. Od razu zaprowadziła go do Krzysia.

Mężczyźni nie rozmawiali zbyt długo, ale widocznie sprawa była niezwykłej wagi, bo co i rusz z pokoju dochodził podniesiony głos ich gościa. „Laudański" zabawił może kilkanaście minut, po czym zniknął równie szybko, jak się pojawił. Tymczasem Krzysztof z niewyraźną miną wszedł do kuchni i usiadł naprzeciwko Basi.

– Mamy z chłopakami problem – zaczął nerwowym tonem. – Wolałbym ci o tym nie mówić, ale tym razem musisz wiedzieć.

– Problem?

– Wspominałem ci, że ludzie z mojej sekcji zdobyli w różnych akcjach trochę broni.

– To chyba dobrze, że macie czym walczyć?

– Owszem. Było dobrze, dopóki posiadaliśmy odpowiednią skrytkę dla tego sprzętu. Niestety ostatnio wszystko się posypało. Niemcy aresztowali naszego magazyniera. Broń na szczęście udało się zawczasu przenieść i jest w tej chwili w bezpiecznym miejscu. Ale nie może tam zostać dłużej, bo „Wróbel", ten aresztowany, znał adres. Być może zaraz Niemcy wyciągną z niego tę informację. Wszystkie lokale chłopaków z sekcji też są spalone. Nie ma mowy, żeby przerzucić do któregoś z nich zawartość magazynu. Nawet oni sami musieli ulotnić się na jakiś czas z domów i waletują po znajomych.

Basia powoli zaczynała rozumieć, co tak naprawdę Krzysztof chciał jej powiedzieć.

– „Laudański" poprosił cię, żebyś to ty zaopiekował się bronią, tak? – zapytała zupełnie spokojnie.

Krzyś zerknął na nią skonfundowany. Na twarzy żony nie drgnął żaden mięsień, a przecież musiała zdawać sobie sprawę, z czym będzie się wiązało umieszczenie skrytki w ich mieszkaniu. To już nie była zabawa w mały sabotaż, malowanie nocą znaków Polski Walczącej na murach, wypisywanie na latarnianych słupach hasła: „Tylko dla Niemców" czy wpuszczanie gazu do niemieckich kin. W razie wpadki zostaną na miejscu rozstrzelani albo co gorsza trafią na Szucha w ręce kata.

– Nie masz nic przeciwko?

– Przecież wiedziałam, z czym będzie się wiązał twój udział w konspiracji. Powiedziałeś „a", więc trzeba powiedzieć „b". Musimy uczciwie ponosić konsekwencje tych wyborów.

– No właśnie, lecz to był mój wybór, a mieszkanie jest nasze, wspólne. W tej sytuacji nie narażam tylko siebie, narażam nas. Teraz będziesz w to bezpośrednio zamieszana.

– Nie tylko ty masz obowiązki wobec kraju. Dlaczego inni mogą nadstawiać za niego karku, a ja nie? – zapytała retorycznie. – Dałeś im już odpowiedź?

– Czułem, jaka będzie twoja reakcja, jednak chciałem zapytać cię o zdanie. – Chwycił z czułością jej rękę. Przyciągnął dziewczynę do siebie. – Jesteś, Basiu, taka dzielna. Taka dzielna. – W jego oczach malowała się duma.

– Tak trzeba – odparła, dotykając jego policzka. – W takim razie powiedz im, że się zgadzamy. Rozumiem, że zależy im na czasie.

– Nawet bardzo, jeszcze dziś dowództwo wysłałoby do nas stolarza.

– Stolarza?

– „Laudański" pytał, czy mamy tu jakąś skrytkę albo sejf. Powiedziałem, zgodnie z prawdą, że nie. A przecież nie schowamy kilku karabinów do szafy.

– Więc gdzie?

– Pod podłogą...

Wszystko potoczyło się bardzo sprawnie. Krzyś gdzieś na chwilę wyszedł, a dwie godziny później już pukał do ich mieszkania niepozorny straszy pan dzierżący w dłoni skrzynkę pełną narzędzi. Basia spodziewała się, że tego typu zabieg zostanie przeprowadzony pod osłoną nocy, po godzinie policyjnej. Lecz jak się okazało, cisza panująca wtedy w domu nie sprzyjałaby pracy stolarza, który konstruując schowek, robił trochę hałasu. Sąsiedzi na pewno nabraliby wówczas podejrzeń.

Operacja trwała niemal całe popołudnie. Staruszek z wprawą i doświadczeniem najpierw zerwał klepkę, a później dodatkowo wykuł ogromną dziurę w wylewce. Musiała być na tyle duża, by pomieścić wewnątrz kilka karabinów, parę sztuk pistoletów i granaty – istny arsenał. Co jakiś czas wpadali różni chłopcy, którzy przy wychodzeniu zabierali ze sobą część gruzu, by niepostrzeżenie pozbyć się go poza granicami domu przy Hołówki. Zdaje się, że stali także na zmianę na czujkach, bo później Basia widziała ich przez okno, jak czytając gazety, z wolna przechadzają się ulicą.

Ona tymczasem starała się zachowywać zupełnie naturalnie i w żaden sposób nie pokazała po sobie, jak bardzo się boi. Z wystudiowaną obojętnością zapraszała gości do kuchni i częstowała ich namiastką herbaty, prowadząc przy tym niezobowiązujące rozmowy lub donosiła stolarzowi wodę, o którą prosił. To Krzyś wydawał się bardziej spięty. Co chwilę wchodził do pokoju, gdzie trwała praca i nieprzeniknionym wzrokiem spoglądał na powiększający się z każdą chwilą stos zerwanych klepek i gruzu.

Po paru godzinach prace dobiegły końca. Krzysztof z jakimś mężczyzną przeszedł do kuchni, by omówić sprawę przeniesienia broni. Basia przytargała do pokoju wiadro z wodą i szczotkę, by zacząć sprzątać powstały bałagan. Stolarz uniósł się wreszcie z klęczek i popatrzył na swoje dzieło.

– Zrobione – rzekł z satysfakcją do dziewczyny. – Proszę spojrzeć. W tym miejscu należy przycisnąć. O tak. I wtedy przesunąć tę klepkę. Tutaj powstanie mała szpara. Wystarczy podważyć nożem i proszę. Skrytka otwarta. Trzeba tylko za każdym razem po ponownym zamknięciu przetrzeć podłogę wokół szmatką, bo pył z wylewki będzie się wydostawał na zewnątrz. A wtedy niepowołana osoba mogłaby się zorientować, że z podłogą jest coś nie tak. Chociaż pewnie najlepiej by było, gdyby coś w tym miejscu postawić. Jakiś lekki mebel...

Basia przykucnęła nad podłogą. Wykonała po kolei wszystkie czynności, o których mówił staruszek. Rzeczywiście konstrukcja była tak przemyślana, że znając sposób działania, bez trudu można się było dostać do wnętrza. A mimo tego posadzka wyglądała na nienaruszoną. Nie pierwszy raz ten człowiek musiał wykonywać podobne zabezpieczenie.

– Bardzo dobrze – przytaknął, widząc jak Basia sprawnie otwiera, a następnie zamyka skrytkę.

Spojrzała na niego. Na pooranej zmarszczkami twarzy mężczyzny, który mógłby być jej dziadkiem, rysował się zatroskany uśmiech.

– Pani taka młoda. Czy pani wie, jakie to ryzyko? – Wskazał ruchem głowy na ostatnią deszczułkę, którą właśnie włożyła na miejsce.

– Pan też się naraża, robiąc to, co robi.

– Ale ja już swoje życie przeżyłem. A wy? Wy jeszcze jesteście niemal dziećmi, całe życie przed wami.

– Moje pokolenie nie miało dzieciństwa. Szybko musieliśmy dorosnąć. – Wstała z kolan i otrzepała spódnicę z drewnianych wiórów. – Nie można się godzić na to, co wyprawiają Niemcy. Pan na pewno też to rozumie. Trzeba się buntować. Trzeba stawiać opór.

Pokiwał głową.

– A jednak przechowywanie pod własnym dachem składu broni to akt niezwykłej odwagi i patriotyzmu. Nie wszystkie kobiety byłoby na to stać.

– Płeć chyba nie ma w tym przypadku znaczenia – rzekła zawstydzona stwierdzeniem mężczyzny.

– Może i racja. Jednak długo żyję na tym świecie, widziałem różne wojny, a podobnej ofiarności u młodych, podobnej odwagi nie pamiętam.

– W Polsce wolność zawsze była dobrem deficytowym. Zawsze trzeba było o nią walczyć.

– Ale to mężczyźni walczyli, takie już nasze polskie powołanie. A może przekleństwo? Tymczasem obecnie za wojaczkę biorą się nawet dzieci i właśnie takie dziewczęta jak pani. Mnie, staremu, serce się ściska, jak na to patrzę. Ani pani, ani mąż nie wyglądacie mi na żołnierzy. Prosty człowiek jestem, ale swoje wiem. Po was od razu widać, że wy raczej do siedzenia w książkach nawykliście, nie do konspiracji. I po co się narażać, po co? Głowy nadstawiacie. W końcu nam te szwaby cały kwiat młodzieży wymordują. – Zamyślił się i upił wody ze szklanki. – Ma człowiek tylko nadzieję, że tych czasów nie doczeka.

Basia uśmiechnęła się smutno.

– Może jednak razem doczekamy wyzwolenia? Trzeba w to wierzyć.

– Przepraszam, że się tak rozgadałem – żachnął się. – Na starość człowiek robi się dziwnie przewrażliwiony. A ja co kolejną taką skrytkę zrobię, to się potem zastanawiam, czy w ten sposób grobu komuś nie wykopałem. A pani taka młoda, taka młoda... Przez tę dziurę w podłodze los swój pani pieczętuje...

Basia nie chciała myśleć o słowach stolarza, zresztą nie miała czasu, żeby je roztrząsać. Po jego wyjściu posprzątała dokładnie pokój, a później przez prawie całą noc czuwali z Krzysztofem. Mniej więcej co godzinę wpuszczali do ciemnego mieszkania chłopców, którzy pojedynczo donosili broń. Nad ranem skrytka zawierała pięć pistoletów maszynowych, trzy steny, parę szmajserów, kilkanaście granatów, a także minerskie materiały szkoleniowe, kilka map i parę egzemplarzy konspiracyjnej prasy. Basia wytarła parkiet na błysk, a Krzyś przyciągnął z drugiego pokoju szaroniebieską amerykankę i ustawił na włazie.

Dopiero o świcie, zasypiając w ciepłych objęciach męża, przypomniała sobie słowa starego człowieka. Być może zafrasowany stolarz miał rację i właśnie dzisiaj ostatecznie przypieczętowali z Krzysztofem swój los?

★ ★ ★

Wraz z końcem sierpnia, kiedy warszawiaków zaczęły elektryzować wieści o porażkach Niemców na froncie wschodnim, matka poinformowała Krzysztofa, że rodzina wuja Adama, od miesiąca znajdująca się na Pawiaku, została rozstrzelana. Kilka dni później do Baczyńskich doszła także wiadomość, że nie żyje Jurek Weintraub. Odszedł w sposób, którego nikt się nie spodziewał. Jerzy dość poważnie zaciął się przy goleniu, ale z powodu swojego semickiego wyglądu bał się udać do szpitala. W ranę wdało się zakażenie. Kiedy wreszcie jego żona wezwała lekarza, było już za późno. Taka głupia, niepotrzebna śmierć…

Basia z niepokojem obserwowała reakcję męża na te tragiczne wiadomości. Krzyś – dotąd dość chwiejny emocjonalnie, delikatny – ukrył się pod grubą warstwą milczenia. Z kamienną twarzą godzinami przeglądał ofiarowane mu przez przyjaciela przekłady Rilkego. Cierpiał, co bez trudu można było wyczytać w pisanych w tym czasie wierszach, lecz na zewnątrz nie dawał nic po sobie poznać. Okuty w pancerz pozornej obojętności sprawiał wrażenie, jakby wreszcie przekroczył ostateczną granicę bólu, za którą istniał już tylko bunt. Pierwotne, niemal namacalne pragnienie wendety na okupancie. On taki kruchy, fizycznie słaby całą uwagę zaczął kierować na podziemne szkolenia. Każdy dzień spędzał w towarzystwie chłopaków z sekcji. Chociaż wciąż nie rozpoczęły się zajęcia w „Agricoli"[18], już teraz chciał

---

[18] Szkoła Podchorążych Rezerwy Piechoty. Założona przez Kedyw Komendy Głównej AK w celu szkolenia harcerzy Szarych Szeregów do zadań bojowych.

czym prędzej posiąść wiedzę, która pozwoliłaby mu chwycić za broń. Dlatego całe godziny spędzał na przyswajaniu informacji o materiałach wybuchowych i o zasadach walki w partyzantce. W piwnicy u pewnego znajomego uczył się strzelania. A wieczorami zapoznawał się z zakładaniem opatrunków, działaniem leków i wykonywaniem zastrzyków. W międzyczasie brał udział w akcjach wywiadowczych i małym sabotażu. Na oczach Basi poeta-żołnierz zmieniał się w żołnierza-poetę. Była nieco przerażona tym, jak się zatracał w pragnieniu odwetu, a z drugiej strony czuła dumę. Może rzeczywiście losy wojny wkrótce się odwrócą, może trzeba być na to przygotowanym? Wszyscy powinni być gotowi. Ona też. W godzinie próby nie chciała się chronić za plecami Krzysia. Nie mogła stać z boku.

Doktor Stępiński nieco się zdziwił, kiedy wraz z początkiem września dawna pacjentka zawitała do jego gabinetu w Szpitalu Ujazdowskim. Na jej widok chłodny wyraz profesjonalizmu zniknął z jego twarzy, ustępując miejsca zdziwionemu uśmiechowi.

– Pani Barbara? A co panią do mnie sprowadza?

Gabinet wyglądał równie ubogo jak w dniu, kiedy Basia wypisywała się ze szpitala. Może tylko zawartość przeszklonej gabloty się zmieniła. Wówczas stało w niej kilka buteleczek i fiolek, obecnie świeciła pustkami.

Zajęła wskazane przez lekarza miejsce.

– Dobrze pani wygląda. Chyba dolegliwości już zniknęły?

– Tak, czuję się świetnie.

– Wypoczynek poza Warszawą pomógł?

Wiedziała, że Stępiński nie pyta o stan jej płuc.

– Tak – przytaknęła z zażenowaniem. – Miał pan rację, namawiając mnie wtedy na wyjazd.

– W takim razie, w czym mogę pani pomóc? – Wyczekując odpowiedzi, zmarszczył czoło. Okulary zabawnie zsunęły mu się z nosa.

– Przepraszam, że zawracam panu głowę. Nie wiem, czy powinnam się do pana z tym zwracać. Wtedy, przed dwoma miesiącami, kiedy leżałam na pana oddziale, wywnioskowałam z rozmów pielęgniarek, że…

Stępiński poprawił oprawki. Resztki uśmiechu zamarły mu na ustach. Jego spojrzenie stało się uważniejsze.

– Że co?

– Pan rozumie, o co mi chodzi, prawda, panie doktorze?

– Chyba niespecjalnie – rzekł z twarzą pokerzysty.

Basia postanowiła zakończyć tę niepotrzebną zabawę w ciuciubabkę.

– Panie doktorze, ja wiem, że tu pod pana nadzorem odbywają się tajne zajęcia sanitariatu. Chciałabym wziąć w nich udział. – Zamilkła, wyczekując jego reakcji.

Lekarz oparł się ciężko o poręcz krzesła. Przekrzywił głowę.

– Kto pani naopowiadał, że ja tu organizuję podobne rzeczy? To jest publiczny szpital.

– Jeśli mnie pan nie przyjmie, będę próbowała dostać się gdzie indziej.

Westchnął. Ta mała najwyraźniej nie żartowała.

– Pani chyba nie wie, z jakim to się wiąże niebezpieczeństwem?

– Słowo „niebezpieczeństwo", panie doktorze, to ja już potrafię odmienić przez wszystkie przypadki. Przecież pan na pewno wie, o czym się teraz dyskutuje na mieście. A jeśli front rzeczywiście wkrótce wycofa się w okolice Warszawy? Jeśli znowu będzie trzeba złapać za broń? Pamięta pan trzydziesty dziewiąty rok? Nie możemy dać się zaskoczyć. Musimy się przygotować, zewrzeć szeregi. Nikt nie zechce mnie nauczyć, jak rzucać granatami czy strzelać z karabinu. Nie noszę spodni, ale mogę chociaż nauczyć się, jak pomagać rannym.

– To nielegalne.

– Dziś nic nie jest legalne. Zakup jedzenia na czarnym rynku, moje studia, a może nawet miłość do męża. Wszak obecnie chyba lepiej nikogo nie kochać, prawda? Żeby później nie cierpieć, kiedy się go straci.

Słuchał z uwagą jej zapalczywych słów.

– Jeśli o miłości mowa, pani mąż wie, że pani tu jest?

– Oj, panie doktorze. – Uśmiechnęła się.

– A więc rozumiem, że w razie czego, to właśnie męża chce pani ratować.

– Mam nadzieję, że akurat jego nie będę musiała. Ale innych? Więc jak, przyjmie mnie pan?

Kąciki ust mężczyzny wreszcie nieco się uniosły.

– Widzę, że nie uda mi się wyperswadować pani tego pomysłu. W każdym razie ostrzegam, bycie sanitariuszką to nie jest zabawa. Ale pani wola. – Nabrał powietrza w płuca. – Chociaż najchętniej wszystkich was bym pozamykał pod kluczem w domach.

– Nas wszystkich?

– Tak, was, dzieciaki, niedorostki. Mam córkę w pani wieku. Jej też nie mogłem upilnować. Użyła przeciw mnie tych samych argumentów, co pani: „Musimy być przygotowani, trzeba walczyć". Mogę się tylko modlić, żebyśmy w godzinie próby jakoś to wszyscy przetrzymali.

– Czyli przyjmie mnie pan?

– Zawiadomię panią, kiedy nowa grupa będzie zaczynała kurs. Mam pani adres. Proszę czekać na wiadomość.

★ ★ ★

Krzysztof nie był zachwycony decyzją Basi. Jak mógłby jej jednak zakazać czegokolwiek w świetle tego, co sam robił? Dlatego próbował przemówić jej do rozumu w inny sposób. Tłumaczył, że pogodzenie studiów i zajęć z sanitariatu będzie wymagało niemałego wysiłku i skrupulatnego planowania każdego dnia. Niemniej ten argument szybko wytrącono mu z ręki. Akademickim światkiem poruszyła bowiem wiadomość, że od października zajęcia nie będą się już odbywały w prywatnych lokalach profesorów i studentów, rozsianych po całym mieście. Teraz wszystkie wykłady i seminaria polonistyki miały zostać przeniesione do budynku przy ulicy Świętokrzyskiej, gdzie istniała zalegalizowana przez nazistów szkoła handlowa. Tajne zajęcia uniwersytetu postanowiono urządzać pod przykrywką prowadzonych tam kursów. Basia nie musiała więc tracić połowy dnia na jeżdżenie po Warszawie. Zaoszczędzony czas zamierzała spożytkować we właściwy sposób. Krzysztof, chociaż pełen obaw, zmuszony był zaakceptować jej plany.

Tymczasem jesień zaczęła złocić liście na drzewach, a z końcem września nadeszły ostatnie ciepłe i w miarę spokojne dni. Krzyś wraz z innymi elewami miał wkrótce rozpocząć zajęcia w „Agricoli", Basia – studia i szkolenie w Szpitalu Ujazdowskim. W Warszawie zapanował czas cichego wyczekiwania. W powietrzu czuć już było nadchodzące zmiany. Wszyscy wyglądali ich ze strachem, ale i z nadzieją. Okupant zaczął przejawiać wyjątkowe rozdrażnienie, a to mogło oznaczać tylko jedno: grunt usuwał mu się spod nóg. W tej specyficznej atmosferze studenci tajnej polonistyki postanowili z pompą rozpocząć kolejny rok nauki. Asumptem do zabawy okazały się wyprawione przez kolegów z grupy – Wacka i Michała – imieniny.

Krzysztof nie bardzo miał ochotę na wizytę u kolegów. To Basia nalegała, by poszli choć na trochę. „Teraz, kiedy przerwałeś studia, nie będziesz miał zbyt wielu okazji do podobnych spotkań. Poza tym, co my mamy z życia?" – namawiała.

W mieszkaniu Wacka Twarowskiego przy ulicy Hożej – tym samym, w którym niespełna rok wcześniej odbył się wieczór poetycki Krzysztofa – Baczyńscy zjawili się trochę spóźnieni. Już na podwórzu kamienicy przywitały ich odgłosy zabawy. Rozanieleni solenizanci – zapewne już po kilku głębszych – w duecie otworzyli drzwi nowym gościom.

– A oto i nasz poeta z małżonką! – przywitał ich gospodarz, ściskając nad wyraz czule nowo przybyłych. – Wspaniale, że przyszliście. Wszyscy już są.

Dekadencki nastrój spotkania w niczym nie przypominał tego sprzed miesięcy, gdy Krzyś,

siedząc w otoczeniu zasłuchanych znajomych, re-
cytował w zadumie swoje wiersze. Dzisiaj wojna
i strach zostały gdzieś za progiem mieszkania, a tu
panowała wyłącznie młodość i beztroska. Niektórzy
wznosili toasty, inni tańczyli w rytm przedwojen-
nego tanga. Ktoś w rogu pokoju głośno opowiadał
dowcipy, doprowadzając zebraną wokół grupkę do
wybuchów radości:

– Słyszeliście to? „Postanowiłem zniszczyć So-
wiety i komunizm" – mówi führer. „A ja rozniosę
w pył III Rzeszę i faszyzm" – odpowiada na to Sta-
lin. Przysłuchujący się im Churchill wznosi oczy do
nieba i rzecze: „Daj Boże, żeby wasze życzenia się
spełniły".

– Albo posłuchajcie tego – przekrzykiwał salwy
śmiechu ktoś inny. – Na stopniach tramwaju jedzie
uczepionych dwóch warszawiaków. Jeden pyta drugiego: „Co tam, Franuś, porabiasz?". „A nic takiego,
handluję. A ty, Zenuś?". „Ja się ukrywam...".

Żarty trwały w najlepsze. Wacek Twarowski pociągnął Krzysia w kierunku stołu.

– Czego się napijecie? – zapytał, przekrzykując
dźwięki muzyki dobywające się z gramofonu i grad
powitań, które padały równocześnie w kierunku Baczyńskich ze wszystkich zakątków salonu.

Basia spojrzała wyczekująco na Krzysztofa. Nie
był szczególnym koneserem alkoholu, a popularnego

i najłatwiej dostępnego obecnie bimbru prawie nie brał do ust. Sądziła więc, że i dzisiaj – początkowo niechętny tej wizycie – odmówi kieliszka. On tymczasem uśmiechnął się szeroko do kolegi:

– Polej nam czegokolwiek. Jak się bawić, to się bawić. Co sądzisz, Basiu? Muszę chyba jakoś zaakcentować przerwanie studiów.

– Przerywasz studia? – zapytała stojąca najbliżej nich Czarna, nie kryjąc zaskoczenia.

– A tak, moi kochani, przerywam.

Kilka dodatkowych osób, odrywając się od zabawy, popatrzyło na niego z zaciekawieniem.

– Ale dlaczego? Studia cię znudziły? Skupisz się teraz wyłącznie na pisaniu? – koledzy dopytywali jeden przez drugiego.

Uśmiechnął się enigmatycznie.

– Dajcie mu spokój – zamiast Krzysia odpowiedziała Czarna.

Wymownie spojrzała mu w oczy. Ona wiedziała. W końcu także dzięki niej jakiś czas temu nawiązał kontakty z podziemiem. Odebrała kieliszki od Michała, który właśnie podszedł z pełną tacą, i podała je Basi i Krzysztofowi:

– W takim razie wypijmy za twoją nową drogę życia...

– I za naszych drogich solenizantów! – krzyknął z szerokim uśmiechem stojący obok Zbyszek.

Chłopak, podobnie jak Krzysztof, również na co dzień nieco separował się od grupy, ale widocznie i jemu udzielił się dzisiejszy nastrój.

– I za solenizantów – dodała cicho Czarna z nieprzeniknionym wyrazem oczu.

Paskudny w smaku bimber wypełnił im usta i szybko zaszumiał w głowach. Dekoracje pokoju stały się nieostre. Śmiech zapomnienia dobył się z ust gości. Krzyś porwał żonę do tańca, wprawiając w osłupienie znajomych, którzy dotąd nigdy nie widzieli go w tak szampańskim humorze. On, zawsze niezwykle wycofany i cichy, teraz błaznował, jakby świat jutro miał się skończyć. Najgłośniej wznosił toasty, opowiadał najzabawniejsze anegdoty. Doprowadzał towarzystwo do szaleńczych wybuchów radości, kiedy bębnił butami o podłogę, parodiując żołnierski *Parademarsch* okupanta. To nie był dawny Krzyś. Poeta zazwyczaj skupiony na wewnętrznym dialogu z samym sobą. To był ktoś nowy, ktoś, kto właśnie się narodził. Basi także udzielił się ów wyjątkowy nastrój wieczoru, wieczoru przemiany. Przestała patrzeć na zegarek i liczyć wypite kieliszki. Dawno minął czas, kiedy planowali powrót do domu, nastała godzina policyjna. Teraz zabawa musiała potrwać do rana.

„Zapomnieć…" – myślała, wirując w ramionach męża. Trzeba im teraz zapomnieć. O życiu i śmierci, o terrorze przyczajonym na ulicach. Zapomnieć o tym, że być może wkroczyli na ścieżkę bez powrotu. Tej nocy istniała tylko zabawa. On i ona. Oni. Fajerwerki sztucznego zapomnienia. I miłość. Młodość roztańczona w szalonym korowodzie *danse macabre*...

*Dwudziesty szósty sierpnia. Kolejny dzień pie-
kła. Od rana kamienica drży niczym domek z kart,
w takt bezustannych podmuchów nieodległych eksplozji.
Zewsząd dochodzą odgłosy wystrzałów i złowrogie
wycie „krów". Ten symptomatyczny dźwięk wywołuje
wśród ludzi nieopisany strach i doprowadza do ataków
paniki. Za każdym razem, gdy na nasze głowy sypie
się kolejna warstwa tynku, duszną przestrzeń piwnicy
wypełniają przeraźliwe krzyki i zawodzenia.*

*Kilkadziesiąt osób siedzi stłoczonych w jednym po-
mieszczeniu – nikt nie chce umierać samotnie. Masa
ludzka jest tak zbita, że brakuje tlenu, a naszą fatalną
sytuację bytową pogarsza bezustanny napływ nowych
lokatorów. Lecz wszystkich potrzebujących przyjmuje-
my bez sprzeciwu. Uciekinierzy ze zrujnowanych domów – zazwyczaj z jednym tylko tobołkiem stanowią-
cym cały dobytek – szukają tymczasowego schronienia
w ocalałych rejonach miasta. Przemieszczanie się ulicami jest teraz zbyt niebezpieczne, toteż główne szla-
ki migracji prowadzą poprzez niekończący się system*

piwnic, a w najgorszym razie, wiodą kanałami. Wojenni nomadowie, aby umknąć przed widmem śmierci, porzucają swoje dawne dzielnice i pokonują pod ziemią wielokilometrowe odcinki. Wraz z nimi docierają do nas mrożące krew w żyłach opowieści z najdalszych zakątków Warszawy. Tak okropne, że czasami trudno dać im wiarę.

Pewien mężczyzna, który przedostał się do Śródmieścia aż z Mokotowa, długo relacjonował nam barbarzyństwa okupanta i ze szczegółami opisywał coraz to wymyślniejsze metody eksterminacji ludności. Podobno esesmani wyciągają ludzi z domów, zapędzają całe grupy do jednej piwnicy, odcinają drogę ucieczki, i wrzucają do środka granaty. Przypadkowo aresztowanych cywilów bierze się za zakładników, po czym używa jako żywych tarcz, które podczas natarcia osłaniają niemieckie czołgi przed atakami powstańców.

Z kolei jakiś dzieciak – wyglądający na góra dwanaście lat – opowiedział nam, jak to kilka dni temu wraz z mamą, dziadkiem oraz dużą grupą przechodniów przebiegał przez ulicę. Nagle rozpoczął się ostrzał z broni maszynowej. Wszyscy wokół poupadali pod gradem kul – „mamusia i dziadziuś też" – a jezdnią do studzienek popłynęła rzeka spienionej krwi. Tylko on jeden uszedł z życiem. Potem dwa dni i dwie noce spędził ukryty pod trupami bliskich, czekając aż snajperzy opuszczą pozycję.

„Mama to wyglądała, zupełnie jakby spała i tylko małą dziurkę miała w sercu, ale dziadziusiowi to zupełnie czaszkę rozłupali" – opisywał z dziecięcą szczerością. I teraz on szuka cioci, bo ona prawdopodobnie jest tu blisko, na Siennej. I zaraz by do niej poszedł, tylko się boi tych wystrzałów i trupów. I śmierci...

Starsza pani, która od chwili pojawienia się w piwnicy tkwi pod ścianą w tej samej pozycji, dotarła do nas chyba ze Starego Miasta – ciężko to stwierdzić na pewno, bo do nikogo jeszcze się nie odezwała. Mój ojciec znalazł ją, gdy niczym spłoszone zwierzę chowała się w podwórzu i niemal siłą sprowadził na dół. Już po samym fetorze szlamu, fekaliów i mdławej woni rozkładających się ciał bez trudu odgadliśmy, w jaki sposób zdołała się przedostać do Śródmieścia. Domyślamy się, co zobaczyła w czeluściach kanałów i jakie sceny stoją jej teraz przed oczami.

Sąsiadki starały się zdjąć z niej ubrudzone ubranie i nieco obmyć twarz, ale kobieta wydała z siebie tylko jakiś groźny pomruk i schroniła się w kącie. Siedzi tam od kilkunastu godzin, odrętwiała, z nieobecnym spojrzeniem wbitym w pustą przestrzeń.

Dzisiejszej nocy dołączyła do nas także pewna prześliczna dziewczyna. Przypomina mi trochę panią Lolę, która niedawno ukrywała się w naszym mieszkaniu przy Hołówki. Ta tutaj jest drobna, krucha, eteryczna, o pszenicznych włosach, a chociaż – jak się zdaje – nie skończyła nawet osiemnastu lat, ma równie martwe oczy, co nasza Żydówka.

Wśliznęła się do środka, kiedy wszyscy już spali i ukryła w ciasnym korytarzyku przy wejściu. Usłyszałam cichy płacz, więc zbudziłam ojca i razem poszliśmy sprawdzić, co się dzieje. Dziewczyna siedziała skulona pod schodami prowadzącymi na górę. Była prawie naga, a jej ciałem wstrząsały dreszcze. Podarta sukienka odsłaniała w całym okrucieństwie sine ślady na jej piersiach i krwiste piętno na udach.

Umyłyśmy ją z mamą i ubrałyśmy w moje rzeczy. Z zaciśniętej pięści wyjęłyśmy rozerwaną biało-czerwoną opaskę. Słowa skargi popłynęły z opuchniętych ust dopiero wówczas, gdy doprowadziłyśmy dziewczynę do względnego porządku i posadziłyśmy na sienniku.

Niosła pocztę na Świętokrzyską. Harcerka od „Zawiszaków". Z młodzieńczą brawurą przemykała między barykadami, by dostarczyć przesyłki pod właściwy adres. Nagłej śmierci od zbłąkanych kul się nie bała. Lecz „tamtych" – owszem. Zaciągnęli ją w bramę. Było ich trzech, żaden nie mówił po niemiecku. Niechlujne umundurowanie i zaśpiew na wykrzywionych ustach to znak rozpoznawczy rzeźników z RONA[19]. Gwałcili ją po kolei, bili, mimo że się nie broniła. Chcieli zhań-

---

[19] Rosyjska Wyzwoleńcza Armia Ludowa – kolaboracyjna formacja złożona z Ukraińców, Białorusinów i Rosjan wspierająca oddziały niemieckie m.in. podczas powstania warszawskiego.

bić, ale z twarzy nie wyczytali strachu, a jedynie dumę i lekceważenie, więc na koniec zerwali z ramienia opaskę i ze śmiechem oddali na nią mocz. Ludzcy panowie – mogli zabić, nie zabili. Tylko tę torbę z listami zabrali, a korespondencja to przecież święta rzecz i tylu ludzi nie doczeka się teraz wiadomości od bliskich...

Czy bolą mnie te historie, czy jeszcze potrafią dotknąć? Mam wrażenie, jakbym od paru dni zza grubej szyby oglądała obcy świat – świat ostatecznie odarty z cywilizacyjnych norm. I jakby każde działanie, słowo i oddech stanowiły wyłącznie mechaniczne odruchy mojego ciała. Jestem tak otępiała, że nie mam nawet siły odczuwać strachu. Ogarnięta bezsilnością nie słyszę, nie widzę i niczemu już się nie dziwię. Nie stopniuję cierpienia, bo nie wiem, którą z tych osób dotknęło ono najbardziej. Wszak ja sama, choć cierpię inaczej, to nie znaczy, że mniej.

Od spotkania z Morsem nabieram przekonania, że Krzysztof nie żyje. Nie żyje... Gdyby było inaczej, na pewno znalazłby sposób, żeby mnie zawiadomić, żeby przesłać jakiś znak. Mamiłam się, łudziłam, że zajęty jest walką, że zza barykad nie tak łatwo wysłać choćby strzęp wiadomości. Jednak oczy jego dowódcy powiedziały wszystko, czego sam nie potrafił ubrać w słowa. I ta rozdzierająca pewność – mimo że co rano wstaję, ubieram się, próbuję jeść, próbuję dalej żyć – sprawia, że w środku jestem martwa.

Mama i ojciec niezmordowanie podnoszą mnie na duchu. Starają się zająć czymś myśli. Roztaczają mgliste wizje rzeczywistości po wyzwoleniu i niestrudzenie odmalowują sielskie scenki przyjścia na świat niemowlęcia. Mówią: „Co to będzie za szczęście, co za radość…". Jaka to może być dla mnie radość, jeżeli moje dziecko nigdy nie zobaczy ojca? Czy zdołam się cieszyć macierzyństwem, jeśli nie będzie przy mnie Krzysztofa?

Jeżeli jego już nie ma, to może niech i nas pochłonie ta wojna. Niech walą bomby, niech rozprują ściany kamienicy i pogrzebią mnie w jej gruzach. Bo świat bez człowieka, którego kocham, nie ma żadnej wartości. Krzyś jest dla mnie jak powietrze. Nie można żyć bez powietrza…

Niemcy, jakby słuchali tych obrazoburczych próśb, znów zaczynają tłuc z moździerzy gdzieś blisko. Szum niczym brzęczenie roju owadów przenika mury i wibruje w piwnicy do społu z czyimś płaczem. Nawet milcząca pani ze Starego Miasta wyrwana z katatonii z trwogą zerka na sufit. Zawali się na nas, czy nie zawali? Dziewczyna z poczty polowej, która siedzi tuż przy mnie, zakrywa głowę dłońmi. Pani Borowiecka na całą piwnicę wykrzykuje: „Ojcze nasz, zmiłuj się nad nami!".

Łup – gdzieś niedaleko spada śmiercionośny pocisk „krowy". Widocznie Bóg nie usłyszał jej modlitw.

I znowu. Łup! Tym razem już nie obok, teraz trafili dokładnie w naszą kamienicę i kilka obluzowanych cegieł pod wpływem uderzenia wysuwa się ze ścian, z łoskotem spada na podłogę. Pomieszczenie wypełnia kłąb kurzu, zasłaniamy usta tym, co kto ma pod ręką, kaszlemy, próbując złapać oddech.

Zrywam się na równe nogi wraz z kilkoma innymi osobami. Kamienica wciąż wibruje, ale z każdą sekundą coraz łagodniej, a po chwili wszystko cichnie – mury nadal stoją. Jesteśmy ocaleni?

– Trzeba wyjść na górę, żeby sprawdzić, czy nic się nie zajęło od ognia! – krzyczę w kierunku mężczyzn.

Patrzą, jakby nie rozumieli, o co mi chodzi.

– Trzeba iść na górę! – powtarzam z naciskiem.

Cisza.

– Tchórze! – krzyczę i chwytam leżący pod ścianą koc.

Przeskakuję nad siedzącymi ludźmi. Mama woła przerażona:

– Basiu, poczekaj! Gdzie idziesz?!

Jestem już przy wyjściu. Za plecami słyszę odgłos jeszcze czyichś kroków. To mój ojciec i ta dziewczyna z jasnym warkoczem. Biegną za mną na górę, łapiąc po drodze jakieś szmaty czy koce, którymi będzie można zdusić pożar.

Pokonujemy po kilka stopni. Podwórze wygląda na nietknięte i tylko w oknach górnych mieszkań widać powybijane szyby. Na klatce schodowej gęsto jest od unoszącego się w powietrzu kurzu. Pierwsze piętro – nasłuchujemy. Kompletna cisza. Nigdzie śladu ognia. Kolejna kondygnacja – podobnie. Dopiero powyżej, spod drzwi państwa Koźmińskich wydobywa się dym. Szarpię za klamkę – mieszkanie jest zamknięte. Nacieramy więc na skrzydło z całej siły, we trójkę – lichy zamek puszcza.

W środku widok jak po kataklizmie. Wszędzie poprzewracane sprzęty, nad naszymi głowami wraz z tumanami pyłu fruwają skrawki jakichś papierów. Biegniemy amfiladą – zapach spalenizny dochodzi z ostatniego pokoju, który usytuowany jest od ulicy. Na wprost wejścia zieje pustką osmolona dziura. Na szczęście do wnętrza wpadł tylko niewielki odprysk pocisku. Zajęło się od niego łóżko i etażerka. Płomienie jeszcze nie zdążyły się rozprzestrzenić, więc w kilka minut tym, co kto przyniósł, udaje nam się zdusić syczące języory żywiołu. Tragedia zażegnana.

Patrzymy na siebie z poczuciem zwycięstwa. Z ulgą. Wygraliśmy swoją małą bitwę, chociaż wszyscy mamy czarne od sadzy twarze i ubrania. To nieistotne, to się zaraz jakoś wyczyści. Najważniejsze, że nikomu nic się nie stało i że dom został uratowany.

Chciałabym wyjrzeć przez dziurę w murze na ulicę, zobaczyć, co się dzieje na Pańskiej, ale ojciec już popycha nas w kierunku drzwi:

– Chodźcie, dziewczęta. Lepiej, żeby nas Niemcy nie wypatrzyli. Nie wiadomo, skąd strzelają. Trzeba czym prędzej opuścić to miejsce i ukryć się w piwnicy, bo może to jeszcze nie koniec.

Schodzimy więc po schodach. Pył na klatce już trochę opadł i stopnie wyglądają, jakby przykryła je warstwa brudnego śniegu. Przez wysokie okna do środka wpada sierpniowe słońce. Zerkam z góry na podwórko – taki tam spokój. Nie widać żadnych oznak wydarzeń sprzed kwadransa.

Na parterze proszę ojca:

– Tato, jak już tu jesteśmy, to może zanim wrócimy pod ziemię, wyjdziemy na minutę na powietrze.

– Lepiej nie.

– Bardzo cię proszę.

Oczy naszej towarzyszki także błyszczą na myśl o możliwości spędzenia kilku minut z dala od dusznego więzienia. Zamglony błękit nieba wisi nad ścianami studni. Panuje kompletna cisza.

– Tylko na chwilkę, tatku – mówię przymilnie.

Wzdycha ciężko, wierzchem dłoni pociera czoło, a wreszcie uśmiecha się do nas:

– No dobrze, na chwilę. Jednak ja już pójdę do mamy, żeby się nie martwiła. Wy też zaraz wracajcie.

Wychodzimy więc na podwórze. Pod nogami chrzęści cienka warstwa gruzu zmieszanego z drobinami z powybijanych okien. Tęczowe plamki odbijają się od

lśniących tafli opartych o ścianę przy zakładzie szklarza i pełzają po naszych twarzach. Oddychamy głęboko,
wciągając w płuca kwaśny zapach dymu i rozgrzanej
ziemi. Dziewczyna od „Zawiszaków" milczy. Ja też się
nie odzywam. Każdą z nas pochłaniają własne, niewesołe rozważania. Czy kiedyś, gdy to wszystko się skończy, będziemy potrafiły normalnie żyć? Ona z brzemie-
niem gwałtu, ja – największej straty?

Zza stanika sukienki wyjmuję pomięty plik kartek,
z którym ostatnio się nie rozstaję. Czytam imię wypisane na pierwszej stronie. Czy naprawdę to jedyne, co
mi po tobie zostanie? Czy już nigdy nie dotknę twojego
policzka, nie zanurzę dłoni we włosach? Nie usłyszę
przy uchu słodkiego: „moja Baś", kiedy będziesz mnie
tulił w ramionach…?

Patrzę w niebo, przełykając łzy. Gdzieś z pobliskiego
dachu zrywają się spłoszone gołębie i wypełniają niebo
trzepotem skrzydeł. A później przestrzeń przecina krótki syk przechodzący w przeciągły ogłuszający ryk salwy.
Stoję jak zaklęta, do piersi wciąż przyciskam wiersze
Krzysia. Grunt wibruje, płyty chodnikowe, którymi wy-
łożone jest podwórko, drżą niebezpiecznie pod stopami –
może zaraz się rozpadną i pochłonie nas czeluść piekła?

– Pani Basiu! – Słyszę obok krzyk dziewczyny. –
Pani Basiu, proszę uciekać…

Wiem, że powinnam się teraz schować, ukryć, lecz
nie mogę ruszyć się z miejsca. Zewsząd spadają duże

krople deszczu, podzwaniając kryształowo o trotuar i odcinając mi drogę ucieczki. Ale nie, to nie deszcz, to tylko moje „szczęśliwe" tafle szkła, które trafił odłamek z moździerza. Rozpryskują się wokół srebrzyście na miliony okruchów – niczym przeklęte zwierciadło z bajki o Królowej Śniegu. Wiem, że jeśli dosięgnie mnie choć jeden opiłek, serce zamieni się w lód.

Instynktownie osłaniam więc dłonią brzuch. Czuję lekkie kłucie w skroni, osuwam się na ziemię. Ciemność zalewa mi oczy. To fraszka, myślę. Tylko kilka drobinek wbiło się w skórę, sprawiając, że z małych ran strużkami sączy się krew. To nieważne. Nic mi nie będzie. Nic mnie nie boli.

Muszę tylko chwilkę odpocząć.

Muszę zamknąć oczy.

Tak bardzo chce mi się spać…

⚜

IV

(...) Dłoń wielka kształty fałduje za nieba czarną zasłoną
i kreśli na niej zwierzęta linią drżącą i białą.
A potem świt się rozlewa. Broń w kącie ostygła i czeka.
Pnie się wąż biały milczenia, przeciągły wydaje syk.
I wtedy budzą się płacząc, bo strzały pękają z daleka,
bo śnili, że dziecko poczęli całe czerwone od krwi.

Ostatni wiersz K.K. Baczyńskiego,
Gdy za powietrza zasłoną...,
13 lipca 1944

To Lusia Kozielska namówiła kilkoro znajomych z polonistyki, by wybrać się na ulicę Konopczyńskiego. Podobno na jednym z ostatnich pięter budynku gimnazjum wystawiano tajne przedstawienie. Nadchodziły kolejne okupacyjne święta i z tej okazji tamtejsi uczniowie postanowili wystawić *Pastorałki* autorstwa Leona Schillera. Lusia upierała się, że właśnie teraz, w świetle dramatu dotykającego Warszawę, na przekór nazistom należy zachować resztki normalności. Normalność. W mieście, na którego murach co chwilę krwawo wykwitały kolejne obwieszczenia[20], to słowo zdawało się wyjątkowo egzotyczne.

Baczyńscy, prowadzący zazwyczaj bardzo ożywione życie kulturalne, tym razem długo opierali się propozycji znajomej. Głęboko przeżywali ostatnie wydarzenia. Szczególnie mocno dotknęła ich wiadomość, że w łapance zginął kolejny chłopak z SiN-u: Andrzej Trzebiński, następny po Wacku Bojarskim redaktor tego pisma. Młody i niezwykle uzdolniony literat został rozstrzelany na ulicy podczas jednej z egzekucji, co wywołało ogromne poruszenie w artystycznych kręgach. Niemniej przygnębienie spowodowane zbrodniczą działalnością Kutschery[21] stanowiło tylko jeden z powodów, dla którego Basia i Krzysztof nie mieli ochoty na świąteczne przedstawienie. W ostatnich miesiącach tak bardzo pochłonęły ich przeróżne zajęcia, że po prostu na życie towarzyskie brakowało im siły.

---

[20] 2 października 1943, wraz z intensyfikacją działań polskiego podziemia, generalny gubernator Hans Frank wydał rozporządzenie sankcjonujące odpowiedzialność zbiorową warszawiaków za ataki na okupanta. W ulicznych łapankach i w wykonywanych na masową skalę egzekucjach ulicznych zginęło wówczas ok. 5000 Polaków. W większości była to ludność cywilna. Obwieszczenia z listami zamordowanych drukowano na charakterystycznym czerwonym papierze.

[21] Dowódca SS na dystrykt warszawski Generalnej Guberni, zwany „katem Warszawy". Odpowiedzialny za akty terroru wobec ludności cywilnej.

Ona bezustannie biegała pomiędzy Szpitalem Ujazdowskim a ulicą Świętokrzyską, gdzie odbywały się tajne komplety. On niemal wszystkie noce w tygodniu zarywał na zajęciach „Agricoli". Część z nich odbywało się w lokalach daleko na Pradze, ale raz w tygodniu adepci podchorążówki spotykali się w mieszkaniu Baczyńskich. Potęgowało to obawy Basi. Nadto przeładowane już konspiracyjnymi sprawami lokum, teraz przypominało odbezpieczony granat.

Było ich ośmiu – ośmiu młodych elewów, którzy przysposabiali się do dowodzenia jeszcze młodszymi kolegami. I on, ich instruktor. Wymagający, rzeczowy. Miał za zadanie w zaledwie sześć miesięcy z grupy żółtodziobów uczynić prawdziwych żołnierzy. Zbierali się przed godziną policyjną, którą wraz z początkiem października przesunięto na dwudziestą pierwszą, i przystępowali do ćwiczeń. Pozbawieni podstawowego doświadczenia uczyli się najprostszych komend, szybkiego reagowania w sytuacjach kryzysowych, a nawet zwykłej musztry. Większy z pokoi przy Hołówki na chwilę stawał się poligonem. W tym czasie zawsze jeden z nich czujnie nasłuchiwał, czy na schodach nie rozbrzmiewają czyjeś kroki i obserwował ulicę, na wypadek gdyby pojawił się na niej niemiecki patrol. Później, koło jedenastej, zarządzano przerwę na kolację. Każdy jadł to, co przyniósł z domu. Atmosfera się rozluźniała.

Palono papierosy, żartowano i żeby choć trochę odczarować atmosferę strachu, rozmawiano na tematy niezwiązane z wojną. Wtedy czasami w pokoju na parę minut zjawiała się także Basia. Przynosiła im do picia coś, co mętną konsystencją przypominało kawę i podobno dodawało energii na kolejne bezsenne godziny. Nauka kończyła się dopiero po drugiej w nocy. Wtedy wyczerpani chłopcy mogli wreszcie odpocząć. Ze zmęczenia zasypiali w ubraniu. Na podłodze lub tam, gdzie kto siedział. Z głowami opartymi o stół lub ramię kolegi.

O świcie, zanim wyszli, gospodyni częstowała ich tym, co akurat miała w spiżarni. Czasami był to chleb ze smalcem lub marmoladą o dziwnym posmaku sacharyny, czasami niezbyt smaczne, lecz pożywne, placki z ciemnej, grubo mielonej mąki. Jednak bywało i tak, że jej gościnność kończyła się na cienkiej herbacie.

Krzysztof podczas tych nocy starał się zachowywać pogodę ducha. Z zaangażowaniem przyswajał nową, zupełnie obcą mu wiedzę i uparcie odsuwał od siebie, nachodzące go coraz częściej, złe przeczucia. Mimo jego wymuszonego uśmiechu i pozornego opanowania Basia wiedziała, że nowy tryb życia jest dla niego zbyt męczący i prędzej czy później odbije się na jego zdrowiu. Astma znowu dawała o sobie znać. Krzysztof był coraz szczuplejszy i bledszy, a mimo to

nie opuścił żadnych zajęć. Zatroskaną minę żony i jej
napomnienia, by trochę zwolnił, by odpoczął, kwito-
wał wzruszeniem ramion, usta zamykał pocałunkami.
Uspokajał ją, że nic mu nie będzie, że to tylko jesien-
ne osłabienie, które wkrótce minie. Tymczasem Basia
wielokrotnie słyszała, jak nad ranem wymykał się na
klatkę schodową, żeby tam, zasłaniając twarz szalikiem, długo zmagać się z kolejnym atakiem kaszlu.

Być może przemówiłaby mu do rozsądku, gdyby
miała okazję w spokoju z nim porozmawiać. Lecz
przez ich mieszkanie bezustannie przetaczały się
tabuny obcych ludzi. Co kilka dni, bez względu na
porę, ktoś wpadał, aby odebrać broń ze skrytki lub
aby coś w niej zostawić. Oprócz zajęć „Agricoli"
Krzyś nadal zwoływał na Hołówki zbiórki swojego
zastępu. A czasami na noc przygarniał także „Lau-
dańskiego", który po aresztowaniu „Wróbla" nie bardzo miał gdzie się podziać.

W takich warunkach trudno mówić o normalnym
życiu, a co dopiero o jakiejkolwiek intymności. Toteż
jedyne o czym Baczyńscy marzyli, to żeby choć przez
chwilę pobyć wyłącznie sam na sam. Aby zapomnieć
o konspiracji, o zbrodniach dokonywanych na ulicy,
zjeść w spokoju obiad, poczytać, porozmawiać albo
po prostu przez cały wieczór się kochać. Nadchodzące święta i poranek teatralny, na który namawiała ich
Lusia, wydawał się istnieć w jakimś niedostępnym,

równoległym świecie. Lecz znajomi z kompletów okazali się nieprzejednani. „Baśka, tak nie można. Wyglądasz jak cień samej siebie. Zdziczejecie, siedząc z Krzysztofem w domu. Musicie z nami iść" – powtarzali tak długo, aż Basia wreszcie uległa.

To była wyjątkowa inscenizacja. Wyludnione ulice Warszawy nosiły wszystkie stygmaty terroru i zagłady, gdy tymczasem w budynku gimnazjum na ten jeden dzień zapanowała radosna, a przez to nieco nierealna, atmosfera świąt. W niedużym holu, na jednym z górnych pięter stworzono prowizoryczną scenę, a naprzeciw niej ustawiono rzędy szkolnych krzesełek. Ubogie dekoracje i skromne kostiumy młodych aktorów w żaden sposób nie umniejszały podniosłego charakteru przedstawienia.

Basia wraz z Krzysiem zajęli jedno z miejsc na końcu salki. Zasłonięto okna. Wnętrze spowił półmrok. Na scenie zapłonęły świece, otulając grających aureolą ciepłego, rozedrganego światła. Piękne ludowe pieśni wypełniły puste korytarze szkoły, odgradzając zebranych niewidzialnym murem dźwięków od strasznego świata na zewnątrz.

Chociaż nie był to zawodowy teatr, to wykonawcy włożyli tyle serca w przygotowania i z takim zaangażowaniem oddawali specyfikę kolęd, że oczy wielu zebranych się zaszkliły. Krzysztof mocniej ścisnął dłoń Basi. Spojrzała na niego w ciemnościach. Płakał. Pierwszy raz od chwili, gdy go poznała, pozwolił sobie na tak jawne okazanie emocji. Nie uronił łzy, gdy umierali kolejno jego znajomi, gdy na Pawiaku rozstrzelano mu rodzinę. Wtedy tylko bezradnie zaciskał usta, zaciskał pięści. Strach, ból i brak nadziei wylewały się za to suchymi łzami na papier. I dopiero teraz, w otoczeniu efemerycznych rekwizytów Bożego Narodzenia, gromadzona miesiącami, a może latami rozpacz oczyszczająco skropliła się na rzęsach…

Wbrew wcześniejszym planom znajomych, by po przedstawieniu pójść gdzieś razem, usiąść i porozmawiać, nikt nie przejawiał już na to chęci. Po zakończeniu zeszli wszyscy razem na dół i w ciszy się pożegnali. Nagle zaczęło się im spieszyć do domów. Każdy pragnął na swój sposób jeszcze raz przeżyć tę ulotną chwilę zamkniętą w słowach pastorałek. Basia z Krzysztofem także ruszyli w stronę swojego mieszkania. Milczeli. Przygnębiająca szarość grudniowego dnia spowijała ulice. Dopiero po jakimś czasie Krzyś się odezwał:

– Wiesz, Basiu, tam na górze… Przez chwilę poczułem się tak, jak przed okupacją – rzekł zadumany. – Poczułem magię dawnych świąt, tego świata, którego już nie ma. Taki byłem wtedy szczęśliwy. Taki beztroski. A teraz?

– Jeszcze przyjdzie takie Boże Narodzenie. Spokojne, dobre.

– Nie, Basiu. Nie przyjdzie – odparł bezbarwnie.

– Kiedyś, po wyzwoleniu…

– Nie wiem, czy go doczekam.

– Dlaczego tak mówisz? – Mocniej przywarła do jego ramienia.

– Ja to wiem. Po prostu czuję, że tak będzie. Kiedy słuchałem dzisiaj, jak śpiewały te dzieciaki, dotarło do mnie, że to już ostatnie święta.

– Krzysiu, skąd u ciebie te ponure myśli, skąd to czarnowidztwo? Zobaczysz, nic się nie stanie. Dożyjemy starości.

– W takim świecie?

– Wojna wreszcie się skończy.

– Owszem, skończy się. Myślę nawet, że już niedługo. Jednak najpierw trzeba będzie ofiar.

– To nie musisz być ty.

Zamilkli. Z nieba zaczęły sypać drobne płatki śniegu.

– Do tej pory o tym nie myślałem. Chyba każdy odsuwa od siebie myśl o umieraniu. Umierają inni. Zawsze ci inni. Nam to się nie może przytrafić. Jednak od czasu, kiedy wstąpiłem do „Zośki", ta świadomość mnie nie opuszcza. Dzisiaj w trakcie przedstawienia naszły mnie takie dziwne przeczucia.

– Ale ty, Krzysiu, nie masz prawa zginąć. Ty nie jesteś żołnierzem, przede wszystkim jesteś poetą. I to jest twoje przeznaczenie. Twoja przyszłość.

Pomyśl, kim się staniesz za pięć, dziesięć lat, jeżeli teraz już piszesz tak pięknie, tak dojrzale.

– Moje wiersze nic nie będą znaczyć, jeśli w dniu próby nie stanę do walki. Do tego dnia to tylko puste słowa. Nie będzie w nich prawdy, a poezja bez niej nie istnieje.

Nic nie odpowiedziała.

– Dlatego kiedy nadejdzie czas, nie będę uchylał się przed losem.

Zacisnęła mocniej dłoń na jego ramieniu.

– To tylko przeczucia. Tylko złe przeczucia. Nic nam się nie stanie. Zobaczysz. Nie może…

★ ★ ★

Chociaż pani Feliksa już w trakcie świąt namawiała ich, by sylwestrową noc także spędzili na Pańskiej, Basia i Krzyś nie chcieli o tym słyszeć. Potrzebowali chwili samotności. Zresztą „co to za święto ten sylwester, co dobrego może przynieść nadchodzący rok?". Wieczór upłynął im spokojnie. Przed północą złożyli sobie życzenia, wznosząc toast resztkami wódki, które Basia znalazła na dnie kuchennego kredensu, i szybko położyli się spać.

Pierwszy, wyjątkowo mroźny dzień czterdziestego czwartego roku przywitał ich przedzierającą się przez firanki stalowosiną poświatą i cichym pukaniem do drzwi. Na zegarze nie było jeszcze

dziewiątej. Chociaż obudzili się już kwadrans wcześniej, nadal wylegiwali się w pościeli. W mieszkaniu
było tak przeraźliwie zimno, że żadne z nich nie
kwapiło się do wstawania. Jednak dźwięk dochodzący z przedpokoju w jednej chwili starł z ich powiek
resztki snu. Krzysztof usiadł na łóżku, nasłuchując.
Basia z lękiem popatrzyła w stronę przedpokoju.
Ostatnio każdy odgłos dochodzący z klatki schodowej wprawiał ją w trudny do opanowania popłoch.
Jednak gestapo nie miało w zwyczaju anonsować się
w tak dyskretny sposób, raczej bez opamiętania wa-
liło kolbami w drzwi. To musiał być ktoś inny.

– Kto to może być? Do tego o tej porze? – szepnęła cicho.

– Nie mam pojęcia.

Pukanie się powtórzyło.

– Nie otwieraj, Krzysiu.

– A jeżeli to któryś z moich chłopaków?

– Oni przecież znają sygnał.

Krzysztof z ociąganiem podniósł się z łóżka.

– Zatem może to dozorca? Albo mama przyjechała nas odwiedzić. Muszę otworzyć. – Sięgnął po
spoczywający na oparciu krzesła szlafrok, narzucił
go na siebie i ruszył do przedpokoju.

Basia, otuliwszy się długim swetrem, z wystraszoną miną podążyła w ślad za nim. Kimkolwiek
była osoba na klatce – a szczególnie jeśli była to

Stefania – plany spokojnego dnia właśnie spełzły na niczym.

Krzyś odsunął zasuwę i otworzył skrzydło na szerokość łańcuszka. Zerknął przez szparę.

– Zbyszek? – rzucił zdziwiony. – Zaczekaj, już cię wpuszczam.

Otwierając drzwi, ze zdezorientowaną miną spojrzał przez ramię na Basię.

Zbyszek, znajomy ze wspólnej grupy polonistycznej, nigdy wcześniej nie gościł w ich mieszkaniu. W ogóle trzymał się trochę z boku. Był z Radomia. Przyjechał do Warszawy na studia i wynajmował jakąś podłą klitkę, do której nie mógł zapraszać gości, toteż w pewnym stopniu wyłączony był z życia towarzyskiego. Niby bywał na spotkaniach organizowanych przez osoby z kompletu, a jednak z nikim nie trzymał się szczególnie blisko. Sam Krzysztof nie znał go prawie wcale. Krótki epizod nauki na uniwersytecie w poprzednim roku nie dał mu sposobności, by wejść z chłopakiem w bliższą relację. Ot, spotkali się kilka razy na zajęciach, na wieczorku poetyckim Krzysia, a także później na sławetnych imieninach Wacka i Michała. To Basia była bliżej ze Zbyszkiem. Już w pierwszym roku ich wspólnej nauki kilka razy gawędziła z nim dłużej. Teraz, od kiedy wszystkie zajęcia przeniesiono do handlówki na Świętokrzyską, życie studenckie przybrało bardziej zorganizowaną formę, a to sprzyjało zacieśnianiu więzów między młodymi ludźmi. Basia miała więcej sposobności, by lepiej poznać Zbyszka, a on okazał się przemiłym człowiekiem, do tego szczerze zainteresowanym dokonaniami Krzysztofa. Przed rokiem, po wieczorku literackim, stał się gorącym wielbicielem jego poezji i później często zaczepiał Basię, by pożyczyć odpis któregoś z nowych wierszy lub wypytać o twórczość jej męża. Jednak bez względu na pogłębioną w ostatnim czasie zażyłość, nagła wizyta kompletnie zaskoczyła gospodarzy. Musieli mieć to wypisane na twarzach, bo przekroczywszy próg, chłopak jął się tłumaczyć z najścia:

– Bardzo was przepraszam – bąknął zawstydzony. – Wiem, że się nie zapowiedziałem, a i pora nie ta, ale ja prosto z podróży. Wiedziałem, w którym domu mieszkacie, a numer mieszkania znalazłem na dole, na liście lokatorów. Mam do was pewną sprawę. – Spojrzał ukradkiem na ich piżamy. – Obudziłem was? Mój Boże, naprawdę bardzo przepraszam.

– Daj spokój, Zbyszek. Już nie spaliśmy – rzekła łagodnie Basia, szczelniej otulając się swetrem. Ich gość odziany w jakieś mocno nadgryzione zębem czasu palto wyglądał dosyć żałośnie. Był przemarznięty i zmęczony. – Rozbieraj się. Okropny mróz, co? Musisz się rozgrzać. Zaraz zrobię herbatę. Krzysiu, weź od Zbyszka płaszcz.

Chłopak posłusznie oddał okrycie gospodarzowi i zachęcony gestem przez Basię wszedł za nią do kuchni. Zajął przy stole miejsce, które mu wskazano. Krzysztof przeprosił ich i wyszedł się ubrać.

– Okropnie mi głupio, że tak was nachodzę. – Zbyszek zaczął nerwowo rozcierać czerwone z zimna dłonie. – Ale podejrzewałem, że was zastanę.

Basia bez słowa odwróciła się na ułamek sekundy od kuchenki, na której właśnie postawiła czajnik z wodą.

– Czy coś się stało? – zapytała niepewnie.

Widząc jej niepokój, uspokajająco się uśmiechnął.

– Ależ nie. W sumie to nic ważnego. Niemniej uznałem, że jesteście z Krzysztofem jedynymi osobami, które mogę poprosić o pomoc w pewnej niezręcznej sprawie. Aż głupio mi się teraz przyznać…

Czekając aż woda się zagotuje, Basia przysiadła na wolnym miejscu i spojrzała wyczekująco na chłopaka.

– Nie kryguj się, mów.

– Wiesz, Basiu, że ja jestem z Radomia?

– Naturalnie.

– Otóż byłem tam teraz na święta. Przy okazji spotkałem się ze starymi znajomymi. To sami humaniści, skupieni wokół tajnego gimnazjum. Moja stara znajoma, która uczy tam polskiego i kilkoro jej uczniów, tegorocznych maturzystów. Dzieciaki kompletnie sfiksowane na punkcie poezji. – Zamyślił się. – Tamtejsza młodzież zupełnie nie ma dostępu do tego, co się teraz czytuje w stolicy. Zamęczają ich w kółko klasyką. Jak nie Mickiewicz, to Słowacki. Wiesz, Basiu, jak jest. A oni spragnieni są nowości. Problem w tym, że na takie prowincjonalne komplety nie docierają żadne przejawy współczesnej literatury. A ja im tyle naopowiadałem podczas naszego spotkania. W końcu jestem studentem polonistyki. Chyba uznali, że obracam się w towarzystwie ludzi z samego literackiego szczytu, że czytuję wiersze, które dopiero co wyszły spod pióra autorów. Owszem, jest w tym trochę prawdy, ale przyznaję się bez bicia, że nieco im podkoloryzowałem moje możliwości. W każdym razie uznali, że ze względu na kierunek studiów mam lepszy dostęp do podziemnego życia artystycznego, a w związku z tym koniecznie mam im przywieźć jakieś ciekawe teksty. Spotykamy się dzisiaj wieczorem, a ja nie bardzo mam co im dać. Posiadam kilka odpisów wierszy Krzysztofa, ale to wszystko.

Basia się zaśmiała.

– Faktycznie, trochę wpuściłeś się w maliny.

– W jakie maliny? – zapytał z zaciekawieniem Krzyś, który na ostatnie słowa wszedł do kuchni.

Usiadł do stołu i, podobnie jak wcześniej Basia, spojrzał na gościa z lękiem. Dziś wszelkie problemy miały jeden wspólny mianownik: wojenny. Cóż innego mogłoby przywieść do nich kolegę w ten noworoczny poranek?

– Zbyszek ma dzisiaj wieczorem małą prelekcję przed tegorocznymi maturzystami na temat literatury współczesnej. Dzieciarnia ma dosyć klasyków – wytłumaczyła szybko żona.

– I w czym problem?

– Ano w tym – jęknął chłopak ze skruszoną miną – że nagadałem dzieciakom, kogo to ja nie znam, kogo nie czytuję, a tekstów na poparcie tych przechwałek nie mam.

Gospodarz uniósł brew, a wreszcie kąciki jego ust zadrżały.

– No to dobrze trafiłeś.

– Właśnie tak myślałem. Kto jak kto, ale wy na pewno uratujecie mnie z opresji.

– Dopiero teraz czekają cię opresje. – Krzyś nie krył rozbawienia. – Kiedy Basia zaczyna mówić o literaturze, to nie potrafi skończyć.

Przez kolejną godzinę Krzysztof co chwilę donosił kolejne odpisy przeróżnych wierszy. Te własnego autorstwa, ale i takie, które wyszły spod pióra zaprzyjaźnionych literatów. Miał tego mnóstwo – konspiracyjnie wydrukowane tomiki, antologie podziemnych wydawnictw, egzemplarze tajnej prasy literackiej, stosy odręcznie zapisanych szpargałów. Opowiadał o nich z zapałem i otwartością, a w sukurs przychodziła mu żona. Zbyszek już wcześniej zauważył, że Baczyńscy stanowią wyjątkową parę. Lecz dopiero tu, mając okazję oglądać ich razem w warunkach domowych, prywatnych, zauważał w pełni wymiar ich związku. To nie była wyłącznie młodzieńcza miłość, zrodzona z nagłej fascynacji. Baczyńscy stanowili jedno. Nie istnieli bez siebie. Na zewnątrz stonowani, odrobinę zamknięci w sobie, tutaj zdawali się być zupełnie innymi ludźmi. Szczególnie zachowanie Krzysztofa było dla Zbyszka zupełnym novum. W niczym bowiem nie przypominał milczącego, wycofanego, poważnego człowieka z tajnych kompletów. Skromnego poety zamkniętego w jakimś obcym, niedostępnym zwykłemu śmiertelnikowi świecie. Przy Basi nabierał życia, jakby właśnie z kruchej postaci żony czerpał wszelką siłę. Zresztą podczas całej porannej rozmowy Krzyś najwięcej uwagi poświęcił wierszom napisanym właśnie o niej lub dla niej. Barbara – odbierana przez otoczenie jako skromna dziewczyna – w słowach erotyków męża rozkwitała. Jej obraz przedstawiał istotę doskonałą i niepospolitą. „Zatem tak jawi się Krzysztofowi" – myślał Zbyszek.

Minuty mijały. Atmosfera stawała się coraz bardziej przyjacielska. Gość wyglądał na szczerze zainteresowanego tym, co opowiadali gospodarze, a oni sami okazali się niezwykle ciepli i serdeczni. Ostatnie lody pękały. Tak byli zaaferowani rozmową, że niemal zapomnieli o głodzie, lecz Basia, która z wyraźną radością odgrywała rolę pani domu, szybko naprawiła to niedopatrzenie. Podała kolejną herbatę i przygotowała śniadanie. Bardzo skromne śniadanie. Zbyszek musiał czuć się nieco skonsternowany faktem, że ów ofiarowany z serca posiłek wygląda tak ubogo – wszak był to okres świąteczny – ale niczego po sobie nie dał poznać. Uzmysłowił sobie, że przecież oboje Baczyńscy nie pracowali. Krzyś dostawał skromne stypendium i na pewno w jakiś sposób pomagali im rodzice, ale zbytku nie było po nich widać. Zresztą, komu się teraz dobrze powodziło?

Gość, aby odsunąć od siebie te niewesołe rozważania, skończywszy jeść, postanowił wrócić do głównego tematu ich rozmowy. Spojrzał na leżący na stole stos papierów i ze zdziwieniem dostrzegł wśród nich egzemplarze „Sztuki i Narodu". Niechęć autorów pisma do Krzysztofa była powszechnie znana.

– Nie sądziłem, że to czytujecie?

– Krzyś chce być na bieżąco – rzekła kwaśno Basia. Wciąż nie mogła wyzbyć się niechęci do ludzi, którzy tak często i chętnie uderzali w dorobek jej męża.

– Ale tu naprawdę ukazują się niezwykle ciekawe teksty – wytłumaczył Krzysztof, sięgając po gazetę. – Nasze wzajemne antagonizmy nie mają nic do rzeczy. Zresztą już jakiś czas temu dali mi spokój.

– Możesz być pewien, że teraz ich krytyka wobec ciebie znowu się nasili.

Zbyszek przeniósł zaciekawione spojrzenie na dziewczynę.

– Dlaczego właśnie teraz?

– Myślę, że możemy powiedzieć Zbyszkowi, prawda, Krzysiu? – zwróciła się do męża.

Krzysztof wzruszył ramionami.

– Stary kolega Basi, Marcin Czerwiński, namawia nas, abyśmy dołączyli do redakcji „Drogi", nowego konspiracyjnego periodyku o kulturze. Ja niezbyt chętnie wchodzę w podobne układy i układziki, nie mam potrzeby zinstytucjonalizowanego przynależenia do jakiejkolwiek grupy. Lecz Marcin zapewnia, że w przeciwieństwie do SiN-u, „Droga" nie będzie miała tak jednoznacznego i dokładnie sprecyzowanego profilu politycznego. Chociaż trzeba jasno powiedzieć, że programowo bliska jest

„Płomieniom"[22]. W sumie to nieistotne. Dla mnie najważniejsza jest wolność twórcza, a oni obiecują mi ją zagwarantować. Basia mogłaby w końcu sprawdzić się w roli krytyka literackiego, a mnie obiecano wydać *Arkusz poetycki*. Zainteresowano się także wierszami Rilkego przełożonymi przez Jerzego Weintrauba. Podarował mi je jeszcze przed śmiercią. Obiecałem się zająć jego spuścizną, a właśnie nadarza się okazja, więc… Bardzo bym chciał, żeby jego praca ujrzała wreszcie światło dzienne.

– To chyba wspaniała wiadomość – z ekscytacją rzucił Zbyszek. – Taka gazeta na pewno ma większy zasięg niż ręczne odpisy wierszy czy nawet to, co już wydałeś drukiem. Dotarłbyś ze swoją poezją do nowych odbiorców.

Basia wciąż miała sceptyczną minę.

– Ale „Droga" już z założenia ma stanowić konkurencję dla SiN-u – rzuciła. – Boję się, że chociażby z czystej przekory, Gajcy i reszta przypuszczą kolejny atak na twórczość Krzysia.

– Przesadzasz, kochanie.

Westchnęła wymownie, ale nic więcej nie powiedziała. W głębi duszy uważała, że to dla Krzysia – dla nich – pewnego rodzaju wyróżnienie. Niemniej sądziła też, że angażowanie się w kolejną działalność

---

[22] Konspiracyjne pismo młodzieży socjalistycznej.

nie wyjdzie im na zdrowie. Krzysztof już teraz nie najlepiej wyglądał, na nic nie miał siły. Zatem jak miał sobie poradzić z nowymi obowiązkami? Czy nie powinien poprzestać na działalności w „Zośce"? A zajęcia w „Agricoli"? Za dwa miesiące kurs miał dobiec końca. Krzyś musiał zdać egzaminy, a później ostatecznie podporządkować się rozkazom dowództwa. Coraz częściej mówiło się o powstaniu, o zbrojnym przeciwstawieniu się Niemcom. Basi ciężko było sobie wyobrazić, że mąż bez uszczerbku na zdrowiu pogodzi walkę zbrojną, pisanie wierszy i pracę w redakcji.

W pokoju zapanowała niezręczna cisza. Zbyszek zrozumiał, że temat musiał dzielić małżonków. Czas było się zbierać.

– My tu gadu-gadu, a na mnie już pora.

Wstał od stołu.

– Ale jak to? Nie zostaniesz jeszcze chwilę? – Krzysztof również podniósł się z miejsca.

– Muszę jeszcze wrócić przed wieczorem do Radomia. Moi maturzyści byliby niepocieszeni, gdybym ich zawiódł – wyjaśnił. – Poza tym już wystarczająco nadużyłem waszej gościnności. Naprawdę bardzo mi pomogliście. Teraz nie wyjdę przed dzieciarnią na idiotę.

Gospodarz wybrał ze stosu kilka oprawionych na czarno zeszytów i podał je Zbyszkowi:

– Weź. To moje ostatnie wiersze. Będziesz miał co dzisiaj wieczorem zaprezentować.

Na twarzy chłopaka pojawił się szeroki uśmiech. Chyba nie spodziewał się aż takiego wsparcia. Z przejęciem odebrał notatniki.

– Wszystko zwrócę – rzucił rozradowany. – Jeśli pozwolisz, przepiszę sobie wszystko i na najbliższe zajęcia przyniosę oryginały Basi.

– Spokojnie. Nie spieszy się. – Krzyś przyjaźnie poklepał go po plecach. – Mam tylko nadzieję, że twoi maturzyści nie będą rozczarowani.

– Żartujesz? To jest naprawdę genialna poezja.

Przeszli we trójkę do przedpokoju. Nawet przygaszona Basia podczas pożegnania zmusiła się do uśmiechu. Chłopak szybko narzucił na siebie poprzecierany płaszcz i stanął przy drzwiach. Wymienili z Baczyńskim ostatnie uściski dłoni.

– Naprawdę nie wiem, jak mam wam dziękować.

– Ty nam? – rzucił wesoło Krzyś. – To ja ci dziękuję. Wraz z tobą moje wiersze wybierają się na pierwsze tournée poza Warszawę. No i nigdy nie podejrzewałem, że młodzież zamiast Norwida czy Słowackiego będzie wolała czytać moje wiersze.

★ ★ ★

Tego dnia Basia po dyżurze w szpitalu i wykładach na Świętokrzyskiej postanowiła wstąpić na

Pańską do rodziców. Przez nawał zajęć rzadko miała okazję, aby dłużej z nimi porozmawiać. Dlatego nieco się zasiedziała i dopiero wraz z nadejściem godziny policyjnej uzmysłowiła sobie, jak bardzo jest późno. Szybko zaczęła się zbierać do wyjścia. Mimo oporów córki pani Feliksa na odchodnym wsunęła jej do torby kawałeczek zdobycznego mięsa: „Musicie czasami zjeść z Krzysztofem coś treściwszego niż ten paskudny kartkowy chleb" – po czym zamknęła za nią drzwi.

Basia bez zwłoki zbiegła po schodach i przecięła w poprzek spowite mrokiem podwórko. Wchodząc w bramę, nie zauważyła stojącej tam postaci. Wpadła na nią z całym impetem.

– Ojej, przepraszam – rzuciła przerażona.

Na tle czerni jaśniała czerwona plamka żaru papierosa.

– To ja przepraszam – odpowiedział ten ktoś, wypuszczając przy tym obłoczek dymu. Jego głos wydał się Basi znajomy.

Mgliste światło ulicznej latarni niemal nie docierało do półkoliście sklepionego przejścia, toteż jej wzrok potrzebował chwili, żeby przeniknąć ciemności. Wreszcie kształty stały się wyraźniejsze i przed Basią wyłoniła się znajoma twarz.

– Marcin? – zapytała niepewnie.

– Basia? – Rzucił niedopałek na ziemię i zgasił go butem.

Marcin Czerwiński był równolatkiem Basi. Znali się od lat. Był nawet obecny na jej ślubie z Krzysztofem. Wesoły, skromny chłopak. Darzyła go ogromną sympatią. On z kolei nie ukrywał, że podziwia jej erudycję, intelekt. W okresie dojrzewania byli ze sobą bardzo blisko, ale od chwili, gdy Basia wyszła za mąż, trudniej było im utrzymać dawną częstotliwość spotkań. Co prawda mijali się czasami na różnych spotkaniach studenckich – on także wstąpił na tajny uniwersytet – ale prócz tego ich ścieżki się nie krzyżowały. Każde było pochłonięte swoimi sprawami. Kto dzisiaj miał czas na towarzyskie wizyty? Okupacja im nie sprzyjała. Zresztą Marcin nie miałby śmiałości przesiadywać u młodego małżeństwa. Dopiero ostatnio sytuacja ta uległa zmianie. To Marcin namówił Baczyńskich do pracy w redakcji „Drogi", a przez to mieli więcej okazji, by się spotykać.

– Co ty tutaj robisz, Basiu? Życie ci niemiłe, że tak biegasz po zmroku? – zapytał z uśmiechem.

– Rodzice mieszkają w tej kamienicy. Jakiś czas temu zostali wykwaterowani przez Niemców ze Śniegockiej i dostali przydział właśnie tutaj.

– Przykra sprawa.

– Co zrobić, teraz ludziom gorsze rzeczy się przytrafiają.

– Racja – przytaknął.

– Ale co ty tu robisz? Ty też tu teraz mieszkasz?

– Nie, skąd. Zatrzymałem się na chwilę, żeby zapalić.

Spojrzała na niego z niedowierzaniem. Na zwykle wesołej twarzy znać było przygnębienie.

– Żeby zapalić? Marcin, stało się coś? Powinieneś iść do domu. Zaraz godzina policyjna.

Chłopak przygryzł wargę.

– Właściwie to nie bardzo mogę.

– Dlaczego?

– Ostatnio była mała wpadka na moim wydziale. Udostępniałem lokal na ćwiczenia i seminaria naszej grupy. Jednak teraz mój adres jest spalony. Musiałem opuścić mieszkanie rodziców, żeby ich nie narazić w razie jakiegoś nalotu. Do dalszej rodziny też raczej nie pójdę, bo ci, którzy mnie szukają, na pewno bez trudu wpadliby na trop. Zatem tułam się tak od tygodnia, to tu, to tam. Śpię u znajomych.

– A dziś? – zapytała cicho.

– No cóż – Marcin bezradnie opuścił głowę. – Dzisiaj miałem przenocować u jednego kolegi. Właśnie przy tej ulicy. Ale rano jego ojciec został aresztowany podczas łapanki, dlatego nie chcę mu się teraz zwalać na głowę. Jego matka jest zrozpaczona, nie wypada, żebym im teraz przeszkadzał. Rozumiesz?

– I co w takiej sytuacji? Zamierzasz stać w bramie na mrozie całą noc?

– Nie wiem, Basiu, a co mi innego pozostaje? Przeczekam jakoś do rana.

– Marcin, co ty pleciesz? Zabieram cię do siebie – powiedziała stanowczo. Nie mogła postąpić inaczej.

– Ale Krzysztof… Nie chciałbym się wam narzucać.

– Krzysztof na pewno się ucieszy, kiedy cię zobaczy. Zresztą to nie ma teraz żadnego znaczenia. U nas jest wolny pokój. Do jedzenia też coś się znajdzie. Nie zostawię cię na ulicy. – Pociągnęła go za rękaw. – Nie ma o czym dyskutować. Zostało nam mało czasu, żebyśmy zdążyli na Czerniaków przed godziną policyjną. Chodź.

Krzyś zachował się dokładnie tak, jak przewidywała Basia. Nie tylko zgodził się, żeby jej przyjaciel u nich przenocował, ale zaproponował Marcinowi pozostanie u nich na dłużej; póki sytuacja się nie unormuje. Poprosił tylko, by podczas zajęć „Agricoli" chłopak dla własnego bezpieczeństwa nie wychodził z pokoju.

Marcin okazał się lokatorem zupełnie nieuciążliwym. Często pomagał Basi w pracach domowych, wyręczając tym samym Krzysztofa. A swoim wesołym usposobieniem potrafił rozładować najcięższą atmosferę. Było im dobrze razem i, jak śmiała się Basia, stworzyli wyjątkowo zgodne trio; niczym trzej muszkieterowie.

★ ★ ★

Wraz z ukazaniem się „Drogi" i *Arkusza poetyckie-go* na kartach nowego numeru „Sztuki i Narodu" pod adresem Krzysztofa nie pojawiła się żadna krytyka. Obawy Basi okazały się niepotrzebne. Co więcej, kręgi skupione wokół Gajcego wyszły z niespodziewaną propozycją zaaranżowania wieczoru autorskiego Jana Bugaja. Dotąd grupa studentów organizująca podobne wydarzenia nie przejawiała ochoty, aby bliżej zapoznać się z poezją separującego się od rówieśników poety. Lecz rękawica została rzucona, a Krzyś, mimo wątpliwości, postanowił ją podjąć.

Spotkanie odbyło się w prywatnym mieszkaniu w samym centrum miasta przy ulicy Wilczej. Miejsce wyznaczono nieprzypadkowo. Niedawno w „Barze pod Bażantem" mieszczącym się na parterze kamienicy zabito żandarma. Niemcy tak starannie przeszukali wówczas budynek, że zagrożenie, by w najbliższym czasie zechcieli zawitać tu ponownie, było niewielkie.

Sam lokal okazał się jednak nieco za mały, żeby wygodnie pomieścić wszystkich chętnych. Na długo przed rozpoczęciem spotkania w salonie zabrakło krzeseł, toteż do siedzenia musiały posłużyć kuchenne taborety i wyjęte z komód szuflady poustawiane na sztorc. Krzyś znał tylko część zgromadzonych osób i mimo cichego wsparcia Basi i Marcina, którzy z nim przyszli, na pewno czuł się nieswojo. Co prawda, lubił prezentować swoje wiersze, ale najchętniej czynił to w gronie najbliższych przyjaciół. Tymczasem teraz otaczali go obcy i w większości nieprzychylni ludzie. Gdzieś blisko okna przysiedli razem Gajcy ze Stroińskim. Krzyś bez słów wymienił z nimi pozdrowienie. Nie widział ich od dawna, stracili kontakt jeszcze na długo przed tym, gdy Stroińskiego aresztowano, a Gajcy zaczął się ukrywać. Wreszcie incydent pod pomnikiem Kopernika dla obu skończył się szczęśliwie, ale bardzo się zmienili. Dojrzeli, zmężnieli, rysy twarzy im się wyostrzyły. W ich spojrzeniach Krzysztof spodziewał się odnaleźć odbicie dawnych nieporozumień – może kpinę? – ale te oczy były dziwnie puste, obojętne.

Ostatni gość wszedł do salonu. Zamknięto drzwi. Autor zajął miejsce przy stole. Twarze zebranych obróciły się na niego. Wokoło zapadła pełna napięcia cisza. W półmroku cienie rzucane przez zebranych wydłużały się na ścianach. Krzysztof otworzył jeden z przyniesionych brulionów. Zaczął czytać. Pozornie wydawał się spokojny i opanowany, lecz w ruchach jego dłoni, w spojrzeniu – odległym i nieprzeniknionym – dało się wyczuć nerwowość. Jego głos zdawał się drżeć równie mocno, co światło stojącej na stole karbidówki.

W trakcie deklamacji poety publiczność nie-
poruszenie milczała, w żaden sposób nie okazując
emocji, co dla autora musiało stanowić dodatkowy
ciężar. Dopiero gdy jego głos ucichł, pokój wypełnił szum rozmów. Krzyś wstał od stołu, wycofał się
w mrok i zapalił papierosa. Zebrani zaczęli głośno
dyskutować na temat tego, co usłyszeli. Wśród gło-
sów zachwytu pojawiły się także te mniej przychyl-
ne. Lecz to nie autor odpierał ataki publiczności.
Rolę jego adwokata przejął Marcin Czerwiński.
Stając w obronie przyjaciela, zawzięcie przekony-
wał adwersarzy do swoich racji. Nastrój stawał się
coraz bardziej napięty, rozmowy gorętsze i wtedy
dyskusje w pokoju zakłócił hałas walenia do drzwi.
W jednej sekundzie całe towarzystwo umilkło. Basia poderwała się z miejsca, złapała leżące na stole
bruliony i przytuliła je obronnym gestem do piersi.
W następnej chwili stała już przy Krzysztofie, który
mocno ją objął. Niecierpliwe pukanie się ponowiło.
Twarze zebranych pobladły z przerażenia. Ktoś wyjął z kieszeni karty do gry i szybkim gestem rzucił je
na stół. Ktoś inny wyciągnął z kredensu jakąś butel-
czynę i szklanki. W pokoju należało stworzyć sce-
nografię zwykłego przyjęcia. Jeżeli Niemcy uwierzą,
że w mieszkaniu odbywa się zwykła zabawa, a nie
konspiracyjny wieczór autorski, może nikomu nic
się nie stanie.

Właściciel lokalu z wyraźnym ociąganiem wyszedł do przedpokoju. W salonie słychać było, jak odryglowuje drzwi, a następnie wpuszcza kogoś do środka. Wojskowe buty nie zastukały jednak w charakterystyczny sposób o podłogę. Nie padły żadne niemieckie komendy ani krzyki. Po kilku sekundach w wejściu do pokoju oprócz gospodarza stanął niewysoki chłopak. Chyba został już poinformowany, jaką konsternację wywołało jego najście, bo z miejsca zaczął się tłumaczyć.

– Przepraszam za spóźnienie – wydukał speszony. – Nie chciałem państwa przestraszyć.

– Wacek, to po co tak waliłeś w te drzwi? – ofuknął go ktoś stojący pod oknem.

– Nie miałem pewności, czy to na pewno tutaj. I tak jakoś…

– Chłopie, mało zawału tu nie dostaliśmy – dorzucił ktoś inny.

– Naprawdę mi przykro.

– A idź do diabła. – Młody człowiek zajmujący miejsce blisko drzwi pociągnął dziewczynę siedzącą obok niego. – Chodź, Celina, idziemy. W takich warunkach nie da się rozmawiać.

W mieszkaniu zapanował rozgardiasz. Nastrój wieczoru bezpowrotnie pogrzebało nagłe najście spóźnionego chłopaka. Kolejne osoby opuszczały towarzystwo, pożegnawszy się zdawkowo. Wszyscy wychodzili tak, jak przyszli; pojedynczo lub parami, żeby nie wzbudzić podejrzeń przechodniów pod kamienicą. Niektórzy zatrzymywali się przy Krzysiu, który – trzymając w ramionach żonę – stał niewzruszenie w rogu pokoju. Dziękowali mu za wieczór poezji i szybko wymykali się do holu. Pokój powoli pustoszał. Zostało zaledwie kilka osób. Prócz Baczyńskich, Marcina i właściciela lokalu, także Gajcy ze Stroińskim.

Krzyś oderwał się od Basi i zrobił krok w kierunku gospodarza.

– Dziękuję, że udostępnił pan swoje mieszkanie na dzisiejszy wieczór. To było ciekawe doświadczenie. – Przełknął ślinę. – Ale my także będziemy już się zbierać.

Chłopak potaknął ze zrozumieniem.

– Trochę nieciekawie wyszło przez tego bałwana Wacka. Wszyscy dopiero się rozkręcali. Mogła wyjść nam z tego ciekawa dyskusja. A tak? No, ale trudno. – Wyciągnął rękę do Krzysztofa. – Miło mi było wreszcie poznać osobiście Jana Bugaja.

Krzyś uśmiechnął się niewyraźnie, a później przeniósł spojrzenie na dwa cienie ukryte w pobliżu okna. Wziął Basię za rękę i skinął na Marcina. Ruszyli za gospodarzem do wyjścia. Dopiero wówczas dwie sylwetki poderwały się z krzeseł.

– Proszę poczekać – zawołał za Krzysztofem Gajcy.

Krzyś przystanął. Spojrzał wymownie na Basię. Zrozumiała, że chce zostać sam. Wycofała się do przedpokoju, gdzie w towarzystwie Marcina i gospodarza przeszła bliżej drzwi wejściowych, by zacząć się ubierać.

Gajcy ze Stroińskim przysunęli się bliżej. Dawni wrogowie stanęli ze sobą twarzą w twarz. Męskie spojrzenia się skrzyżowały. Czas się zatrzymał. W pustym salonie słychać było tylko szum dochodzący z ulicy. Gajcy powoli, jakby z wahaniem, jako pierwszy wyciągnął dłoń do Krzysztofa. Jego gest zawisł w pół drogi. Ale wówczas ramię Krzysia także drgnęło. Dłonie zwaśnionych poetów wreszcie się połączyły w mocnym, zdecydowanym uścisku.

– Dziękuję – rzekł krótko Tadeusz, kilkukrotnie potrząsając delikatną dłonią Krzysia. Zwolnił uchwyt i cofnął się o krok, robiąc miejsce Zdzisławowi.

Stroiński także wyciągnął rękę, która również nie została odtrącona.

– To ja dziękuję – bąknął półgłosem Krzyś, a ponieważ nie pozostało nic więcej do dodania, ukłonił się obu mężczyznom i podążył za żoną i Marcinem do przedpokoju. Po minucie drzwi się zatrzasnęły i właściciel lokalu wrócił do ostatnich gości. Stali tak, jak ich pozostawił Baczyński, wpatrzeni w ziejącą pustką futrynę drzwi.

– A co wy tacy markotni? Zaszło coś między wami a Bugajem? Po co go zatrzymaliście? Rozmawialiście o jego wierszach? Kiepski to był wieczór, prawda?

Gajcy w zamyśleniu wsadził ręce do kieszeni. Stroiński zapalił papierosa.

– Kiepski? Nie powiedziałbym – odpowiedział Tadeusz.

– Może nie kiepski, a mało porywający – sprostował gospodarz.

– Fakt, Baczyński nie bardzo umie czytać swoją poezję – dodał Zdzisław i zaciągnął się dymem.

– I właśnie to mu powiedzieliście?

Przyjaciele popatrzyli po sobie.

– Nie... – odrzekł po namyśle Gajcy. – Można raczej powiedzieć, że właśnie zawiesiliśmy broń. To są naprawdę dobre wiersze.

Usta gospodarza uchyliły się ze zdziwienia. W pokoju zapadło niezręczne milczenie.

– Wiecie, co sobie pomyślałem, gdy ktoś zaczął się dobijać? – rzekł wreszcie Stroiński, gasząc niedopałek w popielniczce. – Szkoda wierszy Bugaja, miał chyba przy sobie jedyne rękopisy...[23]

★ ★ ★

---

[23] Prawdziwe zdanie wypowiedziane przez Zdzisława Stroińskiego po wieczorze autorskim Bugaja. Źródło: L. Bartelski, *Genealogia ocalonych*, Wydawnictwo Literackie, Kraków 1963.

Basia przez całą okupację nie bała się jak teraz. Za każdym razem, gdy przymykała oczy, pod powieki napływały przerażające obrazy. Nie powinna była t e g o zobaczyć. Nie powinna była zapędzać się w tamtą okolicę…

Zima powoli ustępowała. Spod resztek śniegu wyłoniły się trawniki usłane poczerniałymi kępkami trawy. Od kilku dni Warszawą wstrząsały kolejne akcje odwetowe za zabójstwo Kutschery[24]. Najpierw w miejscu, gdzie doszło do zamachu, gestapo rozstrzelało pokazowo stu polskich zakładników, a w następnych dniach kolejnych dwustu zamordowano w ruinach getta. Znowu złowieszczo rozdzwoniły się klucze w zamkach cel na Pawiaku. Osadzonych masowo wyprowadzano na śmierć. Jedenastego lutego bestialstwo okupanta sięgnęło zenitu. Tego dnia dwudziestu siedmiu więźniów aresztu po uprzednim zagazowaniu powieszono na balkonach kamienicy przy ulicy Leszno. Dla przykładu, ku przestrodze. Za karę.

Właśnie na ten widok natknęła się Basia, kiedy biegła późnym popołudniem przez miasto do Zbyszka, który obiecał pożyczyć jej poszukiwany przez nią od dawna zbiór studiów Spitzera, Vosslera

---

[24] „Kat Warszawy" został zastrzelony podczas akcji zaplanowanej przez AK 1 lutego 1944 roku.

i Winogradowa *Z zagadnień stylistyki*. Słyszała, że naprzeciwko gmachu sądów Niemcy urządzili sobie makabryczną inscenizację – o niczym innym nie mówiło się w Warszawie. Niemniej w tamtej chwili skupiona na innych sprawach zupełnie zapomniała, by ominąć ten teren. Szybko maszerowała, wbijając spojrzenie w ziemię. Zatrzymała się dopiero wówczas, kiedy wpadła na plecy idącego przed nią przechodnia, który zadzierając głowę, nagle stanął jak zaklęty. Przeprosiła mężczyznę i powiodła wzrokiem w miejsce, które tak niespodziewanie przykuło jego uwagę. Wzdłuż ulicy na balustradach spalonego domu wisiał szpaler ciał o wiotkich członkach i sinych twarzach bez wyrazu. Otwarte oczy i usta ziały pustką. Pejzaż rozciągający się na wypełnionej trupim odorem ulicy był przerażający, a zarazem zupełnie irracjonalny. Jakim trzeba było być potworem, żeby zdobyć się na podobne okrucieństwo?

Basia poczuła, jak targają nią mdłości, a świat zaczyna wirować przed oczami. Obróciła się na pięcie i resztką sił ruszyła biegiem przed siebie. Nie pamiętała, jak długo biegła. Nie pamiętała momentu, kiedy wsiadała do tramwaju jadącego na Czerniaków. Zapomniała o książce, o Zbyszku, który na pewno nadal na nią czekał. Przed jej oczami stał tylko tamten widok. Później długo siedziała w bezruchu w pustej kuchni, wpatrując się w ciemniejące za oknem niebo. Marcin, który wrócił do domu niedługo po niej, prosił, żeby powiedziała, co ją spotkało, ale słowa nie chciały przejść jej przez gardło. Jedyne, czego teraz pragnęła, to opiekuńczego dotyku ramion Krzysztofa. Jego kojącego głosu. Jednak Krzyś tę noc spędzał na zajęciach na Pradze.

Marcin starał się ją zabawić rozmową. Chyba się domyślał, co tak wstrząsnęło jego przyjaciółką. Lecz za każdym razem, kiedy próbował do niej zagaić, natrafiał na mur. Zrobił kolację i próbował ją namówić, żeby cokolwiek zjadł, lecz ona tylko pokręciła głową i zamknęła się w swoim pokoju. Udawała, że coś czyta, ale litery rozmazywały jej się przed oczami. Kiedy wreszcie usnęła, znowu zobaczyła poczerniałe ciała, które niczym marionetki porzucone przez bezdusznego lalkarza smutno kołysały się na sznurkach szubienic. Kilka razy budziła się zlana potem i kiedy nastał poranek, nie miała siły, żeby się ubrać i wyruszyć wraz z Marcinem na zajęcia. Nie była na siłach, żeby pojechać do Śródmieścia, by choć odrobinę zbliżyć się do tamtego miejsca. Najchętniej spakowałaby siebie i Krzysztofa i raz na zawsze opuściła to okrutne miasto. Mogliby wyjechać gdziekolwiek. Byle dalej stąd. Dalej od ulic, od przemocy. Gdzieś przecież musiało być normalnie. Normalniej. Na jakiejś odległej wsi, gdziekolwiek...

Właśnie taką Basię – bladą, przestraszoną, zała-
maną – zastał Krzysztof, gdy wreszcie wrócił na Hołówki. Wpatrując się martwym wzrokiem w ścianę,
siedziała z podkulonymi nogami na amerykance.

– Basiu, ty tutaj? Nie pojechałaś na Świętokrzyską? – zapytał, porzucając płaszcz przy drzwiach
i wchodząc szybko do pokoju. Przykucnął tuż obok
jej kolan. – Baś, kochanie, co się dzieje? Jesteś chora?

– Nie zostawiaj mnie samej – załkała. – Błagam,
nie zostawiaj mnie samej.

Dotknął dłonią jej czoła. Było chłodne.

– Ale co się stało? Co ci dolega? Jesteś bardzo
blada…

– Co mi dolega? – rzekła gorzko, podnosząc na
niego załzawione oczy. – Ja wciąż jestem dzieckiem.
Czuję się dzieckiem. Nie chcę dorastać. Nie jestem
gotowa na to, co się dzieje. Nie chcę tak żyć! Już nie
mogę. Nie mam siły. Nie dam rady dłużej udawać,
że jestem silna. Nie jestem, Krzysiu!

Podniósł ją, usiadł na jej miejscu i posadził sobie
na kolanach. Objął ramionami, jak dziecko. Basia
drżała. Podobnie jak wczoraj Marcin, Krzyś także
zaczął się domyślać, co wywołało w Basi takie poruszenie.

– Czy ty byłaś w t a m t e j okolicy? – zapytał łagodnie, unosząc jej podbródek.

Przełknęła łzy.

– Kochanie, dlaczego to zrobiłaś? Nie wiedziałaś? To nie są widoki dla kobiet. – Zamilkł, po czym sprostował: – To nie są widoki dla kogokolwiek.

– Umówiłam się ze Zbyszkiem. Wiesz, w sprawie książki o stylistyce – wychlipała. – Zagapiłam się, zapomniałam. Kompletnie nie wiem, o czym wtedy myślałam. Krzysiu... – Znowu zaniosła się płaczem.

Delikatnie pogładził jej włosy.

– Nie musisz mówić. Nic nie mów.

– To było tak nieludzkie, tak straszne... Ich ciała... Mam chaos w głowie. Nie umiem tego sobie poukładać. Ja nie wierzę, że człowiek może zrobić coś podobnego drugiemu człowiekowi.

Na twarzy Krzysztofa odmalowała się bezradność. Co miał jej odpowiedzieć? Jak wytłumaczyć to, co zobaczyła? Czy to się w ogóle da wytłumaczyć? Czy on sam to rozumiał? Takie obrazy są jak rany zadawane duszy. Nawet jeśli kiedykolwiek zostaną uleczone, to i tak pozostaną po nich blizny.

Pocałował jej czoło, włosy i smakujące rozpaczą słone policzki.

– Basiu, ja także nie rozumiem naszego świata.

– Proszę cię, uciekajmy stąd. Wyjedźmy gdzieś. Ja nie dam rady dłużej tu żyć. Ile cierpień można znieść?

– Baś, dokąd chcesz uciec? Na zachód, na wschód? Cały świat wygląda teraz podobnie.

– Wyjedźmy z Warszawy. To już nie jest nasze miejsce. To jakaś ponura kostnica. Ocalmy chociaż siebie. Ja jeszcze nie jestem gotowa na śmierć. Nie chcę być pogrzebana w murach tego miasta.

Basia, jego ukochana żona, nigdy niczego się nie bała, a jeśli nawet, to skrupulatnie ukrywała lęk pod grubą warstwą poczucia obowiązku, odpowiedzialności. Nigdy się nie skarżyła. To ona była mu pocieszycielką, ona go wspierała. Chociaż sama była taka krucha. Mała dziewczynka, która w imię miłości postanowiła przywdziać kostium dorosłości. Mała dziewczynka... Właśnie taką ją teraz widział. Delikatną, zagubioną, potrzebującą wsparcia i ratunku. Może Basia miała rację? Może powinni stąd wyjechać? Albo przynajmniej ona powinna. On się zobowiązał, że stanie na straży kraju, gdy nadejdzie właściwa chwila. A ta zapewne nadejdzie niedługo. Dla nikogo nie było tajemnicą, że wojna to kwestia miesięcy, a wtedy w Warszawie na pewno zrobi się gorąco. Ale rozstać się na jakiś czas z Basią? Umieścić ją gdzieś w bezpiecznym miejscu? Co prawda Krzysztof nigdy nie rozpatrywał podobnego scenariusza, ale czy to nie byłoby cudownie, móc spać spokojnie, nie martwiąc się przynajmniej o nią? Na pewno byłby w stanie przeżyć tych kilka miesięcy bez jej widoku, bez dotyku dłoni, jeśli wiedziałby, że w ten sposób ją ocali…

– Jeśli zechcesz, możemy czegoś poszukać. Może w Radości? Albo zapytałbym mamę, czy nie znajdzie się coś w Aninie. Jesteś zmęczona, przepracowana. Wyjazd z Warszawy mógłby być dla ciebie naprawdę dobrym rozwiązaniem.

– Dla mnie? Jak to: dla mnie? A ty?!

– Wiesz, że nie mogę. Baś, wojna zmierza ku końcowi. Przed nami ostatnia batalia. Zaraz minie zima i front znowu ruszy na zachód. Najpóźniej latem Warszawa będzie wolna, zobaczysz. A ja nie mogę teraz zrezygnować z kursu w podchorążówce. Złożyłem przysięgę. Zwolnić mnie z niej może tylko śmierć. Ale ty…

– Więc ja nie jestem dla ciebie równie ważna, co konspiracja? Zawsze mi mówiłeś, że najcenniejsze jest to, co nas łączy, że tylko razem przetrwamy. A teraz jesteś gotów mnie gdzieś odesłać, sam zostając tutaj? Nie rozumiem, Krzysiu.

– Zrobiłbym to tylko dla twojego bezpieczeństwa.

– Ale ja bez ciebie nigdzie nie wyjadę! Nie ma mowy! Jeśli uznasz, że musisz tu zostać, ja zostanę wraz z tobą. Nawet gdybym miała brodzić ulicami po kostki we krwi. Jeżeli wyjadę z Warszawy, zrobię to wyłącznie z tobą. A jeżeli przyjdzie nam tu zginąć…, to także razem. Pamiętaj, że ja również przysięgałam. Przysięgałam Bogu, że cię nie opuszczę aż do śmierci… – zamilkła.

Czuł, że jej ciało drży w jego ramionach, jednak już nie płakała. Znowu przypominała dziewczynę, którą pokochał; niezłomną, stanowczą, bezkompromisową. Wiedział, że jej nie przekona. Basia naprawdę wierzyła, że mogą przez to wszystko przejść wyłącznie razem. Co gorsza, on myślał podobnie.

★ ★ ★

Nigdy więcej nie wracali do tamtego poranka, do rzuconego pod wpływem impulsu pomysłu. Decyzja Basi była nieodwołalna: nigdzie bez Krzysia nie wyjedzie. Chwilowe załamanie odeszło w niepamięć. Dzień po dniu wszystko znowu toczyło się starym rytmem. Wiosna wybuchła wszystkimi odcieniami zieleni, a wraz z zapachem zakwitających kwiatów powietrze wypełniło się czymś jeszcze; czymś niezwykłym i zupełnie nowym. Nadzieją? Butny dotąd okupant, zmuszony do ciągłego cofania się przed Sowietami, wyraźnie tracił dobry humor. Warszawiacy przeciwnie. Na ulicach coraz częściej można było spotkać młodych ludzi w butach z wysokimi cholewami i kurtkach o wojskowym kroju. Wszyscy wbrew rozsądkowi manifestowali gotowość do walki. Nie trzeba było należeć do konspiracji, by zrozumieć, że przygotowania weszły w ostateczną fazę. Nawet Krzyś, który dotąd ubierał się po cywilnemu, postanowił odłożyć część pieniędzy zarobionych na publikacjach w „Drodze" i kupić odpowiednie obuwie. Dosyć szybko okazało się potrzebne.

Któregoś środowego poranka na Hołówki wpadł „Laudański". Zamknął się z Krzysiem w pokoju. Rozmowa nie trwała długo. Wypuściwszy go z mieszkania, Krzysztof przyszedł prosto do siedzącej w pokoiku Basi. Przez otwarte okno do środka wpadał ciepły kwietniowy wiatr, ona czytała, siedząc przy małym stoliku. Była sama – Marcin od pewnego czasu już u nich nie mieszkał. Wplątał się w różne podziemne sprawy, toteż postanowił na jakiś czas się wynieść, żeby nie narażać przyjaciół. Dzięki temu w mieszkaniu zapanowało więcej spokoju, a Basia tej wiosny czuła się zupełnie tak, jak na początku ich małżeństwa. Starała się uregulować obłęd codzienności, okiełznać zachwianą harmonię. Postanowiła być szczęśliwa wbrew światu i nie myśleć o jutrze. A sztuka ta całkiem dobrze jej wychodziła. Starali się z Krzysiem jak najwięcej czasu spędzać razem. Korzystając z ładnej pogody, często wychodzili na spacery, znowu częściej bywali na spotkaniach literackich. On tylko dwie noce w tygodniu spędzał poza domem. Reszta należała do nich.

Widząc męża w drzwiach, uśmiechnęła się znad lektury.

– Poszedł już?

– Tak. – Stanął za plecami żony i położył dłonie na jej ramionach. Poczuła przyjemne ciepło na plecach.

– Wszystko dobrze?

– I tak, i nie.

– Chyba nikogo nie aresztowano?

– Nie, skąd! To nie to.

W jego głosie wyczuła niezdecydowanie. Spojrzała przez ramię do góry.

– Będę musiał wyjechać – rzekł zamyślony.

– Wyjechać? Ale dokąd? Do Anina do matki?

W tego typu podróże Krzysztof wyprawiał się przynajmniej raz w miesiącu. Basia do nich już przywykła. Rozumiała jego potrzebę tych odwiedzin i wolała, gdy spotykał się z matką sam. Nigdy mu tych spotkań nie perswadowała.

– Nie.

– W takim razie gdzie?

– Tego nie mogę ci powiedzieć. Poza tym sam dokładnie nie wiem. Mam czekać z „Laudańskim" w pogotowiu na sygnał. Szykują jakąś akcję. Wszystkiego dowiemy się na miejscu.

– Ale jak to? Kiedy?! Na długo?! – Poczuła, jak po plecach spływa jej strużka zimnego potu. Od dnia, kiedy Krzyś wstąpił do batalionu wiedziała, że taki moment nadejdzie. Jednak wciąż się łudziła, że to jeszcze nie teraz, że ten czas dopiero przed nimi.

– Basiu, uspokój się. To nic takiego. Na pewno nic mi się nie stanie. To potrwa tylko kilka dni.

– Nic takiego? Przecież nie jedziecie poza Warszawę na letnisko. Jedziecie na akcję! Krzysiu, ja tu umrę z niepokoju o ciebie. Przecież jeszcze nie zdałeś egzaminów w „Agricoli". Dlaczego zabierają właśnie ciebie?

– Widocznie uznali, że jestem już gotowy.

– A jesteś?

– O co dokładnie pytasz?

– Czy jesteś gotów, by zabijać?

Bezwiednie zacisnął dłonie na jej ramionach.

– Nie wiem, czy będę kiedykolwiek, ale to nie ma najmniejszego znaczenia.

Następnego dnia z samego rana spakował plecak i czekał. „Laudański" przyszedł niedługo później. Zrobiła im na drogę kanapki, których zresztą nie chcieli zabrać. Podobno mieli z chłopakami załatwione jakieś przydziałowe jedzenie. Kolega wyszedł na klatkę, by dać im chwilę na pożegnanie. A ona w drzwiach długo nie umiała wypuścić Krzysia z objęć. Starał się zniwelować jej smutek wymuszonym humorem. Czuła, że się niecierpliwi, że nie chce przeciągać sceny rozstania. Wreszcie wysunął się z jej uścisku. Wyszedł, a ona przywarła do drzwi, wsłuchując się w cichnące odgłosy dwóch par oficerek na schodach.

Nie czuła się na siłach, żeby pójść na zajęcia z sanitariatu, które przypadały właśnie na czwartek, ani tym bardziej, by jechać na tajne komplety. Początkowo myślała, czy nie zawitać na Pańską, aby tam przeczekać do powrotu Krzysia. Jednak u rodziców na pewno padłyby niewygodne pytania, na które przecież Basia nie znała odpowiedzi. Mama znowu by lamentowała. Po cóż ich obarczać swoim strachem? Postanowiła więc czekać w mieszkaniu.

Jeszcze nigdy czas nie wlókł się tak niemiłosiernie. Wskazówki zegara zdawały się stać w miejscu. Basia nie mogła znaleźć sobie miejsca. Chodziła od drzwi do okna, to znowu przystawała na balkonie. Starała się coś czytać. Usiadła do tekstu, który obiecała napisać do następnego numeru „Drogi". Jednak myśli gdzieś ulatywały, wątki się plątały. Kiedy kolejna pokreślona kartka wylądowała w koszu, dała za wygraną.

Późnym popołudniem na chwilę wpadł jej brat, Zbyszek. Pani Feliksa jak zwykle nagotowała obiadu jak dla pułku wojska, z myślą by obdzielić nim bliskich, więc wysłała syna na Hołówki w charakterze kuriera.

– A co ty, Baśka, taka nie w sosie? – zapytał chłopak, stawiając słoiki z gołąbkami na kredensie w kuchni. Nieobecność Krzysia nie wzbudziła jego podejrzeń. W końcu szwagra często nie było w domu. Jednak w twarzy siostry było coś nienaturalnego i to coś nie umknęło czujnemu spojrzeniu Zbyszka.

– Nie, dlaczego?

– Nie udawaj Greka.

– A co to, ja mało mam powodów do zmartwień? – zbyła go.

Zbyszek sporo wiedział o konspiracyjnej działalności Krzysia, niemniej wyjawienie mu tajemnicy było równoznaczne z poinformowaniem rodziców. Tego Basia nie chciała. Nie zareagowała na zawiedzioną minę brata i szybko odprawiła go w drogę powrotną do domu.

Sama czekała dalej. Chodziła w kółko po mieszkaniu. Nasłuchiwała, wypatrywała. Krzyś nie wrócił na noc, a Basia niemal nie zmrużyła oka. Rano była jeszcze bardziej zmęczona i zdenerwowana niż poprzedniego dnia. Jednak tym razem podjęła decyzję, że pojedzie na zajęcia na Świętokrzyską. Jeśli została by w mieszkaniu dłużej, niechybnie by oszalała. Podczas kompletów zdawała się nieobecna, a zaraz po ich zakończeniu wsiadła w pierwszy tramwaj jadący z powrotem na Czerniaków. Przebiegła cały dystans od przystanku do domu. Pokonując po kilka stopni, przemierzyła schody. Mieszkanie było puste. Strach coraz mocniej zaciskał stalową obręcz wokół żołądka.

Krzysztof zjawił się dopiero w sobotę nad ranem. Był brudny, całe ubranie miał zakurzone. Wyglądał na kompletnie wyczerpanego, ale był zdrów i cały. Zdążył tylko ucałować uszczęśliwioną jego widokiem Basię, po czym bez słowa, tak jak stał, nie zdejmując nawet butów, padł na łóżko. Ona także miała za sobą dwie ciężkie noce. Położyła się przy nim, przysunęła policzek do jego ramienia i wsłuchując się w nierówny oddech męża, zasnęła kamiennym snem.

★★★

Niebo za oknem przybrało różowo-fioletowe barwy zmierzchu. Na ścianach roztańczyły się cienie rzucane przez kwiecistą firankę. Pierwsze, co Basia zobaczyła, otworzywszy oczy, to plecy Krzysia nachylone nad biurkiem. Wciąż się nie przebrał. Włosy miał zmierzwione, na policzku widniał ślad odciśnięty przez poduszkę. Pisał. Na nieruchomej, bladej twarzy, która w otoczeniu ciepłego światła wyglądała jak wykuta z marmuru, rysowało się skupienie. Postanowiła mu nie przerywać. Wpatrywała się w ciszy, jak jego ręka sunie po papierze, kreśląc równe linie liter. Krzysztof wreszcie skończył.

Jeszcze przez chwilę trwał w bezruchu, po czym odłożył pióro i obrócił się w kierunku łóżka. Zaduma w jednej chwili zniknęła z jego twarzy i pojawił się uśmiech.

– Nie chciałem cię obudzić.

– Która godzina?

– Parę minut po dziewiętnastej.

Basia impulsywnie poderwała się z pościeli.

– Czyli przespałam cały dzień.

Krzyś zaśmiał się krótko.

– Czy ty w ogóle spałaś podczas mojej nieobecności?

– Szczerze powiedziawszy, nie.

Wstał od biurka i przysiadł obok żony.

– Tak nie można, Baś. – Przesunął dłonią po jej włosach.

– Jeżeli ty możesz czuwać całe noce, tułając się po jakichś lasach, to dlaczego ja miałabym spać spokojnie?

– Jesteś niemożliwa. – Pokręcił głową, ale w jego głosie nie było śladu wyrzutu. Jedynie czułość.

Zlustrowała ciało Krzysia.

– Jesteś cały, nic ci się nie stało?

– Cały i zdrowy. Jedynie zmęczony, ale to przecież nieistotne. Najważniejsze, że w akcji nikt z naszych nie ucierpiał.

Basia spoważniała.

– W akcji...?

Zrozumiał, o co jej chodzi.

– Wiesz, że nie powinienem zdradzać ci szczegółów.

Spojrzała na niego przymilnie, zarzucając ręce na szyję.

– Toteż ja o szczegóły nie proszę. Ale powiedz mi chociaż, gdzie byłeś? Co tam robiliście?

Krzyś potarł czoło. Basia i tak się dowie. Bez trudu połączy jego nieobecność i wzmianki z gadzinówek.

– Wysadziliśmy pociąg w lasach pod Wyszkowem.

Jej oczy rozszerzyły się ze zdziwienia.

– Pociąg? Przecież to musiało być szalenie niebezpieczne.

– Owszem, moment detonacji ładunków wyglądał strasznie. Lokomotywa wypadła z szyn. Tory są zerwane na długości pewnie kilkuset metrów. Tym składem jechali niemieccy oficerowie. Sądzę, że wielu zginęło. – Zamilkł.

Basia wpatrywała się uważnie w męża.

– I naprawdę nikomu z was nic się nie stało?

– Udało nam się szybko wycofać. Później całą noc przekradaliśmy się przez las. Przeszliśmy chyba z kilkanaście kilometrów. Wreszcie schroniliśmy się w gęstym, sosnowym zagajniku. Trochę się zdrzemnęliśmy, chociaż niedługo. Wiedzieliśmy, że Niemcy na pewno wysłali za nami pogoń. Słyszeliśmy w oddali ich psy, jednak widocznie żaden nie wpadł na nasz trop. Później jeszcze było nieco strachu, kiedy nad lasem zaczął krążyć storch. Na szczęście on też nas nie wypatrzył. Po zmierzchu zakopaliśmy broń i się rozdzieliliśmy. Doszedłem do jakiejś stacji i wsiadłem w pierwszy poranny pociąg do Warszawy. To wszystko.

Basia pokręciła z niedowierzaniem głową. Jej Krzyś. Delikatny poeta, w którego zdatność do walki tak wielu wątpiło. Pokonał lęki i niedoskonałości ciała. Owszem, pod jasnymi oczami rysowały się ciemne obwódki zmęczenia, ale sam Krzysztof nie wyglądał na wystraszonego. Mówił o tym, co się stało, z takim spokojem. A może ów dystans i opanowanie stanowiły podświadomą barierę ochronną organizmu? Tak czy inaczej Basia czuła ogromną ulgę. I dumę. Rozpierała ją prawdziwa duma! Pierwsza akcja Krzysia zakończyła się sukcesem.

– Musimy to jakoś uczcić. – Podniosła się z wersalki.

– Nie ma czego świętować. – Uśmiechnął się zdziwiony.

– Ależ oczywiście, że jest. Po pierwsze twój szczęśliwy powrót, a dodatkowo fakt, że ja w tym czasie nie osiwiałam.

Krzysztof wstał ciężko.

– A mamy czym?

– Wczoraj Zbyszek przyniósł kilka słoików jedzenia od mamy. Nie byłam w stanie sama nic prze-
łknąć. Ale teraz czuję, że mogłabym zjeść konia
z kopytami. Zresztą ty też pewnie się nie przejadłeś
na żołnierskim wikcie. Zjemy porządnie i wreszcie
wyszoruję cię dokładnie, bo wyglądasz jak nieboskie
stworzenie. A może później opowiesz mi coś więcej… Boże, jaka ja jestem szczęśliwa, że wróciłeś.

★ ★ ★

A jednak pierwsza Krzysiowa akcja nie obyła
się bez ofiar. Kilka dni później przyszedł do nich
„Laudański" i to on przyniósł owe straszne wieści.
Wiedział, że Basia jest przez Krzysztofa wtajemni-
czana w wiele spraw, toteż tym razem o tym, co się
wydarzyło, opowiedział w jej obecności.

Dwóch chłopaków nie wróciło do Warszawy.
Podobnie jak inni udali się na jedną z pobliskich
stacji, by złapać kurs do domu. W ich przypadku tą
stacją miał być dworzec w Wyszkowie. Wpadli zupełnie przypadkiem. W pociągu tłoczyło się mnóstwo osób szmuglujących jedzenie do stolicy. Spod
każdego siedzenia sterczały poupychane paczki
i tobołki z mięsem, jajkami, mąką. Skład długo nie
ruszał. Wreszcie ktoś krzyknął: „Żandarmi!". Część
pasażerów pouciekała, ale wielu – w tym chłopcy

z oddziału – zostało. Do środka wszedł mundurowy i zaczął się szamotać z jakąś babiną, chcąc jej zarekwirować bańkę z mlekiem. Staruszka nie zamierzała poddać się bez walki, wobec czego żandarm uderzył ją w twarz. Tego było za wiele dla chłopaków i jeden z nich, podszedłszy do niemieckiego oprycha, zdzielił go w szczękę na odlew. Chłopcy pędem wydostali się z przedziału i zaczęli uciekać wzdłuż torów, lecz za nimi już puściła się obława. Nie mieli szans. Skuto ich i przywleczono z powrotem na peron, aby później odstawić na pobliski posterunek żandarmerii. Jednak mundurowi tak bardzo zajęci byli rekwirowaniem żywności cywilom z pociągu, że chłopcy ponowili próbę ucieczki. Tym razem padły strzały. Jeden zginął na miejscu. Drugiego, ciężko rannego dotransportowano do aresztu. Znaleziono podobno przy nim łuski i mapę, toteż starano się za wszelką cenę utrzymać go przy życiu, by zmusić do zeznań. Ale rana była zbyt poważna...

Krzyś, choć starał się po sobie tego nie pokazać, musiał być zdruzgotany. Wszak tym razem nie chodziło o kogoś obcego; kogoś, kogo znał tylko z opowiadań. To byli koledzy z jego oddziału, z którymi łamał się chlebem na dzień przed ich odejściem... Umknęli kostusze w czasie akcji, przetrwali obławę, ale zginęli, stanąwszy w obronie niewinnej kobiety. Taka niesprawiedliwa była ta śmierć...

Niemniej na rozpacz i rozdzieranie szat nie było teraz czasu. Zarówno Krzysztof, jak i „Laudański" musieli zacząć się przygotowywać do egzaminu w „Agricoli". Tymczasem na głowę Basi spadły inne sprawy. Marcin Czerwiński popadł w kolejne tarapaty. Tak jak pod koniec zimy, teraz znowu zmuszony był tułać się po znajomych. Gdy tylko dowiedzieli się o tym Baczyńscy, z miejsca zaoferowali mu schronienie. Oczywiście, cudownie im było tylko we dwójkę, ale nie wyobrażali sobie, że zostawią przyjaciela na pastwę losu. Trzeci muszkieter zawitał ponownie na Hołówki.

A zaraz potem do niewielkiego mieszkanka miał się wprowadzić ktoś jeszcze.

Basia zjawiła się na Pańskiej któregoś popołudnia prosto po zajęciach i od razu zauważyła, że matkę coś trapi.

– Mamuś, czemu jesteś jakaś przygnębiona? – dopytywała, kiedy zaraz po powitaniu przeszły razem do kuchni.

Pani Fela ciężko usiadła na taborecie i westchnęła.

– Same tylko problemy wokoło. Gdzie się człowiek nie obejrzy. Po tylu latach należało uodpornić się na ludzką krzywdę, a mnie widzisz, córciu, cały czas takie historie wzruszają, dotykają. I później nie mogę o nich przestać myśleć.

Basia zajęła miejsce naprzeciwko matki.

– Ale jakie historie? Jakie ludzkie krzywdy? O czym ty mówisz, mamo?

– A bo wiesz, Basiu, kilka dni temu, gdy po zmierzchu wracałam do domu, spotkałam w naszej bramie dziwną kobietę. Jakoś tak podejrzanie się zachowywała. Jakby na kogoś czekała albo może się ukrywała. W każdym razie, znasz mnie, postanowiłam, że podejdę i zapytam, o co chodzi. A ona, chociaż obdarta okropnie, to taka piękna. Mówię ci. Blondynka, wysoka, oczy jak dwa oceany. Ale od razu widać, że Żydówka. Takie specyficzne piętno miała wymalowane na twarzy. No więc podchodzę do niej i pytam, czy jej w czymś nie pomóc. Może ona kogoś w naszej kamienicy szuka, a ja przecież tu mieszkam i kilku lokatorów znam. Na co ona tylko się tak smutno uśmiechnęła i mówi, że nie, nie, że ona niby tu tak na chwilę przystanęła…

Przed oczami Basi pojawiała się scena sprzed paru miesięcy, gdy w tym samym miejscu natknęła się na Marcina. Historia lubi się powtarzać?

– Ale ja się tak łatwo nie dałam zbyć – ciągnęła pani Fela. – Bo już mnie coś tknęło. Już coś podejrzewałam. Zatem pytam ją wprost, czy ona przypadkiem nie z getta. Chociaż niby po getcie już śladu nie ma. Jednak kto to wie, ilu tych nieszczęśników jeszcze się po Warszawie błąka… No więc pytam ją i się przyglądam, a ona tylko głowę spuściła i milczy.

Wreszcie bąka niewyraźnie, że tak, że ona od roku się ukrywa. Ale widzę, że chce coś dodać, ale może się wstydzi. Więc sama ciągnę ją za język. Czy ona ma gdzie dzisiaj spać, pytam. Czy może schronienia nie szuka? – Pani Feliksa zrobiła pauzę, znowu westchnęła. – Boże ty mój, jakiż to biedactwo miało wystraszony wzrok... Dlatego już jej dalej nie wypytywałam, tylko wzięłam za rękę i przyprowadziłam tutaj.

– Zabrałaś ją tutaj?

– A co miałam robić, zostawić niebogę na noc na dworze? Może i ciepło już, ale gdzie miała spać? Na podwórzu? Zaraz by ją ktoś przepędził. – Zamyśliła się. – Podobno ci ludzie, u których mieszkała, postanowili uciec z Warszawy gdzieś na wieś. Wiesz, co się teraz mówi? Niedługo Sowieci wejdą i trudno przewidzieć, jak to wyzwolenie będzie wyglądać. Może Niemcy zechcą miasto zrównać z ziemią, zanim dadzą nogę. Kto wie. No więc ci, u których się chowała, wyjechali, ale zabrać jej ze sobą nie mogli. A może nie chcieli? Nie powiedziała. Fakt, że została tu sama, bez dachu nad głową. Pieniądze jej jakieś na jedzenie zostawili, ale to były grosze i szybko się skończyły. Jak ją spotkałam, to słaniała się na nogach z głodu.

– Dlatego zabrałaś ją do siebie?

– Naturalnie. Przecież nie mogłam jej tak zostawić – oburzyła się pani Fela, jakby córka zadała zupełnie niedorzeczne pytanie. – Wzięłam ją na noc. Tata nic nie miał przeciwko. Zbyszka położyliśmy spać tutaj, w kuchni, ona zajęła łóżko w jego pokoiku.

– Mamo…

– Tak?

– Kiedy to było?

– Kilka dni temu.

– To gdzie teraz jest ta kobieta?

Pani Feliksa wzruszyła ramionami.

– Nadal tutaj.

– Tutaj?

– W pokoju Zbysia. Jak usłyszała twoje pukanie do drzwi, to się od razu ukryła. Ona jest bardzo płochliwa. Po prostu brak słów, co te szkopy z ludźmi zrobili. Od razu bym ją zawołała, ale stwierdziłam, że najpierw o wszystkim ci opowiem.

– Mamuś – Basia zaczęła odruchowo szeptać. – Ale czy ty sobie zdajesz sprawę, co was czeka, jak ktoś na was doniesie?

– Ona ma dobry wygląd.

– Może i dobry, ale sama mówisz, że po niej widać… A wy tutaj w samym centrum miasta. Przecież nawet nie znasz dobrze nowych sąsiadów. Skąd wiesz, mamo, co to za ludzie? Okno w okno. Każdy wie, co się w innych mieszkaniach dzieje. Zaraz ktoś się zorientuje, że trzymacie dodatkową osobę bez meldunku.

– To niby co mam zrobić? Chyba musiałabym serca nie mieć, żeby ją wyrzucić z powrotem na ulicę. Ona jest naprawdę taka smutna, taka wylękniona. Wrak kobiety. Ja jej, Basiu, tego nie zrobię. Ona już chyba wystarczająco wycierpiała.

– Ale przecież ja nie mówię, że masz ją wyrzucić. Można by dla niej znaleźć jakieś inne miejsce. Gdzieś dalej od Śródmieścia, żeby jej nie narazić na ciekawskie spojrzenia.

– A bo ty myślisz, że taką zbłąkaną duszę to każdy zechce przyjąć? Teraz wszyscy się boją o swoje siedzenie. Gdzie ja ją oddam?

Basia popatrzyła matce w oczy.

– Jak to gdzie? Do nas.

Pani Feliksa powoli pokręciła głową.

– To jest zbyt niebezpieczne. Ja się na to nie zgodzę.

– Mamuś, pomyśl rozsądnie. Na Czerniakowie jest o niebo bezpieczniej niż tutaj. My też mamy dwa pokoje, a metraż chyba nawet nieco większy niż wy.

– Ale co Krzyś na to? No i mówiłaś, że u was teraz Marcin pomieszkuje. Nie pomieścicie się.

– Pomieścimy, pomieścimy. Spokojna głowa. A Krzyś? On nigdy nie odmówi człowiekowi w potrzebie.

– Sama nie wiem…

– Ale ja wiem. Tak będzie dla wszystkich najlepiej. Trzeba tylko przemyśleć, jak tę kobietę do nas bezpiecznie przewieźć. – Basia podniosła się energicznie od stołu. – Chodź, mamo, musisz nas ze sobą poznać. A właśnie! Jak ona się nazywa?

Pani Fela ociągała się chwilę, ale także wstała z krzesła.

– Lola. Nazywa się Lola.

Basia nie zamierzała tracić czasu i przyjazd nowej lokatorki na Hołówki zaplanowała już na następny dzień. Wszystko przedyskutowała wieczorem z Krzysiem oraz Marcinem. To właśnie przyjaciel wpadł na pomysł urządzenia małej maskarady. Aby uniknąć podróży tramwajem, postanowiono wynająć rikszę, a Lolę przebrać w najlepsze ubrania pani Drapczyńskiej. Za cały kamuflaż musiała posłużyć odrobina makijażu, elegancka garsonka i ramię szykownie ubranego Marcina, odgrywającego rolę męża.

Co prawda pani Lola miała ze trzydzieści parę lat, a fikcyjny małżonek dwadzieścia, lecz wszystko potoczyło się zgodnie z planem. „Małżeństwo" przejechało przez miasto bez przeszkód. Basia przygotowała dla kobiety pokój, w którym dotąd spał Marcin, a on sam postanowił na noc przenosić się do kuchni. Główna sprawczyni zamieszania, choć raz po raz dziękowała swoim nowym gospodarzom, wciąż wyglądała na przygaszoną i nieobecną.

Czwarty muszkieter długo jeszcze miał milczeć, skrywając głęboko swoje tajemnice.

★ ★ ★

W połowie maja zakończył się kurs w „Agricoli" i elewi w napięciu oczekiwali dnia, kiedy nadejdzie wiadomość o wyznaczeniu terminu sprawdzianu. Składał się on z dwóch części. Teoretycznej, podczas której przyszli podchorążowie musieli się wykazać wiedzą z minerki, znajomością broni, budowy pojazdów mechanicznych czy dowodzenia plutonem. Drugą część stanowiły zadania bojowe w terenie. Gdy nadeszły długo wyczekiwane dni, Krzyś był potwornie zdenerwowany. Powiedział nawet Basi, że tak jak teraz, nie bał się nawet, zdając maturę. Tym razem w grę nie wchodziły przecież jedynie oceny, tutaj stawka toczyła się o męską ambicję, o honor. Stres Krzysztofa potęgowała obecność podczas egzaminów dowódcy jego kompanii, „Morro"[25], który czujnie obserwował poziom wyszkolenia swoich podwładnych.

Niepotrzebne były jednak te nerwy, gdyż egzamin teoretyczny poszedł Krzysztofowi całkiem zgrabnie. Dużo gorzej miały się sprawy z zadaniami w terenie. Kiepskie zdrowie poety nienawykłe-

---

[25] Andrzej Romocki, pseudonim „Morro", dowódca 2. kompanii „Rudy" batalionu „Zośka".

go do ruchu utrudniło mu zajęcie wysokiej lokaty. Nie zmieniło to wszakże faktu, że po paru dniach ćwiczeń sprawdzających Krzyś wreszcie zawitał do domu, a na jego twarzy nie było już śladu niedawnych obaw.

Z enigmatycznym uśmiechem wszedł do mieszkania i z miejsca porwał Basię w objęcia. Składając na twarzy pocałunek przy pocałunku, wyszeptał jej do ucha:

– Pani Barbaro, podchorąży Krzysztof melduje się na rozkaz.

Odsunęła się na odległość ramion i zlustrowała go od stóp do głów. Od jego wyprostowanej sylwetki biła niezwykła radość.

– Naprawdę? To już?!

Na potwierdzenie swoich słów dobył z wewnętrznej kieszeni kurtki jakiś nieduży świstek i podał go z dumą Basi. Był to dyplom ukończenia „Agricoli". Krzysztof oficjalnie – czy może zważywszy na specyfikę podchorążówki, nieoficjalnie – stał się żołnierzem. Dopiął swego.

W tej samej chwili zwabieni radosnymi odgłosami w przedpokoju z kuchni wyszli pani Lola i Marcin. Od jakiegoś czasu byli wtajemniczeni w niektóre sprawy gospodarza, toteż Basia z miejsca postanowiła ich poinformować o radosnej nowinie.

– Krzyś wszystko pozdawał. Stoi przed wami podchorąży!

Gratulacjom nie było końca, a radosna atmosfera trwała przez resztę wieczoru. Pani Lola szybko wyczarowała z resztek jedzenia jakieś cudaczne, ale smaczne dania. Krzyś wzniósł toast naparem z erzacu herbaty. Do późna rozmawiali, roztaczając wizje nadchodzącej wolności, a gospodarz w wyjątkowo dobrym humorze zaczął nawet wyśpiewywać ludowe piosenki, do których na poczekaniu wstawiał różne nieprzyzwoite słowa. Kuchnię długo wypełniały śmiechy. Przez chwilę wszyscy czuli się szczęśliwi. Basia czuła się szczęśliwa...

To był idealny moment, żeby wreszcie zdradzić Krzysiowi, że ona także ma dla niego dobre nowiny. Przez ostatnie dni zwlekała, żeby mu je przekazać. Chciała nabrać pewności, ale kalendarz coraz mocniej utwierdzał ją w przekonaniu, że jest w ciąży. Pragnęła powiedzieć o tym Krzysiowi od razu. Nie zamierzała doprowadzić do sytuacji sprzed roku.

Kiedy położyli się do łóżka, Basia mocno się do niego przytuliła. Już miała mu wszystko powiedzieć, już słowa zaczęły drgać na języku, a wtedy on odezwał się jako pierwszy. Wyznał jej, że w związku z uzyskaniem stopnia wojskowego, będzie musiał znowu ją opuścić. Tym razem na dłużej. Szkolenie z partyzantki w lasach Puszczy Białej miało potrwać około miesiąca. On wie, że to długo, że nie powinien jej zostawiać, ale musi jechać. To jego żołnierski obowiązek. Do wyjazdu na „Leśną Bazę" zostało tylko kilka dni.

Basia zacisnęła usta i przełknęła łzy. Cudowna nowina musiała pozostać tajemnicą.

★ ★ ★

Z powodu wyjazdu Krzyś musiał załatwić kilka spraw na mieście. Co prawda „Droga" od maja przestała się ukazywać, ale redakcja nadal miała nadzieję, że wkrótce wznowi działalność. Właśnie w związku z tym umówił się w mieszkaniu redaktora naczelnego. A zaraz potem miał odebrać Basię ze Świętokrzyskiej, aby razem wrócić na Czerniaków. Następnego dnia Krzyś powinien był stawić się na dworcu, więc pragnął spędzić z żoną każdą możliwą chwilę.

Ulice skąpane w czerwcowych promieniach wyglądały mniej ponuro niż zazwyczaj. W pozach żandarmów patrolujących Śródmieście nie pozostał nawet ślad dawnej pewności siebie. Ich twarze były twarzami przegranych. Tymczasem przechodnie, jakby zobojętniali na okupacyjną rzeczywistość, z nadzieją wystawiali twarze ku słońcu. Nikt już nie miał wątpliwości. Ze Wschodu nadchodzą długo wyczekiwane zmiany.

W Alejach Jerozolimskich od zasuszonej staruszki Baczyńscy kupili papierowy rożek z pierwszymi w tym roku poziomkami, po czym wsiedli do tramwaju. Tutaj także panował niespotykany od dawna nastrój spokoju. Przednia część wagonu przynależna Niemcom świeciła pustkami. Nikt się nie spodziewał, że to cisza przed burzą. Jednak kiedy zatrzymali się na przystanku w okolicach Górnośląskiej, nagle do środka wpadł jakiś podrostek i ile tchu w płucach zaczął krzyczeć:

– Ludzie, ludzie, nie jedźcie dalej! Wysiadajcie! Na Czerniakowie łapanka!

Tłum ruszył do wyjścia. Basia poczuła, jak dłoń Krzysztofa zaciska się na jej ramieniu i mąż popycha ją w stronę ulicy. Ogarnął ją niezwykły bezwład. Równocześnie – może w obronie przed strachem – głowę wypełniła irracjonalna myśl, że teraz niechybnie ktoś jej zgniecie te przeklęte poziomki. Opuszczając wagon, skupiała się więc tylko na tym, by je ocalić, ochronić. Jakby ratując te skromne owoce, równocześnie mogła uratować siebie i Krzysia.

Kiedy wreszcie wydostali się na zewnątrz, biegiem puścili się w górę ulicy. Pędzili ile tchu przez dłuższą chwilę, nie oglądając się za siebie. Przystanęli dopiero wówczas, kiedy znaleźli się w bezpiecznej odległości od Czerniakowskiej. Krzyś nerwowo rozejrzał się na boki. W zasięgu wzroku nie było śladu Niemców i ich ciężarówek.

– Spokojnie, Basiu. Wyjdziemy z tego. Do domu nie jest aż tak daleko. Przemkniemy w stronę Łazienek. Tam powinno być bezpieczniej. Trzymaj się za mną.

Znowu ruszyli, ale przystawali co jakiś czas, by skontrolować sytuację. Inni przechodnie chyba także wiedzieli już o łapance, bo podobnie jak Basia i Krzysztof przemykali chyłkiem, chroniąc się za drzewami, żywopłotami lub pod murami kamienic.

Po kilkunastu minutach meandrowania labiryntem uliczek na chwilę zatrzymali się w jednej z bram. Krzysztof, oparłszy się o ścianę, z trudem łapał oddech. Basia bez słowa wpatrywała się we wciąż nienaruszony papierowy rożek poziomek. W świetle przejścia pojawił się kolejny uciekinier. Zauważyła go pierwsza:

– O Boże, Marcin?! – Z uczuciem niezwykłej ulgi rzuciła się chłopakowi na szyję. Dotychczasowe napięcie w jednym momencie zastąpiła euforia. Jakby fakt, że znaleźli się tu razem, że są teraz we trójkę, był ostateczną przepustką do ocalenia.

– Co tu robisz? – zapytał zdziwiony Krzyś, ocierając pot z czoła.

– Obawiam się, że to samo, co wy. Wracałem na Hołówki, kiedy ktoś na ulicy zaczął krzyczeć, że jest łapanka. Od pół godziny klucżę, żeby tyłami dotrzeć na miejsce.

Dopiero teraz, na widok kolegi, Basia przypomniała sobie swoją poranną rozmowę z panią Lolą. Kobieta mówiła, że na chwilę opuści mieszkanie. Ostatnio nabrała nieco odwagi i wychodziła do zaprzyjaźnionego sklepu pod domem, by wyręczyć Basię i zrobić podstawowe zakupy, a przy okazji złapać odrobinę świeżego powietrza.

– Słuchajcie, a co jeśli panią Lolę złapano?

– Baś, nie martw się na zapas. – Krzyś przytulił żonę. – Może została w domu. Teraz przede wszystkim musimy pomyśleć, jak się wykaraskać z opresji. – Spojrzał na Marcina. – Masz jakiś pomysł?

– Myślałem, żeby przekraść się na zachód i przejść wzdłuż Łazienek. Tam jest dużo zieleni. W razie czego łatwiej się ukryć.

Krzyś się uśmiechnął.

– No to ja, bracie, miałem ten sam plan. – Dotknął czule policzka Basi. – Jeśli odpoczęłaś, to możemy iść.

Wzajemna obecność dodała im animuszu. Przyspieszyli. Cień drzew porastających obrzeża parku dawał złudne wrażenie bezpieczeństwa. Pod ich osłoną, nie napotkawszy Niemców, pokonali ostatni odcinek drogi. Po niespełna półgodzinie stanęli w bramie domu przy Hołówki. Byli uratowani.

Basia drżącą ręką otworzyła drzwi mieszkania. W środku było zupełnie cicho. Krzysztof zajrzał do kuchni, Marcin do większego z pokoi, Basia pobiegła prosto do drzwi sypialni pani Loli.

Kobieta siedziała przy oknie i jak gdyby nigdy nic, czytała książkę. Na widok dziewczyny uśmiechnęła się z zakłopotaniem.

– Pani Basia? Nie słyszałam, jak pani wchodziła. Kompletnie się zaczytałam. U państwa jest tyle ciekawych książek. Czy coś się stało?

Basia momentalnie znalazła się tuż przy niej i pod wpływem impulsu mocno objęła szczupłe ramiona.

– Pani Lolu, Bogu dzięki – rzuciła z ulgą. – Na całym Czerniakowie łapanka. Myśleliśmy, że już tu pani nie zastaniemy. Dobrze, że pani nie wychodziła.

Wciąż trzymana w uścisku kobieta wyglądała na trochę onieśmieloną wylewnym zachowaniem Basi.

– Byłam w sklepie z samego rana. Mówi pani, że łapanka? Nic nie wiedziałam. Trochę się martwiłam, że państwa jeszcze nie ma, ale…

W drzwiach pokoju stanęli Krzyś i Marcin. Z ich twarzy w jednej chwili także zniknął wyraz podenerwowania. Basia wypuściła wreszcie panią Lolę z objęć. Westchnęła głęboko, a kąciki jej ust się uniosły. Wszyscy czworo – a nawet pięcioro – byli bezpieczni... Los kolejny raz podarował im życie. Ogarnęła ją cudowna błogość. Przypomniała sobie o porzuconych w przedpokoju poziomkach.

– Musimy jakoś uczcić nasze ocalenie – rzekła do pozostałych. – A ja nawet mam na tę okazję coś wyjątkowego.

Owoce odrobinkę się pogniotły w czasie ucieczki przed obławą. A jednak – jak stwierdzili we czwórkę – żaden sukces, żadne spełnione marzenie, szumiący w głowie alkohol czy najbardziej wyszukane danie nie dało im nigdy poczucia większej wolności i spełnienia, takiego triumfu i szczęścia, jak te ocalone poziomki, które pani Lola podała im z koglem-
-moglem.

Czar wieczoru prysł dopiero, kiedy Krzyś zaczął pakować swój plecak. Marcin i pani Lola położyli się spać, a Basia jeszcze przez chwilę donosiła rzeczy, które według niej Krzysztof koniecznie powinien zabrać – w końcu wyjeżdżał na cały miesiąc. On ze śmiechem segregował te ubrania, twierdząc, że niewiele mu będzie potrzeba. Wszak nie jechał na bal, a w leśne ostępy.

Basi nie było do śmiechu, przebieg niezwykłego dnia przegrywał w tej chwili z narastającym uczuciem smutku. Od chwili, gdy dwa i pół roku temu poznała Krzysztofa, nigdy na tak długo się nie rozstawali. Nie wiedziała, jak przetrwa tę rozłąkę, jak poradzi sobie sama z ciążą, z obawami o życie męża. Od kilku dni uciekała przed podobnymi rozważaniami, lecz tego ostatniego wspólnego wieczoru uderzyły w nią z pełną mocą. Tłumaczyła sobie, że musi być silna, że teraz, kiedy nosi dziecko, nie może się denerwować. Taki jest los wszystkich żon żołnierzy, taki jest los…

Przysiadła na łóżku i przyglądała się w milczeniu, jak Krzyś zapina skórzane paski plecaka i troczy to, co nie zmieściło się do środka. „Jak cudownie byłoby móc się skurczyć do wielkości guzika i ukryć pośród jego ubrań – myślała. – Jak dobrze byłoby być przy nim zawsze i wszędzie…".

Krzysztof odstawił na bok bagaż i usiadł przy żonie.

– Basiu, ty będziesz tam ze mną przez cały czas – rzekł, jakby czytając w jej myślach. – Wiesz, że ja cię noszę tutaj. – Dotknął dłonią serca. – Będę myślał o tobie w każdej chwili, będę o tobie śnił. Odległość przecież nie ma znaczenia. Miłość nie zna pojęcia odległości.

– Ale ja nie wiem, jak zniosę tę tęsknotę.

„Jak wytrzymam jeszcze miesiąc, trzymając w tajemnicy to, że noszę w sobie twoje dziecko" – dodała w myślach.

Chociaż obiecywała sobie, że będzie silna, teraz w jej oczach zalśniły łzy.

– Zniesiesz, Basiu. Ty jesteś taka silna. Taka odważna. To piekło wkrótce się skończy. A później już nigdy nie będę musiał cię opuszczać.

– Obiecaj, że wrócisz, że nic ci się nie stanie…

W odpowiedzi dłoń Krzysia delikatnie powędrowała wzdłuż drobnych pleców Basi, rozsypując po jej ciele tysiące małych iskierek. Każda z nich rozprysnęła się ciepłem pod skórą. Jego usta dotknęły jej twarzy, palce zaplątały się we włosy… Kochali się w zupełnej ciszy, spokojnie. Na tę jedną chwilę miłość dała im złudzenie nieśmiertelności.

★ ★ ★

Mijały kolejne dni bez jakiejkolwiek wiadomości od Krzysztofa. Basia starała się skupić na nauce, bowiem dobiegał końca kolejny rok akademicki. Dużo czasu spędzała także w Szpitalu Ujazdowskim, ale natłok zajęć tylko pozornie odrywał ją od rozmyślania o Krzysiu. Czuła się chora z tęsknoty. Niepełna. Jakby jakaś część jej umierała wraz z jego nieobecnością. Marcin znowu się wyprowadził i została w domu jedynie z panią Lolą. Kiedy w pobliżu zabrakło ostatniego męskiego pierwiastka, przygnębienie Basi pogłębiło się jeszcze bardziej.

Pani Lola starała się ją jakoś rozweselać i pocieszać, ale coraz trudniej jej to przychodziło. Często po zmierzchu słyszała ciche skrzypienie łóżka. Basia godzinami przewracając się z boku na bok, nie mogła zasnąć. Jednak współlokatorka nie narzucała się ze swoją obecnością. Wszak sama czuła podobny ból. Doskonale znała smak tęsknoty i wiedziała, że żadne słowa jej nie załagodzą.

Niemniej którejś nocy płacz tłumiony poduszką trwał tak długo, że nie mogła dłużej go ignorować. Wstała i przeszła na palcach pod drzwi drugiego pokoju. Zapukała delikatnie. Szloch ucichł. Po chwili usłyszała głos dziewczyny:

– Proszę.

Weszła do środka i przysiadła w nogach łóżka. Basia również się podniosła. W ciemnościach połyskiwały jej mokre oczy. Zawstydzona przetarła twarz ręką.

– Pani Basiu, przepraszam, że tu przychodzę… – rzekła szeptem. – Ale ja już nie mogę spokojnie słuchać, jak pani cierpi.

– To ja przepraszam, myślałam, że nic nie będzie słychać. – Pociągnęła nosem. – Nie chciałam pani obudzić.

– Nie spałam. Praktycznie codziennie słyszę, jak panią męczy bezsenność. – Zawahała się. – Ja od roku cierpię na to samo.

Spojrzała na wychudzoną postać kobiety. Nawet teraz, z potarganymi włosami, w starej nocnej koszuli, wyglądała bardzo pięknie. Pięknie i smutno. Ta melancholia nie wzięła się znikąd, ale Basia dotąd nie miała odwagi zapytać, gdzie tkwi jej przyczyna.

Pani Lola chyba sama dojrzała do spowiedzi, bo niespodziewanie ujęła dziewczynę za rękę. Zajrzała jej w oczy. Jasne tęczówki zalśniły chłodnym światłem na tle ciemnego pokoju.

– Ja… – zaczęła z wahaniem. – Ja też wciąż bardzo kocham mojego męża. Wiem, co pani przeżywa. Znam smak tej tęsknoty. Minęło półtora roku, a ja wciąż czasami czuję przy sobie jego ciało. Jego obecność. Myślałam, że to z czasem minie, ale nie mija. Najgorzej jest nocą.

– Pani ma męża?

– Miałam. – Zamilkła. Dopiero po chwili odezwała się znowu. – Kiedy obserwowałam panią i pana Krzysztofa… Łączy was tak niezwykłe uczucie. Mężczyźni rzadko tak mocno kochają. Ale z drugiej strony, jeśli już kochają, to chyba mocniej niż kobiety. My z czasem zaczynamy przelewać uczucia na dzieci, a mężczyźni… Taki był mój mąż. Nic oprócz mnie się nie liczyło. Też młodo wyszłam za mąż i tak jak pani z wielkiej miłości. Ach, co to był za ślub, jacy byliśmy wtedy szczęśliwi. I tylko dzieci nie mieliśmy. Teraz myślę, że to dobrze, bo nie zniosłabym, gdyby mi je zabrano. Ja się w getcie napatrzyłam na takie rzeczy, takie okrucieństwo.

Z podobnymi wspomnieniami nie sposób później normalnie żyć. A w każdym razie nie wiem, czy mnie kiedyś będzie to dane. Czy zapomnę.

– Ale zdołała pani stamtąd uciec? A pani mąż?

Basia poczuła, że ręka, która dotąd krzepiąco ściskała jej dłoń, drży.

– Tak, uciekliśmy. Oboje. Jeszcze w wakacje czterdziestego trzeciego, kiedy zaczęły się masowe wywózki z getta. Załatwiliśmy lewe papiery. Mieliśmy sporo złota, dzięki czemu mogliśmy zorganizować ucieczkę za mur. – Zamyśliła się. – Widzi pani, jak wyglądam. Nie mam semickich cech, lecz mój mąż... Zanim doszło do ucieczki kazał mi przysiąc, że jeśli po drugiej stronie zostaniemy złapani lub jeżeli zajdzie coś nieoczekiwanego, to mam się go wyprzeć. Wyprzeć się jego! Dokumenty mieliśmy na różne nazwiska. Specjalnie takie załatwił, właśnie na wypadek problemów. Rozumie pani? Zrobił to, żeby nikt nas ze sobą nie powiązał. Ja to wówczas bagatelizowałam, uważałam, że on niepotrzebnie dramatyzuje. Jednak tak, jak prosił, przysięgłam. Obiecałam mu, że w razie czego udam, że się nie znamy, ale zrobiłam to wyłącznie dla świętego spokoju. Nie wierzyłam, że mogłabym podobnie postąpić... – Urwała. – A jednak kiedy już byliśmy po aryjskiej stronie w drodze do ludzi, u których mieliśmy się schronić, zatrzymał nas patrol żandarmerii. Kiedy

Niemcy sprawdzali nasze fałszywe kenkarty, wdzięczyłam się do nich jak idiotka. Zagadywałam po niemiecku, starałam się kokietować. Żeby zwrócili uwagę tylko na mnie, żeby nie spojrzeli na męża. Ale oni się zorientowali, że coś jest nie tak. Zapytali go, czy mnie zna, a on z miejsca zaprzeczył. Powiedział, że zaczepił mnie na ulicy, poprosił, żebym wskazała mu drogę i tylko dlatego szliśmy obok siebie ulicą. Stałam tam jak słup soli, patrząc mu w oczy, i nie potrafiłam wydobyć z siebie głosu. Chciałam wszystkiemu zaprzeczyć, błagać, żeby nas wypuścili, ale coś się we mnie zacięło. Niemcy oddali moje dokumenty i przegnali precz. Jego aresztowano. Obserwowałam zza rogu budynku, jak zabierają go na ciężarówkę. I to był ostatni raz, gdy go widziałam. Czuję, że nie żyje. A raczej wiem to doskonale, ale nie umiem się z tym pogodzić. Zresztą po tym, co zrobiłam, ja także jestem martwa w środku.

Basia zaciskała usta. Nie wiedziała, w której chwili jej własny ból ucichł. Teraz nie czuła nic. Przed oczami stała jej tylko ta uliczna scena rozłąki.

Pani Lola ciężko podniosła się z łóżka. Jej biała koszula i blond włosy zdawały się emanować wewnętrznym światłem. Wyglądała nierzeczywiście. Jak anioł.

– Niech pani nie płacze, pani Basiu. Szkoda łez. Mogą się przydać na później. Mój Antoni nigdy już do mnie nie wróci. Ja go zawiodłam. Pani bardzo kocha Krzysztofa, pani nigdy by się go nie wyparła. Dlatego jestem pewna, że niedługo znowu go pani zobaczy.

★ ★ ★

Od tygodnia obiecywała odwiedzić rodziców, ale wciąż brakowało jej czasu. Tego dnia, kiedy wreszcie zawitała na Pańską, również miała go niewiele. Po zajęciach na Świętokrzyskiej musiała się jeszcze stawić w Szpitalu Ujazdowskim. Kurs dobiegał końca i omawiano szczegóły pracy sanitariuszek w razie wybuchu powstania. Basi bardzo zależało, żeby dostać przydział do któregoś ze śródmiejskich szpitali. Po pierwsze uważała, że to tu skupią się walki i tu będzie Krzyś, po drugie, byłaby spokojniejsza, mając niedaleko rodziców.

W drzwiach wyjątkowo przywitał ją ojciec. Wyglądał na przemęczonego, ale na widok córki szeroko się uśmiechnął.

– Dobrze, że przyszłaś. – Ucałował ją w oba policzki. – Mama się martwiła, że nie dotrzesz, a obiad już czeka.

Przeszli razem do większego z pokojów. Na stole w wazie już parowała zupa. Basia uścisnęła szybko panią Felę.

– Niepotrzebnie się, mamusiu, trudziłaś. Nie jestem głodna.

– A tam, opowiadasz. – Matka odsunęła jej krzesło i zmusiła, żeby usiadła. Nalała zupy do talerza. – Jesteś coraz chudsza. Cerę masz ziemistą.

Dziewczyna rozejrzała się dokoła.

– A gdzie Zbyszek?

Ojciec zajął swoje miejsce.

– W drukarni. Siedziałem tam dzisiaj całą noc, dlatego zaproponował, że mnie zastąpi.

– Przynajmniej z niego ma tata jakiś pożytek. Bo ze mnie...

– Ty studiuj. To teraz najważniejsze. Do niczego w drukarni nie jesteś mi potrzebna. Poza tym, mama ma rację. Blado wyglądasz. Pewnie nie dbasz o siebie, a teraz cały dom na twojej głowie. – Zanurzył łyżkę w talerzu. – No właśnie, kiedy wraca Krzysztof? Masz od niego jakieś wieści?

– Był u mnie chłopak od nich z oddziału. Niestety bez listu. Oni tam nie mają prawa pisać do rodzin. Ale przynajmniej wiem, że nic mu nie jest. Wraca już niedługo. Pod koniec czerwca. – Uśmiechnęła się do ojca z uczuciem. – A co do zmęczenia, to ja wcale w domu nie mam wiele zajęć. Pani Lola we wszystkim chce mnie wyręczać. Gdy zobaczyła, jak gotuję, to przestała mnie dopuszczać do kuchni.

– Jak ona się czuje? – zapytała pani Feliksa, także zasiadając do stołu.

– Lepiej… – Basia urwała. Historia Loli wciąż boleśnie kołatała jej się po głowie. Być może mogła opowiedzieć ją rodzicom, ale czuła, że nie ma prawa. Niezwykłe nocne wyznanie powinno zostać między nią a tamtą kobietą. – Zaczęła częściej wychodzić z domu. Już nie zamyka się w pokoju na całe dnie. Czasami rozmawiamy. To bardzo miła osoba, ale wiele przeszła.

Pani Fela pokiwała głową. Z talerza jej i męża z każdą chwilą ubywało zupy. Tylko Basia wciąż nie tknęła swojej porcji.

– Jedz. Przecież mówiłaś, że się spieszysz do szpitala. A swoją drogą, na co ci te medyczne kursy, córciu?

– Żebym mogła pomagać w razie powstania – odparła, wpatrując się w mętne bajorko ogórkowej. Coś ją drażniło w jej zapachu.

– Szukasz guza, tak samo jak Krzyś. On powinien ci zabronić tych kursów. Niepotrzebnie się wystawiasz na niebezpieczeństwo – kontynuowała matka. – Zresztą może wcale do powstania nie dojdzie. Może ze strachu przed Sowietami Niemcy sami uciekną? Już ich pełno na Dworcu Głównym, widziałam na własne oczy. Już do domu z podkulonymi ogonami wracają… Jedz, Basiu, bo ci zupa zupełnie ostygnie.

Córka posłusznie zanurzyła łyżkę w zielonkawym płynie i podniosła ją do ust. Kwaśny zapach ogórków zakręcił ją w nosie. Zalała ją fala mdłości. Odłożyła sztuciec z powrotem do talerza. Rodzice popatrzyli po sobie.

– Nie smakuje ci? – zmartwiła się pani Fela.

– Nie, naprawdę nie jestem głodna.

Ten argument chyba nie przemówił do rodziców. Szczególnie do pani Feliksy. Wyciągnęła dłoń nad stołem i uniosła podbródek córki. Zajrzała jej podejrzliwie w oczy. Zmarszczyła brwi.

– Nie jesteś głodna? Basiu... Czy ty... Czy ty może jesteś w ciąży?

Dziewczyna tylko westchnęła.

– Nie mówcie Krzysiowi. On jeszcze nic nie wie.

★ ★ ★

Z Jadzią Klarnerówną zazwyczaj spotykały się na mieście lub u niej na Saskiej Kępie. Przyjaciółka nie ukrywała, że w towarzystwie nad wiek dojrzałego, wiecznie zamyślonego Krzysztofa czuje się nieswojo. Na dziewczęce pogaduszki wolała umawiać się z Basią poza Hołówki. Zatem kiedy na kilka dni przed planowanym powrotem Krzysia z „Leśnej Bazy" przyjaciółka stanęła w drzwiach mieszkania na Czerniakowie, gospodyni była mile zaskoczona.

Pani Lola dyskretnie wycofała się do swojego pokoju, dziewczęta rozsiadły się w kuchni.

– Krzysia nadal nie ma?

– Jego znajomy przyniósł mi niedawno wiadomość, że ich szkolenie powinno się skończyć już za kilka dni.

– Bardzo się denerwujesz?

– Na początku było gorzej. Długo nie miałam od niego żadnych wieści. Teraz, kiedy wiem, że za chwilę go zobaczę, jest już lepiej.

Jadzia w skupieniu pokiwała głową.

– A jak on sobie radzi? – zapytała.

– Ten kolega, który tu był, niewiele mówił na ten temat. Znasz Krzysztofa. Nawet gdyby sobie nie radził, to i tak nikomu by się nie poskarżył. On uważa, że konspiracja to jego obowiązek, z którego nie zwalnia go nawet kiepskie zdrowie. Niemniej ja wiem, że takie ćwiczenia w terenie wiele go kosztują. Cały czas się zamartwiam, co on tam je, gdzie śpi, czy nie marznie w nocy. Czy aby nie męczą go znowu ataki astmy…

Jadzia nerwowo przygryzła wargi. To, co zamierzała zaraz powiedzieć, nie przychodziło jej łatwo. Nie chciała urazić przyjaciółki.

– Widzisz, Basiu – rzekła wreszcie. – Bo ja poniekąd przyszłam w tej sprawie.

Basia uniosła brew.

– Nie rozumiem.

– Mój stary znajomy bardzo dobrze zna Krzysztofa. Właśnie z konspiracji. Widziałam się z nim ostatnio. Rozmawialiśmy. On był tam w lesie. Nie, Krzysiowi nic nie jest – dodała szybko, widząc wystraszoną minę koleżanki. – Ale...

– Ale co?

– Jakoś tak się zeszło, że cię znam, że się przyjaźnimy i on poprosił, abym z tobą porozmawiała na temat Krzysztofa. – Zawiesiła głos. – Basiu, on uważa, że powinnaś wpłynąć na Krzysia i wybić mu walkę z głowy. Niech on pisze te swoje wiersze, ale niechże przestanie bawić się w wojsko. Ćwiczenia w warunkach polowych są podobno ponad jego siły. On się rzeczywiście nie uskarża. Jest koleżeński, ofiarny, ale jego hart ducha nie przezwycięży niedoskonałości ciała. Wojna nie jest dla takich jak on.

Ostatnie słowa przebrzmiały i przy stole zapadła cisza. Basia zwiesiła głowę.

– Czy ty myślisz, że ja tego nie wiem? – rzekła w końcu. – Że ja nie widzę, jakim to wszystko odbywa się kosztem. Ale powiedz sama, co ja mam zrobić? On nigdy sam nie wystąpi z konspiracji. Nigdy nie złamie przysięgi.

Jadzia wyciągnęła rękę ponad stołem, uścisnęła dłoń przyjaciółki i patrząc na nią, rzekła enigmatycznie:

– On sam jej nie złamie, ale być może ktoś zechce go z niej zwolnić.

★ ★ ★

Nigdy wcześniej nie była równie szczęśliwa jak wtedy, gdy któregoś poranka w drzwiach wreszcie zobaczyła Krzysztofa. Wyglądał zupełnie inaczej niż w dniu ich pożegnania. Zmężniał, wyprostował się. Jego ciało nabrało delikatnej muskulatury. Opaloną twarz zdobił zarost, równie jasny, co spłowiała nad czołem czupryna. Mimo zmęczenia na jego twarzy pojawił się uśmiech.

Przez niemal dwie godziny nie wypuszczał jej z objęć. Nie dając dojść do słowa, z błyskiem w oku opowiadał o tym, co przeżył, gdzie był. Zapewniał, że już wkrótce wojna się skończy. W batalionie aż huczało od plotek na temat daty wybuchu powstania. A niech tylko do niego dojdzie, to w kilka dni przegonią Niemców ze stolicy... Entuzjazm i radość biły z każdego jego słowa. Basia postanowiła zapomnieć o dziwnej rozmowie przeprowadzonej z Jadzią i nie powtarzać jej Krzysiowi. Nawet jeżeli trochę koloryzował swoją opowieść, jeśli nie mówił wszystkiego, żeby jej nie martwić, to obawy tajemniczego kolegi z konspiracji musiały być przesadzone.

Była taka rozradowana, że są znowu razem, że Krzysiowi nic złego się nie przytrafiło przez ten miesiąc... Chwila zdawała się idealna, aby powiedzieć mu wreszcie o dziecku. Przytuliła się do niego mocniej. Odpowiednie słowa formowały się na końcu języka...

Lecz wtedy do pokoju zapukała pani Lola. Uchyliła drzwi i wsuwając głowę do środka, rzekła szeptem:

– Panie Krzysztofie, jakiś człowiek do pana. Mówi, że to pilne. Czeka w kuchni.

Krzyś wyszedł. Nie było go kilka, może kilkanaście minut. Kiedy wrócił do Basi, na jego twarzy nie było śladu wcześniejszego uśmiechu.

Opadł ciężko na amerykankę. Opuścił głowę i zatopił spojrzenie w nierozpakowanym jeszcze plecaku leżącym na podłodze. Na jego twarzy niedowierzanie mieszało się ze złością.

– Złe wiadomości? – zapytała wystraszona.

– Tak – odparł twardo.

– Możesz mi powiedzieć?

Przełknął ślinę i dobył z kieszeni niewielką karteczkę. Zaczął czytać na głos:

– *Zwalniam z funkcji w 2. kompanii st. pchor. Krzysztofa Zielińskiego z powodu małej przydatności w warunkach polowych i proszę, aby objął nieoficjalne stanowisko szefa prasowego kompanii*[26].

Zmarszczyła brwi. Sens zdań docierał do niej powoli. Zwalniano go z funkcji? Odsuwano od działań z bronią?

---

[26] Rozkaz dowódcy 2. kompanii batalionu „Zośka", Andrzeja Romockiego „Morro", dotyczący K.K. Baczyńskiego. Źródło: Z. Wasilewski, *Żołnierz, poeta, czasu kurz...*, Wydawnictwo Literackie, Kraków 1979.

Krzysztof energicznie się podniósł i podszedł do parapetu, na którym stała popielniczka. Zmiął papier i wrzucił go do środka. Chwilę później rozkaz dowódcy zajął się ogniem i zamienił w maleńką kupkę popiołu. On tymczasem dobył kolejną zapałkę i przypalił sobie papierosa. Odwrócił się w kierunku okna.

– Krzysiu… – szepnęła nieśmiało. – Krzysiu, odezwij się.

Milczał.

– Ja wiem, że nie możesz powiedzieć wszystkiego. Ale co tam się naprawdę wydarzyło, w tym lesie?

– Nie działo się nic, co mogłoby tłumaczyć tę decyzję – rzekł zapalczywie. Rzadko widywała go tak wzburzonego. – Może nie jestem osiłkiem, może nie mogę biegać przez godzinę bez odpoczynku, ale to nie znaczy, że nie nadaję się do walki!

– Jednak czy nie warto przemyśleć ich propozycję? Zajęcie się sprawami prasowymi kompanii to równie odpowiedzialne zadanie.

– Basiu, co ty opowiadasz? – odwrócił się do niej.

– Może wybrali cię, ponieważ wiedzą, czym się zajmujesz? Może uważają, że szkoda by było wystawiać kogoś takiego na pierwszą linię ognia. Twój talent literacki jest zbyt cenny.

– Ależ wcale nie o to chodzi. Oni chcą mnie usunąć. Rozumiesz?! Jestem mało przydatny w warunkach polowych? Nie nadaję się? O nie, ja się na pewno na to nie zgodzę! – Ze złością zgasił niedopałek.

– Musisz przecież przyjąć rozkaz dowódcy.

– Owszem. Jednak nigdzie nie jest powiedziane, że m u s z ę służyć w „Zośce". Są inne bataliony.

W kilku krokach podszedł do wyjścia.

– Gdzie idziesz? – Podniosła się z wersalki.

– Przepraszam cię, Baś. Naprawdę chciałem ten dzień spędzić z tobą. Tyle jeszcze miałem ci opowiedzieć. Ale zrozum, w tej sytuacji... Nie mogę tak tego zostawić.

Zawrócił spod drzwi.

– Niedługo wrócę – rzucił, całując ją szybko w policzek.

★ ★ ★

Wraz z początkiem lipca Krzyś przeniósł się do „Parasola". Na nic się zdały perswazje Basi. Decyzja zapadła. W nowym batalionie nikt nie kwestionował jego przydatności bojowej, nikt nie uważał, że jest zbyt delikatny czy za mało sprawny. Jedyną trudnością, jaka wynikła z tej nagłej zmiany, okazało się przeniesienie broni. Wraz z odejściem Krzysztofa z „Zośki" stary dowódca postanowił zlikwidować skrytkę w jego mieszkaniu. Po domu znowu zaczęło kręcić się wielu obcych ludzi, totęż Basia z pomocą matki załatwiła dla pani Loli bezpieczniejsze lokum. Kobieta miała zamieszkać u znajomych państwa Drapczyńskich tylko na jakiś czas, zanim sytuacja się nie unormuje.

Tymczasem sama Basia w wyniku zaistniałego zamieszania z każdym dniem czuła się coraz gorzej. Często męczyły ją zawroty głowy i mdłości. A jej kiepskie samopoczucie potęgowały wyjątkowo wysokie temperatury, które zapanowały w mieście wraz z początkiem lipca. Krzysztof wciąż nieświadomy odmiennego stanu żony, uważał, że to stres i nadmiar obowiązków odpowiadają za jej osłabienie. Z pomocą przyszedł mu dobry znajomy z literackich kręgów – Jerzy Zagórski. Kiedy usłyszał o problemach Krzysia, wyszedł z propozycją, żeby poeta wraz z żoną wpadł na kilka dni do jego letniego domu w Wieliszewie. To zaproszenie spadło im jak z nieba.

Niewielka osada położona była niedaleko Warszawy, w widłach Wisły i Narwi. Wszędzie rozciągały się pola i lasy, tworząc idealną scenerię dla wakacyjnego wypoczynku. Domek Zagórskich, piętrowy, drewniany, stał na obrzeżach miejscowości; z dala od innych wiejskich osad, lecz w bezpośrednim sąsiedztwie uroczego zagajnika.

Basia i Krzysztof dotarli na miejsce późnym popołudniem. O ile sama podróż pociągiem z Warszawy do Wieliszewa trwała zaledwie czterdzieści pięć minut, to wcześniejsze przedostanie się na dworzec zajęło mnóstwo czasu. Od kilku dni na ulicach panował bowiem wyjątkowy zamęt. Z miasta całymi tabunami uciekali Niemcy. Pracownicy administracyjni i urzędnicy różnego szczebla, którzy napływali do Generalnej Guberni wraz z rodzinami przez ostatnie lata, teraz w nerwowym pośpiechu szturmowali Dworzec Główny. W Warszawie niemal przestały kursować tramwaje, a te, które nadal jeździły, w całości zarezerwowane zostały dla ludności niemieckiej. Dlatego Basia z Krzysztofem zmuszeni byli przejść z Czerniakowa do Śródmieścia na piechotę i wreszcie u Zagórskich stawili się dosyć późno.

Pan Jerzy już z daleka ujrzał gości na ścieżce prowadzącej do domu i wyszedł im na spotkanie.

– No nareszcie. – Rozłożył ręce w geście powitania. – Już myślałem, że coś was zatrzymało i dzisiaj nie przyjedziecie.

– Nie tak łatwo wydostać się teraz z Warszawy. – Krzyś się uśmiechnął i uścisnął wyciągniętą dłoń Zagórskiego. – Nagle naszym „gościom" z Zachodu zrobiło się spieszno do domu i okupują wszystkie środki transportu. Po Warszawie nie da się normalnie poruszać.

Mężczyzna się zaśmiał.

– Dobrze, dobrze, niech uciekają. My ich tu na siłę trzymać nie będziemy. Pani Basiu – zwrócił się do dziewczyny i szarmancko pocałował jej dłoń. – Tak się cieszę, że zdecydowali się państwo przyjechać. Moja żona, Marynia, narzekała na brak damskiego towarzystwa. Ze mnie podobno żaden pożytek, bo tylko siedzę w tych moich papierach...

– To my dziękujemy za zaproszenie – odrzekła. – Tak tu pięknie, tak spokojnie. Wyjątkowo przyjemna okolica.

– Prawda? Szczególnie w porównaniu z tym, co ostatnio działo się w mieście, wieś wydaje się istną Arkadią. Na pewno będą mieli tu państwo idealne warunki do odpoczynku, a nam nie będzie się wieczorami nudzić z Marynią. Posiedzimy razem, porozmawiamy...

Zagórski odebrał od niej niewielką walizeczkę i ruszyli w stronę domu. Na werandzie już czekała jego żona. Przywitała Baczyńskich równie serdecznie, co wcześniej jej mąż.

– Niestety na obiad się państwo spóźnili – zaczęła się tłumaczyć na wstępie. – Ale za godzinę, półtorej powinna być już gotowa kolacja. Zatem może zechcą państwo odpocząć chwilę po podróży, a ja tymczasem zrobię herbaty.

– Szczerze powiedziawszy, jeśli można, przed jedzeniem chcielibyśmy się przejść na spacer – rzekł Krzysztof. – Rozprostowalibyśmy trochę kości, co Basiu? W drodze ze stacji widzieliśmy, że tu zaraz przepływa rzeka. A pogoda taka wspaniała...

– Widzisz, Maryniu, a nie mówiłem? Romantyczna dusza z tego naszego pana Krzysia. Oczywiście idźcie, idźcie, tu niedaleko jest dużo urokliwych zakątków. Ale wracajcie niedługo, bo strasznie jestem ciekaw nowin z Warszawy. Tutaj na wieś to nawet gadzinówki nie dochodzą...

★ ★ ★

Narew spokojnym nurtem przepływała poniżej, połyskując w świetle zapadającego wieczoru. Z podmokłych łąk nieopodal dochodziły odgłosy żab. Po niebie sunęły cumulusy, puszyste niczym cukrowa wata. Basia i Krzysztof, zwiesiwszy nogi z piaszczystej skarpy, w ciszy obserwowali czaple brodzące na drugim brzegu rzeki. Ona oparła głowę o ramię męża.

– Tak tu przepięknie – westchnęła. – Tak nierzeczywiście.

– Prawda? Zupełnie jakby wojny nie było. To takie osobliwe, że zaledwie trzydzieści kilometrów stąd jest Warszawa, Niemcy, a tutaj taki spokój...

– Cudownie byłoby zostać na dłużej. Na zawsze.

– Cóż, mamy tylko tydzień. Powstanie zacznie się lada moment. Ale później. Któż to wie? Może jeszcze uda nam się gdzieś wyjechać w te wakacje? Zagórski mi mówił, że gdybyśmy tylko mieli ochotę, moglibyśmy u nich spędzić całe dwa miesiące.

– Byłoby wspaniale – rozmarzyła się.

– Tak… – zadumał się Krzyś. – A może kiedyś, kiedy Polska znowu będzie wolna i znowu będzie normalnie, sami kupimy taki domek, jaki mają Zagórscy. Niedaleko Warszawy. Ot, choćby w takim miejscu jak to.

– I ty to mówisz, taki niepoprawny mieszczuch? – Uśmiechnęła się.

– Zmęczony jestem, Baś – odparł już poważniej. – Czuję się jak stary człowiek. Mam dopiero dwadzieścia trzy lata, a odnoszę wrażenie, jakbym ich przeżył ze sto… Chętnie bym gdzieś osiadł, odpoczął. W jakimś spokojnym, uroczym miejscu jak choćby to. Zimą pracowalibyśmy w Warszawie, a na wakacje przenosilibyśmy się do takiego domu gdzieś na uboczu, z dala od ludzi. Mógłbym całe dnie pisać. Wieczorami chodzilibyśmy po lesie – rozmarzył się. – A może znaleźlibyśmy chatę gdzieś na Podhalu? Ciotka Kmitowa przed wojną miała dom w Bukowinie. Uwielbiałem spędzać tam wakacje. Tatry są takie niezwykłe. Majestatyczne. Tak bardzo chciałbym pojechać tam kiedyś z tobą… Zobacz, już ponad dwa lata jesteśmy małżeństwem, a przez okupację, przez ten obłęd nie miałem szansy pokazać ci nawet ułamka tego, co kiedyś tak kochałem. Pragnąłbym cię zabrać w tyle miejsc. Może za granicę? Do Włoch albo do Jugosławii? Adriatyk ma taki nierealny, turkusowo-lazurowy kolor, zupełnie jakby jakiś szalony malarz nalał farby do wody. Chyba tylko Morskie Oko latem miewa czasami podobną barwę. Wiesz, ja kiedyś bardzo lubiłem pływać. A teraz, mój Boże, nie robiłem tego od lat.

Słuchała go zamyślona. Przed jej oczami rysowały się wszystkie te wizje cudownych wakacji, które mogliby w przyszłości razem przeżyć.

– Jeszcze kiedyś przyjdzie na to wszystko czas – rzekła, łagodnie się prostując. Spojrzała z miłością na spokojną twarz Krzysia. – Przyjdzie czas, że będziesz pokazywał mi świat… – Zawiesiła głos. – Że będziesz pokazywał go… nam.

Powoli przeniósł na nią wzrok. W jasnych oczach rozkwitło zdziwienie. Niedowierzanie.

– Nam?

Uśmiechnęła się zawstydzona.

– Tak. Nam.

– Baś… Basieńko – wyszeptał niemal bezgłośnie. – Naprawdę jesteś w ciąży?!

– Według moich wyliczeń to dopiero drugi miesiąc. – Wzruszała ją reakcja Krzysia.

– Drugi? Dlaczego więc… – Odruchowo dotknął jej zupełnie płaskiego jeszcze brzucha.

– Dlaczego mówię dopiero teraz? Chciałam to już zrobić kilka razy. Przed twoim pobytem w „Leśnej Bazie". Jednak wtedy dopiero się zorientowałam, nie miałam całkowitej pewności. A ty tak nagle zakomunikowałeś mi, że wyjeżdżasz. Nie chciałam cię tym obarczać. Na pewno wystarczająco ciężko było ci i bez takiej wiedzy. Niepotrzebnie byś się o mnie zamartwiał. A kiedy wróciłeś w tamtym tygodniu, byłeś tak rozbity odejściem z „Zośki”. To zamieszanie z przeniesieniem broni, twoje spotkania z ludźmi z nowego oddziału. Kiedy się dowiedziałam, że przyjedziemy tutaj, uznałam, że to będzie idealne miejsce, aby ci wreszcie powiedzieć.

– Baś… – Przygarnął ją do siebie. Oczy miał mokre. – Basieńko, nawet nie wiesz, jaki jestem szczęśliwy. Będę ojcem? Naprawdę nam się udało?! Widzisz, miał rację doktor Stępiński. – Zrobił poważną minę. – Ale ty musisz teraz o siebie zadbać. Żeby nie stało się to samo, co rok temu. Musisz na siebie uważać. Jeść powinnaś więcej. Koniec z tym ciągłym lataniem po mieście. Powinnaś odpoczywać. No i… – zawahał się. – Basiu, teraz to chyba wykluczone, żebyś wzięła udział w powstaniu jako sanitariuszka.

– Krzysiu…

– Nie żadne „Krzysiu”. Twoje zdrowie będzie teraz najważniejsze. Ja się nie zgodzę, żebyś w ciąży narażała się na kontakt z chorymi.

– Z rannymi – sprostowała.

– Wszystko jedno. Szpital to nie jest najlepsze miejsce dla kobiety w twoim stanie.

– Ale Krzysiu… – rzekła znowu błagalnie. – Nie mogę zostać w domu, kiedy ty pójdziesz do walki. Jak to sobie wyobrażasz? Nie po to uczyłam się przez cały rok, żeby teraz, kiedy każda para rąk będzie się liczyć, siedzieć w domu.

– Baś, bądź rozsądna. Przecież wiesz, że mam rację.

Wiedziała. Identyczną rozmowę przeprowadzili z nią rodzice dwa tygodnie wcześniej. Zaklinali, prosili. Mama nawet się popłakała. Nic im wtedy nie obiecała. Ale jemu?

– Obiecaj mi, przysięgnij, że nie pójdziesz do powstania. Jeśli przyjdzie przydział dla ciebie, wyjaśnisz komu trzeba, że nie możesz go przyjąć. Wszyscy to zrozumieją. Świat oszalał, ale nie do tego stopnia, żeby sanitariuszkami musiały być kobiety przy nadziei. Zostaw to innym. Powstanie potrwa najwyżej kilka dni. Zostaniesz w domu, Basiu? Przyrzekniesz mi to?

Odetchnęła głęboko. Wieczorne powietrze pachniało sitowiem i rzecznym piaskiem. Całe to powstanie, wojna, walka wydawały się nie mieć znaczenia. Nic nie miało znaczenia prócz nowego życia rozwijającego się pod jej sercem.

– Przyrzekam. Ale teraz już chodźmy. Zagórscy na pewno czekają na nas z kolacją.

★ ★ ★

Cały tydzień upłynął im jak we śnie. Senny rytm wsi, bliskość natury i długie wieczorne dyskusje z gospodarzami – o literaturze, kulturze, sztuce, o tym, jak cudownie będzie znowu żyć w wolnej Polsce – sprawiły, że Basia i Krzysztof zupełnie oderwali się od pozostawionego w Warszawie życia. Podczas długich spacerów nie wspominali o nadchodzącym powstaniu i związanych z tym obawach. Zamiast tego roztaczali przed sobą wizje wspaniałej, bezpiecznej przyszłości. Wymalowywali słowami beztroskie obrazy, na których pod nogami dwójki zakochanych młodych ludzi biegało roześmiane dziecko. W ciepłe noce, przepojone cykaniem świerszczy i rechotem żab, Krzyś godzinami gładził brzuch Basi. Składał na nim pocałunki i szeptał do dziecka najczulsze wyznania ojcowskiej miłości.

Zagórscy bardzo ich namawiali, żeby zostali na dłużej. Szczególnie po tym, jak dumny Krzysztof przyznał, że Basia jest w ciąży. Miejsca w domu było pod dostatkiem, a wszędzie piękne tereny. A przecież przyszłej mamie świeże powietrze jest wyjątkowo potrzebne, no i Krzyś miałby wyśmienite warunki do pisania. Pani Maryna odkarmiłaby wychudzoną Basię pysznym, wiejskim jedzeniem... Po co tak się spieszyć do Warszawy?

Ostatniego wspólnie spędzonego wieczoru Zagórski długo rozmawiał z Krzysztofem. Tłumaczył mu, że jego przeznaczeniem przede wszystkim jest poezja, że walkę należy zostawić żołnierzom, lecz zdroworozsądkowe argumenty na nic się zdały. Następnego poranka Baczyńscy odjechali, pozostawiając swojego gospodarza z uczuciem dziwnego niepokoju.

Krótki pobyt poza granicami stolicy okazał się zbawienny dla zdrowia Basi, a także jej samopoczucie uległo poprawie. Z ogromną nadzieją nasłuchiwała informacji o wojskach zbliżających się od wschodu i bez słowa sprzeciwu witała chłopców z nowego oddziału Krzysia, którzy teraz niemal codziennie przychodzili na Hołówki na zbiórki. Coraz lepiej ich znała. „Mors", dowódca Krzysia, często zostawał na dłużej. Opracowywali ostatnie strategie, ustalali szczegóły działań na zbliżający się wielki dzień.

Nastrój ogromnego podniecenia i wyczekiwania opanował już nie tylko kręgi konspiracyjne, ale także wszystkich mieszkańców Warszawy. Jedni na wszelki wypadek gromadzili zapasy, inni pakowali dobytek, by zawczasu uciec gdzieś pod miasto. Pani Feliksa niemal siłą wysłała wyrywającego się do walki Zbyszka do jakiejś zaprzyjaźnionej rodziny na wieś. A pod koniec lipca na Czerniaków wpadł także

Andrzejewski. Przyszedł, by pożegnać się z Krzysiem. Wraz z Marysią i maleńkim Marcinem postanowili wyjechać do Krakowa. Ostatni raz próbował namówić Krzysztofa do opuszczenia Warszawy i po raz kolejny usłyszał odmowę.

Czekano...

Strach mieszał się z nadzieją. Napięcie rosło. Powietrze gęstniało od tłumionych emocji...

Za każdym razem, gdy w drzwiach mieszkania przy Hołówki zjawiała się dziewczyna z przewieszoną przez ramię torbą i przekazywała Krzysiowi meldunek, serce Basi zaczynało bić szybciej. Jednak miesiąc powoli mijał, a wiadomość o wybuchu powstania wciąż nie nadchodziła. Krzysztof kilka razy wyjeżdżał na dzień lub dwa na zgrupowania w lasach pod Radością, ale później wracał i znowu wszystko toczyło się normalnie. Basia otrzymała zawiadomienie, że w razie rozpoczęcia walk ma się zgłosić do szpitala przy Siennej, co bezspornie oznaczało, że nadszedł czas ostatecznej mobilizacji.

Czekano...

Tego wtorkowego popołudnia to Krzysztof otworzył łączniczce. Basia niecierpliwiła się w kuchni. Po chwili stanął w drzwiach. Z jego twarzy trudno było cokolwiek wyczytać.

– To już?

Pokręcił przecząco głową.

– W takim razie, co to za wiadomość?

– Jeszcze nie o powstaniu, ale tym razem sądzę, że naprawdę powinno się zaraz rozpocząć. Mam się stawić dzisiaj o szesnastej na ulicy Focha w jakimś sklepie. Na zapleczu znajduje się skład butów. Będę je rozdawał chłopakom. A później…

– Później?

– Pewnie otrzymam t e n właściwy meldunek. Basiu, uważam, że powinniśmy spakować najpotrzebniejsze rzeczy i jechać do twoich rodziców. Nie chcę, żebyś została tutaj sama. Nie wiem, jak długo mi się zejdzie w tym sklepie, ale pewnie na noc wrócę na Pańską. Stamtąd wszędzie jest bliżej. Musimy być w pogotowiu.

Milczała. Krzysztof podszedł do niej. Stanął tak blisko, że poczuła na twarzy jego oddech.

– Nie bój się, kochanie. Wszystko będzie dobrze. To na pewno potrwa tylko chwilę. Niemcy zbyt są zajęci Sowietami, żeby mogli skutecznie odeprzeć nasz atak. Za kilka dni będzie po wszystkim. – Ucałował ją w czoło. – A teraz, chodź. Musimy się zbierać.

Niemal całą zawartość Basinej walizki stanowiły rękopisy Krzysztofa. Wydany w czasie okupacji tomik, bruliony w czarnych okładkach, w których tak bardzo lubił pisać, i wiele własnoręcznie przez niego wykonanych zeszycików. Na koniec do środka wrzuciła dyplom ukończenia podchorążówki. Ubrań i rzeczy osobistych wzięła zaledwie kilka sztuk. Krzysztof ze zdziwieniem przyglądał się zawartości jej bagażu:

– Chyba niepotrzebnie zabierasz to wszystko. Tutaj nic nie powinno zginąć.

– Nie o to chodzi. Po prostu chcę mieć twoje wiersze przy sobie. Chcę móc na nie patrzeć, móc je czytać, kiedy ciebie przy mnie nie będzie. One mają dla mnie dużo większą wartość niż jakieś szmatki.

– Rób, jak uważasz, ale nie znam drugiej kobiety, która wolałaby posiadać w walizce zapas wierszy niż zapas czystych ubrań.

Pocałowała go przelotnie w policzek.

– Właśnie dlatego to ja jestem twoją żoną.

Mieli niewiele czasu, tym bardziej, że część drogi musieli przejść pieszo. Dlatego niezwłocznie wyruszyli w stronę centrum miasta. Do rodziców Basi dotarli dopiero koło piętnastej, więc Krzysztof szybko zjadł parę łyżek zupy i zaczął się zbierać do wyjścia. Wtedy Basia się uparła, że go odprowadzi. Żadną siłą nie mógł jej odwieść od tego pomysłu, dlatego razem popędzili w stronę Marszałkowskiej.

Wkoło panował typowy dla dnia powszedniego ruch i tylko gdzieniegdzie przechadzał się jakiś niemiecki patrol. Przechodnie, nieco rozleniwieni letnią aurą, bez pośpiechu zmierzali do swoich spraw. Tymczasem Basia z Krzysztofem niemal biegli.

Minęli przecznicę Kredytowej i skręcili w Królewską. Podążając wzdłuż Ogrodu Saskiego, wreszcie dotarli na plac Piłsudskiego. Dopiero tutaj zwolnili. Basia wzięła męża pod rękę. Przez chwilę szli powoli, by mógł wyrównać oddech.

– Dalej już nie powinnaś ze mną iść – stwierdził wreszcie, rozglądając się na boki. Plac był spokojny i niemal pusty. – Lepiej, żebyś nie spotkała się z chłopakami.

– Jeszcze tylko kawałeczek – poprosiła przymilnie. – Odprowadzę cię do Trębickiej, a dalej już pójdziesz sam.

Uśmiechnął się.

– Basiu, zachowujesz się tak, jakbyś mnie miała przez miesiąc nie zobaczyć. A ja przecież wrócę za jakieś dwie, trzy godziny.

– Aż trzy? Nie uwiniecie się z tym szybciej?

– No cóż, obawiam się, że w naszych szeregach niemało jest bosych żołnierzy. – Odruchowo spojrzał na swoje idealnie wyglansowane oficerki. – Zanim rozdam buty wszystkim potrzebującym, chwilę mi się zejdzie. Chyba byś nie chciała, żeby polskie wojsko biegało podczas powstania bez butów.

Zacisnęła mocniej palce na jego ramieniu. Zbliżali się do miejsca, w którym powinni się rozstać.

– Oczywiście, że nie. Ale ja tak nie lubię, kiedy zostawiasz mnie samą. Nawet na chwilę.

– Niedługo w ogóle nie będę musiał cię zostawiać. Wojna zaraz się skończy, a wtedy już zawsze będziemy razem…

Przystanęli. Tu kończyła się ich wspólna droga. Krzyś zerknął na zegarek.

– Naprawdę powinienem już iść. Wracaj do rodziców. Ja wkrótce do was przyjdę. Chciałbym jeszcze dzisiaj napisać list do mamy. Wiem, że ona bardzo się martwi. A później cały wieczór spędzimy razem. Tymczasem zmykaj i uważaj na siebie.

Odwrócił się, chcąc odejść, ale Basia w ostatniej chwili złapała go za rękę. Wspięła się na palcach i przysunęła twarz do jego ucha:

– Kocham cię.

– Ja ciebie też, Baś. – Dotknął jej brzucha. – Niedługo się zobaczymy.

Z ociąganiem się odwrócił i ruszył przed siebie, zostawiając ją samą na ulicy. „Niedługo się zobaczymy…" – powtarzał uparcie, mimo przeczucia, które niepostrzeżenie napełniło jego serce niepokojem.

To takie dziwne...

Mam wrażenie, jakby gruba ściana oddzielała mnie od świata. Słyszę podniesione, przerażone głosy ojca i matki. Czuję duchotę piwnicy i dłonie układające moje bezwładne ciało na twardym sienniku – ktoś owija mi głowę bandażem z podartego prześcieradła, ktoś inny ociera twarz z sadzy i krwi – jednakże nie mogę otworzyć ust. Chciałabym, aby wszyscy stłoczeni w pomieszczeniu wiedzieli, że wciąż żyję, że jestem świadoma, lecz nie mam siły unieść powiek, nie jestem w stanie wydać z siebie żadnego dźwięku.

– Rana wygląda tak powierzchownie. Może to tylko szok i Basia zaraz się wybudzi? – zastanawia się mama.

– Nie wyciągajcie tego kawałka szkła z jej głowy. Mógł wbić się w mózg i go uszkodzić – padają z boku dobre rady.

Czy to o mnie? Czy rozmawiają o mnie? Dlaczego mówią, jakby mnie tu nie było? Czy rzeczywiście coś utkwiło w mojej głowie i to dlatego nie mogę się obudzić?

– Panie Drapczyński, powinieneś pan wezwać lekarza – rzuca jakiś mężczyzna. – Może trzeba operować albo chociażby leki podać? Źle to wygląda. I po co się dziewczyna pchała na górę?

– Co też pan opowiada, panie Koźmiński?! – ofukuje go kobiecy głos. – Gdyby nie ona, już by pan nie miał po co do mieszkania wracać, a może i cała kamienica z dymem by poszła!

– Boże drogi – tata ignoruje wymianę zdań sąsiadów. – Skąd ja teraz wezmę lekarza?!

– Trzeba by panią Basię przenieść na Sienną. Sklecilibyśmy nosze, coś by się znalazło, jakieś koce, kije i może tam, w szpitalu, uradziliby, jak pomóc?

– Teraz? – wtrąca ktoś stojący dalej. – Wystrzelają was jak kaczki, gdy tylko przekroczycie bramę domu. Na ulicy wszędzie Niemcy, walą dziś z moździerzy jak opętani. Zanim dziewczynę do szpitala przetransportujecie, rozniosą was wszystkich na strzępy. A poza tym, kto wie, czy szpital jeszcze stoi, może i on już w ruinie i żywego ducha na miejscu nie zastaniecie…?

Przez chwilę trwa cisza, ożywiona debata ucicha. Czuję czyjąś bliskość. Ciepły dotyk dłoni. To chyba ta harcerka z poczty polowej, która była ze mną na górze, gdy doszło do eksplozji, trzyma mnie teraz za rękę. Słyszę, jak odzywa się cicho i niepewnie:

– Proszę państwa, ja przecież nosiłam przesyłki i wiem, w której piwnicy kto siedzi. Dwa dni temu

parę kamienic dalej dostarczyłam list takiemu jedne-
mu... Kartka była przeznaczona dla doktora Andrze-
ja. Nazwiska nie pamiętam i nie mam pojęcia, jakiej
jest specjalizacji, ale to chyba bez znaczenia w obecnej
sytuacji, ważne, że lekarz. Miły, starszy pan. Bardzo
się z wiadomości ucieszył. Może on jeszcze tam jest
i mógłby nam pomóc? Przekradłabym się do niego i po-
prosiła, żeby tu przyszedł.

— Naprawdę mogłaby go pani odszukać? — W sło-
wach ojca pobrzmiewa nadzieja. — Ja wiem, że to nie-
bezpieczne, zatem nie śmiałbym pani prosić i narażać
na niebezpieczeństwo, chociaż widzę, że z naszą Basią
jest coraz gorzej, więc... — Głos mu się łamie. — Dlacze-
go ona jest nieprzytomna?

Jestem przytomna, tato, wciąż was słyszę. Chciała-
bym cię uspokoić, jednak moje ciało ogarnia przedziw-
ny bezwład. Czuję, jak spod opatrunku sączy się lepka
wilgoć i zaczynam rozumieć twoje obawy. A przecież
wciąż tu jestem. Żyję. Zaraz się ocknę i wszystko będzie
jak dawniej. Będzie? Chyba nikt z zebranych w piwnicy
nie podziela mojego optymizmu. Harcerka szykuje się do
wyjścia. Chcę krzyknąć w ślad za nią — nie idź, po co
się narażasz! — niemniej ona już odchodzi i pomieszcze-
nie na powrót wypełniają niecichnące rozmowy na mój
temat. Płacz matki, szept ojca... Jeszcze nie czuję bólu.
A może czuję i tylko staram się odsuwać go od siebie?
Zamknięta w miękkim puchu półświadomości zupełnie

nie boję się śmierci. Dryfuję w szalupie wątpliwości mię-
dzy światem mroku, wojny i zniszczenia a tym lepszym,
jasnym, bezpiecznym, w którym – coraz mocniej to czu-
ję – ktoś już na mnie czeka. Na mnie i nasze dziecko.
Chciałabym odpłynąć w tamtym kierunku, odejść, od-
począć, chociaż wiem, że rodzice na to nie pozwolą, nie
podjąwszy walki z przeznaczeniem. Będą cierpliwie
zwilżać mi usta i zmieniać opatrunki, wycierać pot z go-
rejącego czoła i przykładać chłodne kompresy… Czas
płynie obok mnie i przestaję liczyć, czy minęła godzina,
czy może kilka dni. Przed oczami widzę pękającą lodo-
wą ścianę, słyszę dźwięk upadających wokół szklanych
okruchów i krzyk za plecami. Powinnam była się tam na
górze ukryć przed śmiertelnym gradem, lecz coś zatrzy-
mało mnie w miejscu. A może to byłeś ty, kochany? Tak
bardzo za tobą tęsknię. Może to ty wzywasz mnie teraz
do siebie? Wiem, że stoisz na drugim brzegu rzeki, po
której płynę – tak bardzo chciałabym już być przy tobie…

Otwieram oczy. Ocknęłam się? Nieopodal, w pół-
mroku dostrzegam postać mamy, która drzemie na sie-
dząco, oparłszy głowę o ścianę.

– Mamo – szepczę, a wraz z dobywającym się z gar-
dła suchym szelestem zalewa mnie fala przejmującego
bólu. – Mamo, gdzie ja jestem, która godzina?

Podrywa się na równe nogi i łapie mnie za rękę.

– Basiu! – Strach na jej twarzy miesza się z nie-
pewnym uśmiechem. – Córeczko, obudziłaś się, Bogu

dzięki! Rysiu, Rysiu – woła w stronę niewyraźnej mę-
skiej sylwetki. – Basia się obudziła!

I już słyszę szybkie kroki ojca, jego twarz wyłania
się z mroku.

– Dziecko, jak się czujesz? – dopytuje. – Odchodzili-
śmy od zmysłów. Ta dziewczyna od „Zawiszaków" po-
biegła kilka godzin temu po lekarza i jeszcze nie wróciła.
A zaraz będzie noc. Wiele godzin byłaś nieprzytomna.
Tak się o ciebie martwiliśmy. Córciu, co cię boli?

– Głowa... – Pragnę opisać narastający łomot roz-
rywający moją czaszkę, jednak kolejne wyrazy grzęzną
na języku.

– Może lepiej nic nie mów. Nie przemęczaj się. –
Mama przykłada mi okład do czoła, czule głaszcze
policzek. – Gorączkujesz, Basiu, i to dlatego tak źle się
czujesz. Odprysk szkła wbił ci się nad skronią. Pewnie
trzeba będzie go usunąć, tylko że nie mieliśmy odwagi
zrobić tego bez doktora. A jego cały czas nie ma...

– Mamo – z trudem przełykam ślinę – ja wiem, że
Krzysztof nie żyje, to i ja nie chcę żyć[27].

– Basiu, co ty opowiadasz? Rysiu, słyszałeś, ona
znowu majaczy. Basieńko, córeczko, nie mów tak. Zo-
baczysz, wszystko będzie dobrze. Leż tylko spokojnie
i odpoczywaj...

---

[27] Zapis prawdziwych słów Barbary Baczyńskiej. Źródło: W. Budzyński, *Taniec z Baczyńskim*, Prószyński i S-ka, Warszawa,
2001.

Zatem odpoczywam.

I znowu na długo zapadam w sen wypełniony dziwnymi obrazami, które przepływając przez wątłą świadomość, zaciskają się niczym celuloid filmowej taśmy wokół mojej okaleczonej głowy. Wpatruję się w poszczególne sceny minionego życia – sceny dzieciństwa, dorastania i wreszcie, te najszczęśliwsze, choć przetkane okrucieństwem okupacji, w których ty, Krzysiu, zacząłeś odgrywać pierwszoplanową rolę. Uciekam przed zalewającym moje ciało cierpieniem do tamtych szczęśliwych chwil. Wstrząsana konwulsjami łapię mamę za rękę. A może to wcale nie jej dotyk czuję teraz na dłoni? Może to ty gładzisz mnie tak tkliwie, z miłością? Dzięki temu zupełnie się nie boję, kiedy wreszcie słyszę zdenerwowany głos lekarza nad moim ciałem.

On peroruje coś o swojej specjalizacji, niedostatecznych kwalifikacjach, o braku odpowiednich instrumentów chirurgicznych. O dramatycznych warunkach sanitarnych panujących w piwnicy, zupełnie niesprzyjających przeprowadzeniu operacji – bo czy tak poważny zabieg może się udać w ciemnościach, w tym brudzie, wśród szczurów, w ciasnocie, bez możliwości sterylizacji narzędzi i dezynfekcji pomieszczenia? Toż to istne szaleństwo! A i szanse powodzenia zabiegu są minimalne, bo ciąża, stan zapalny, bo mózg uszkodzony, bo wszystko za późno, za późno… Mama głośno płacze. Ojciec prosi doktora, żeby jednak nam pomógł, *zaklina na wszystkie świętości i błaga tak długo, aż ten się wreszcie zgadza: „Na państwa odpowiedzialność". I w piwnicy padają kolejne hasła: trepanacja czaszki, woda gorąca, wygotowywanie narzędzi, opatrunki, spirytus albo niechby wódki odrobina... Co kto ma, niech przyniesie, bo wszystko się może przydać.*

Wokoło zamieszanie, nerwowe odgłosy krzątaniny. Przygotowania zdają się trwać w nieskończoność. A wreszcie kompletna cisza. Atmosfera skupienia. Czoło lekarza rosi pot, ręce drżą, bowiem on jeszcze nigdy takiej operacji nie przeprowadzał. Skalpel w dłoni trzymał całe lata temu, a czaszkę to tylko raz, i to na studiach, otwierał. Później się wyłącznie kokluszem i zasmarkanymi nosami zajmował – niemniej niech będzie, co ma być...

Niech będzie.

Bo ja i tak już zdecydowałam, że zostanę przy tobie i w pewien sposób od dawna jestem po drugiej stronie. Więc zaraz znowu będziemy razem.

Choć jeszcze czasami przez kilka kolejnych dni jak przez mgłę słyszę odgłosy piwnicy. Wiem, że mimo powstania odwiedzają mnie dawni koledzy: Marcin, Janek... Nawet Basia Bormanówna tu była. Acz ja już nie otwieram oczu. Nie chcę nikogo widzieć, a tylko zasnąć w spokoju, na zawsze.

Raz tylko, siłą woli zmuszam się, by wrócić do tych, którzy tu zostaną i ich pożegnać. Mama klęczy przy sienniku – chyba się za mnie modli – lecz nie patrzę na nią, a jedynie w twoje oczy. Mój głos wypełnia ciemność piwnicy:

– Idę do ciebie, już idę do ciebie – szepczę, czując na policzku łzy matki.

– Nie odchodź – prosi ona. – Jesteś moim dzieckiem.

– No tak, ale to jest mój mąż[28] – tłumaczę spokojnie i nie unosząc powiek, uśmiecham się przepraszająco w czarną przestrzeń śmierci.

A później nadchodzi ostatni sen.

Śpię.

Śnię.

Obserwuję, jak do mnie podchodzisz, jak opiekuńczym gestem okrywasz swoim płaszczem i już nie leżę w ciemnej piwnicy. Nie ma bólu i strachu. Nachylasz się nade mną, otaczasz ramionami.

– Baś – słyszę przy uchu. – Moja Baś.

W twoim głosie jest kojący spokój, którego nie czułam od tak dawna. Spokój...

– Nie zostawiaj mnie więcej – mówię.

– Już nigdy cię nie opuszczę.

– A wojna?

– Nie ma już wojny, Basiu. Dla nas jej już nie ma. Przecież nie słychać wystrzałów. Już nie siedzisz ukryta

---

[28] Zapis prawdziwych słów Barbary Baczyńskiej. Źródło: W. Budzyński, dz. cyt.

pod ziemią, nie musisz się niczego obawiać. Rozejrzyj się. Odetchnij głęboko. Wokół nas tylko śpiew ptaków, zieleń lasu. Pamiętasz to miejsce? Znowu jesteśmy na naszej polanie w Radości. Nad nami niebo takie czyste, przejrzyste. Nie ma już wojny, nigdzie śladu Niemców... Tylko my jesteśmy.

Patrzę ufnie w twoje jasne oczy. Przeglądam się w nich. Twój uśmiech jest wszystkim, w czym pragnę zamknąć moją wieczność. Przytulam do piersi tomik wierszy i dyplom ukończenia przez ciebie podchorążówki. Zostawię na nich krwawy ślad palców zaciśniętych w przedśmiertnym skurczu. Chociaż tego już się nie dowiem, już nie muszę niczego wiedzieć o świecie, który opuszczamy.

– Czyli to już koniec? – pytam, czując, jak przenika mnie ciepło twojego ciała. Przenika mnie zapach łąki i lata.

– Nie, dla nas to początek. Lepszy początek. Nic nas więcej nie rozdzieli, nikt mi ciebie nie odbierze. Basiu...

Ty jesteś moje imię i w kształcie, i w przyczynie,
i moje dłuto lotne.
Ja jestem, zanim minie wiek na koniu-bezczynie,
ptaków i chmur zielonych złotnik.
Ty jesteś we mnie jaskier w chmurze rzeźbiony blaskiem
nad czyn samotny.

Ja z ciebie ulew piaskiem runo burz, co nie gaśnie,
każdym życiem i śmiercią stokrotny.
Ty jesteś marmur żywy, przez który kształt mi przybył,
kształt w wichurze o świcie widziany,
który o mleczne szyby buchnął płomieniem grzywy
i zastygł w dłoni jak z gwiazdy odlany.
I jesteś mi imię ruchów i poczynaniem słuchu,
który pojmie muzykę i sposób,
który z lądu posuchy wzejdzie żywicą-duchem
w łodygę głosu[29].

---

[29] *Ty jesteś moje imię...*, tomik wierszy *To jestem cały ja*, Agencja Wydawnicza „AD OCULOS", Warszawa–Rzeszów 2007.

EPILOG

Krzysztof Kamil Baczyński zmarł 4 sierpnia 1944 roku.

W związku z chaosem organizacyjnym poeta nigdy nie otrzymał rozkazu dotyczącego godziny „W". 1 sierpnia o szesnastej znalazł się na ulicy Focha, niedaleko placu Teatralnego w celu rozdania butów kolegom z oddziału. Tam zastało go powstanie. Kiedy następnego dnia na pobliskim Ratuszu zawisła polska flaga, przedostał się do walczącej tam załogi z batalionu „Gozdawa", którą dowodził ppor. „Leszek", Lesław Kossowski. W trakcie dwóch kolejnych dni prawdopodobnie brał udział w zdobyciu Pałacu Blanka. Czwartego dnia powstania w godzinach popołudniowych podczas pełnienia posterunku w oknie pałacu Krzysztof został śmiertelnie raniony w głowę przez snajpera, który zajmował pozycję w gmachu Teatru Wielkiego. Poetę pochowano jeszcze tego samego dnia wieczorem na dziedzińcu Ratusza.

W 1947 roku dzięki staraniom Stefanii Baczyńskiej ukazał się tomik wierszy jej syna *Śpiew z pożogi*. Przedmowę do zbiorku stanowił „List do Jana Bugaja" Kazimierza Wyki.

Barbara Baczyńska zmarła 1 września 1944 roku.

Rozstając się z mężem 1 sierpnia, nie spodziewała się, że więcej go nie zobaczy. 26 dnia powstania po uderzeniu pocisku z „krowy" została ranna w głowę odłamkiem szkła. W piwnicy, gdzie ukrywała się wraz z rodzicami, przeprowadzono jej trepanację czaszki. Operacja się nie powiodła. Basia zmarła po pięciu dniach, nie odzyskawszy przytomności. W chwili śmierci ściskała w dłoni dyplom ukończenia przez Krzysztofa podchorążówki i tomik jego wierszy. Została pochowana przy ulicy Siennej. Rodzice ekshumowali jej ciało dopiero po wojnie w 1945 roku, gdy powrócili z robót z Niemiec, gdzie trafili po upadku powstania warszawskiego.

Tadeusz Gajcy i Zbigniew Stroiński zmarli 16 sierpnia 1944 roku.

Najwięksi literaccy oponenci Krzysztofa Kamila Baczyńskiego zginęli podczas powstania warszawskiego jako żołnierze AK w ruinach kamienicy przy ulicy Przejazd, wysadzonej przez niemieckich żołnierzy.

Stefania Baczyńska zmarła 15 maja 1953 roku.

Długo nie potrafiła uwierzyć w śmierć syna. Wkrótce po wojnie próbowała go odnaleźć za pośrednictwem Czerwonego Krzyża. Rozsyłała także

listy do znajomych Krzysztofa: Jarosława Iwaszkiewicza i Jerzego Andrzejewskiego. Brała udział
w licznych ekshumacjach powstańczych grobów.
Ciało jej syna odnaleziono dopiero w styczniu 1947
roku. Była przy tym obecna. Krzysztofa i Barbarę
Baczyńskich pochowano we wspólnym grobie na
Powązkach Wojskowych pomiędzy kwaterami „Parasola" i „Zośki". Stefania zajęła się spuścizną syna
i do końca życia zabiegała o przyznanie mu należ-
nego miejsca na kartach historii polskiej literatury.

Jerzy Andrzejewski zmarł 19 kwietnia 1983 roku.
Autor *Popiołu i diamentu*, najbliższy przyjaciel
Krzysztofa Baczyńskiego, dowiedziawszy się o jego
śmierci, zanotował w swoim dzienniku: „Nie był to
przecież jedyny człowiek, którego kochałem. Ale był
ostatnim, i to go czyni dla mnie po dziś dzień jedynym"[30]. Andrzejewski do śmierci trzymał na biurku
zdjęcie Krzysztofa.

---

[30] J. Andrzejewski, *Zeszyt Marcina*, Wydawnictwo Prokop, Warszawa
1994.